JN306534

ポール・ギャリコ

あたしはトマシーナ。毛色こそちがえ，大叔母のジェニィに生きうつしと言われる猫。あたしもまたジェニィのように，めったにない冒険を経験したの。自分が殺されたことから始まる，不可思議な出来事を……。スコットランドの片田舎で獣医を開業するマクデューイ氏。動物に愛情も関心も抱かない彼に，ひとり娘メアリ・ルーが可愛がっていたトマシーナの病気に手を打とうともせず，安楽死を選ぶ。それを機に心を閉ざすメアリ・ルー。町はずれに動物たちと暮らし，《魔女》と呼ばれるローリとの出会いが，頑なな父と孤独な娘を変えていく。ふたりに愛が戻る日はいつ？　『ジェニィ』と並ぶ猫ファンタジイの名作，新訳決定版。

登場人物

アンドリュー・マクデューイ……獣医師
メアリ・ルー……………………アンドリューの娘
マッケンジー夫人………………マクデューイ家の家政婦
ウィリー・バノック……………獣医の助手
アンガス・ペディ………………牧師
マッコーリー……………………巡査
タマス・モファット……………盲目の老人
ストロージー……………………医師
ジョーディ・マクナブ…………メアリ・ルーの友だち。服地屋の息子
ヒューイ・スターリング………同。地主の息子
ジェイミー・ブレイド…………同。軍曹の息子
ローリ・マグレガー……………《赤毛の魔女》
トマシーナ………………………猫

トマシーナ

ポール・ギャリコ
山田蘭訳

創元推理文庫

THOMASINA

by

Paul Gallico

1957

トマシーナ

ヴァージニアに

1

獣医のアンドリュー・マクデューイ氏は、診察室のドアから赤レンガ色のごわごわしたあごひげを突き出すと、質素なマツ材の黄色い椅子にかけた飼い主たちが、それぞれ膝の上にペットを抱き、あるいは足もとに坐らせて順番を待っている光景に、冷たく腹立たしげなまなざしを投げた。

老いてなおしなやかな身体で、調剤、事務、そして入院した動物の世話までできびきびとこなす助手のウィリー・バノックから、すでに午前中の外来患畜の顔ぶれはだいたい聞かされている。隣に住む友人、アンガス・ペディ牧師もそのひとりだった。例によってうんざりさせられるパグ犬のちびをおともに、というより、まさにそのパグ犬のために待合室に顔を連ねている。甘やかし、やってはいけない菓子を食べさせているおかげで、しょっちゅう胃の調子が悪くなるのだ。小柄ででっぷりした、脚の短い牧師のせまい膝の上に視線を落とすと、こちらを向いて横たわったパグ犬の、悲しげながら柔和な瞳としばし目が合う。そのまなざしには、腹痛の苦しみと、何かを期待し、訴えかけるような表情が混じりあっていた。この場所、この匂い、そして毛むくじゃらの顔をしたこの大男と、胃の痛みが楽になった記憶が、頭の中でしっかりと結びついているらしい。

思わず引きこまれそうなパグ犬の瞳から目をそらしたマクデューイ氏は、ペディが自分の忠告を守って、食べさせるものに気を遣ってくれさえすれば、こんな時間の浪費をさせられずにすむのにと腹立たしい気分になった。待合室を見わたすと、休暇でこちらに滞在しているグラスゴーの裕福な建設業者の妻が、リウマチにかかった小さなヨークシャー・テリアを連れている。頭に生えた絹のような毛に、愚かしくもビロードのリボンを編みこんだ、氏にとってはとりわけ虫の好かない生きものだ。シャム猫の耳を診てもらいにやってきた、キンロッホ夫人の姿もある。膝の上に横たわった猫は、時おり頭を振りたてては、耳ざわりな声で何やら不平を訴えていた。そして、食品雑貨店を営むドビー氏は、沈鬱な表情を面長な顔に浮かべた、自分にそっくりのスコッチ・テリアを連れている。その疥癬《かいせん》のひどいことといったら、むしろ椅子の張り替え屋に頼んだほうがよさそうに見えた。

他にも五、六人の飼い主が順番を待っている。どこか見おぼえのある幼い少年の姿もあった。次に呼ばれることになっているのは、新聞やたばこの売店を切りまわしている、年老いてでっぷりしたラガン夫人だ。年のせいで鼻面には白い毛が交じり、まぶたは目やにだらけの、これといって特徴のない黒い雑種犬のラビーを連れている。この老婦人こそは、はるか以前からインヴァレノックの町の名物とささやかれる存在だった。

夫を亡くしたのはもう二十五年も昔のこと、年齢は七十を超えている。ここ十五年ほどは、ラビーだけがそのかたわらに寄り添っていた。店の戸口に太った身体を横たえている犬の姿は、ペイズリー模様のショールを太った身体に巻きつけた寡婦の飼い主ともども、地元の人間にも、このハイランドの町を訪れる観光客にもなじみぶかい光景となっている。ラビーはいつもこの店の敷居に陣取り、両前足の間に鼻を埋め、上目づかいにこちらを見あげているので、買いものに来た客たちはその身体を踏んづけないようにまたいで出入りするようになった。ここの客たちの子孫は、おかげで生まれつき注意深さが身についているはずだというのが、この町の大通りで言い交わされるお定まりの冗談だ。

マクデューイ氏が飼い主たちを見まわすと、飼い主たちも不安や期待、敬意がさまざまな割合で混じりあったまなざしを返す。中には、獣医のくっきりとした顔立ち、秀でた額、かっと怒りに燃えあがっているような赤くふさふさした眉、傲然とした青い瞳、がっしりした鼻、ごわごわした口ひげとあごひげになかば隠れ、ときにあざけるようにゆがむ厚い唇、そして喧嘩腰にさえ見える攻撃的なあごからひしひしと伝わってくる敵意を、そのまま返すものもいた。

その目つき、そして何よりその態度が冷たく不機嫌に見えるのは、マクデューイ氏は総じて冷たく不機嫌な人間だというのが、このインヴァレノックの町では通り相場となっていたからかもしれない。

男やもめのマクデューイ氏がこの地に開業して、やっと一年半が過ぎたところだとはいえ、スコットランド高地のアーガイルシャーに位置するここインヴァレノックのような小さな町で、獣医としての腕のほどとその変人ぶりが噂の種にならないはずはない。町の人々が自分の楽しみのために可愛がっているペットの面倒を見るだけでなく、郊外に点在する農場で飼育されている食肉牛や黒綿羊、豚、鶏といった家畜の健康管理にも責任を持ち、加えてこの地域の食肉やミルクの品質、衛生状態の検査をとりおこなう指定医として、町の重要人物とみなされているのだから。

アンドリュー・マクデューイ氏が誠実で、率直で、公正な人間だということは、町の声も認めるところではあった。だが、信心ぶかい人々に言わせると、動物に対する愛情などさらさら持ちあわせていない、人間に対してさえほとんど心を動かさないように見える男が、神がお創りになった動物たちの世話をする仕事についているとは、まったく奇妙な話らしい。神に対してさえ、御心に添おうと努めることもなければ、そのために時間を割くこともしない。仲のいい友人として知られているペディ氏が牧師を務める教会にも、一度として姿を見せたことがないくらいなのだから。妻が亡くなってからというもの、あの男の心は石に変わってしまい、七歳になる娘のメアリ・ルーに捧げる愛情が片隅に息づいているだけだと評するものもいる。おかしな模様の入った赤茶色のみっともない猫、トマシーナをどこへ行くにも連れ歩いている、あの娘のことだ。

考えてもみろよ、と人々はしきりにささやきあった。そりゃ、マクデューイ先生はとびきり凄腕の獣医さ、そいつは否定できないね。治すも早けりゃ殺すも早い、いざとなりゃさっさとクロロホルムをひたしたガーゼに手が伸びるんだから。そんな陰口が、町のそこここを飛び交っていた。あの先生は心根が優しいから、救える見こみのない動物たちが意味なく苦しむのを見ていられないだけなんだよ、とマクデューイ氏に好意を持つ人々はかばう。いっぽう、氏の高圧的な態度が気に入らない人々は、あいつは動物の生命なんかなんとも思ってない無情で冷血な人間だ、ペットに愛情を傾けてめそめそする飼い主を、ああやってあからさまにせせら笑っているのさ、と切り捨てるのだった。

獣医としてのマクデューイ氏に接する機会のない多くの人々は、あの先生にもどこかいいところがあるにちがいない、と考えていた。なにしろ、これまで町の住民たちを教え導いてきたインヴァレノック改革長老教会の牧師、ペディ氏の友情と尊敬を勝ちえているのだから。マクデューイ氏と子どものころからつきあってきた牧師は、氏が妻のアンに先立たれたとき、心をさいなむ思い出ばかりのグラスゴーをさっさと離れ、ちょうど引退するところだった獣医の診療所を買いあげてインヴァレノックに越してくるよう、友人に強く勧めたのだという。

住人の中には、マクデューイ氏のいまは亡き父親、ジョンを憶えているものもいた。やはりグラスゴーで獣医をしていた、信仰にこりかたまった暴君のような老人で、自分の跡を継ぐ道を選ばなければ学費は出さないと息子に迫った人物だ。アンドリュー・マクデューイ少年は、本当は外科医をめざしたかったのに、結局は経済的な圧力に屈して、父親の望みどおり獣医となったのだそうだ。

父親が老いて亡くなるまで息子といっしょに診療所を開いていた、グラスゴーのダニア・ストリートに立つ古ぼけた陰鬱な家を訪ねたことのあるひとりに言わせると、ほめようにもお世辞さえ思いつかないような家庭で、息子がああなってしまったのも無理はない、とのこと。

マクデューイ氏の父親が、実は熱心な信徒という仮面をかぶった老いた偽善者であり、その家庭では神も警察官の代理としての役割しか与えられていないことを、ペディ牧師は知っていた。ジョン・マクデューイの神にとって、自然なもの、楽しいものはすべて悪とされた。そんな家庭に育った息子のアンドリューは、成長するにつれて神を憎むようになり、やがて否定するにいたったのだ……。娘のメアリ・ルーがまだ三歳のとき、妻のアンを亡くすという悲劇にまで見舞われて、マクデューイ氏の心はいっそう寒々と凍りつくこととなった。

じっくり待合室を見わたすと、マクデューイ氏はひげの生えたあごをしゃくり、高齢のでっぷりしたラガン夫人に診察室へ入るよう促した。夫人はびくっとしてかすかな声を漏らすと、膝からラビーを抱きあげ、つらそうにのろのろと立ちあがった。あお向けに抱かれたラビーは、両前足を力なく曲げ、うるんだ瞳をきょろきょろさせている。まるで太りすぎた黒と灰色の豚そっくりの姿で、一呼吸ごとに風邪をひいた老人のいびきのような音をたてながら。

アンガス・ペディ牧師は前を通れるよう脚を引っこめながら、童顔の天使のような温かい笑みを浮かべて夫人を励まそうとした。スコットランドの聖職者といえば陰気で気むずかしいと相場が決まっているが、ペディ牧師はそんな類型とは正反対の人物だ。背の低い、いささか太りぎみの身体に、温かい心と人並みはずれた活力を秘めている。えくぼの浮かぶ丸い顔、いたずらっぽい目、そしてそのほほえみは、このうえなく深い共感と鋭い洞察、気づかいを瞬時のうちに相手に伝えることができるのだ。

牧師のパグ犬もまた、慢性の消化不良に苦しみ、子だくさんのペディ家全員に備わったユーモアの表れである《世紀末《ファン・ドウ・シエクル》》という大仰な名前に押しつぶされそうになりながら、膝の上に横たわってあえいでいる。牧師はパグ犬を坐らせて、ラガン夫人と病気の愛犬が通るところを見せてやった。「ほら、ラガン夫人のところのラビーだよ。かわいそうに、具合が悪いみたいだね」目をきょろきょろさせていた二匹の犬は、一瞬、もの悲しげな視線を交わした。

ラガン夫人はマクデューイ氏に続いて診察室に入り、白いエナメルの細長い診察台にラビーをあお向けに寝かせた。前足は依然として力なく曲がり、呼吸は苦しげなあえぎに変わりつつある。

氏はラビーの唇をめくって歯に目を走らせ、まぶたを裏返し、それから上下する腹にほんのしばらく手を当ててみた。「この犬は何歳になる?」

着古した黒い服にペイズリー模様のショールをはおるという、昔ながらの寡婦らしい格好をしたラガン夫人は、その服の内側でかすかに身体をこわばらせたように見えた。「十五歳とちょっとです」答えておいて、あわててつけくわえる。「いえ、十四歳でしたかねえ。ほんの小さな子犬のころから、あたしがこの手で育てたんですよ」まるで、とっさに一歳引いておけば、この犬の寿命を一年延ばしてやれるかもしれない、とでもいうように。十五歳といえば、犬としてはけっこうな高齢だ。十四歳なら、十五歳まで生きられるかもしれないと思っていられる。キャンベル夫人のところの牧羊犬だって、もうすぐ十六歳になろうとしているのだから。

獣医はうなずき、気のなさそうな視線をちらりと犬に投げてから口を開いた。「そろそろ楽にしてやるべきだな。喘息がどれだけひどいか、奥さんもわかるでしょう。息をするのもやっとじゃないか」台から下ろし、床に立たせてみると、犬はたちまち腹をぺたっと落とし、あごを床につけたまま、ラガン夫人を崇めたてるような目で見あげた。「ましてや、歩くことだって」マクデューイ氏が締めくくる。

ラガン夫人のあごから幾重にも垂れさがったひだが、ぶるぶると震えはじめた。「楽にしてやるって？　このかわいそうな子を死なすって言うんですか？　でも、あたしにゃもうこの子しかいないってのに、いなくなったらどうやって生きていけばいいんです？　寂しい後家暮らしもう二十五年だけれど、そのうち十五年はこの子といっしょに生きてきたってのに。ラビーがいなくなったら、あたしゃいったいどうすればいいんですよ？」

「新しい犬を飼うといい。どうってことはないよ。村にいけばいくらだっているんだから」

「よくもまあ、そんなことを。ラビーの代わりになる犬なんて、どこにもいやしませんよ。何かお薬をちょっとばかり出してくだすったら、また元気にならないもんですかねえ？　ずっと、とびきり丈夫な子だったんですよ」

動物自身は、何も面倒なことを引きおこしはしないのに、とマクデューイ氏は思った。いつだって、飼い主の感傷がことをややこしくするのだ。「どっちにしろ、もう長くない。老齢だし、病気も重いからね。この犬が苦しんでいること、生きているだけでつらい思いをしていることは、誰が見たって明らかだよ。薬を出したところで、半月も経たないうちにまたここへ連れてくることになる。むりやり生きながらえさせてやったところでせいぜい一ヵ月、長くて半年というところだな。こっちも暇をもてあましているわけじゃないんでね」言葉を切り、やがて、いくらか柔らかい口調でつけくわえる。「楽にしてやるのが、思いやりというものだろう」

ラビーのいない日々を想像すると、ラガン夫人のあごの震えは、いまや小さな唇にまで伝わりつつあった。話しかける相手もいなければ、夕方のお茶を飲むときや夜中にベッドに横たわるとき、小さな呼吸が聞こえることも二度となくなる。胸がはりさけそうな思いを言葉にできないまま、ラガン夫人は頭をよぎったことを口にした。「もうラビーの身体をまたぐこともできないなんて、うちのお客さんたちはさぞかし寂しがるでしょうねえ」本当は、こう言いたかったのに。「あたしゃ、もうこんな年ですからね。あたし自身、もう寿命なんかたいして残っちゃいないんです。寂しい暮らしですよ。この子はずっとあたしのそばにいて、いつもあたしを慰めてくれた。心の底から、お互いによーくわかりあってるんです」

「ああ、そりゃ、もちろんそうだろうとも。だが、早く心を決めてもらわないと、他の患者さんたちも待っているんでね」

口もとからあごにかけて赤いひげに覆われた、大柄でいかにも精力的な獣医に、ラガン夫人はぎこちなく視線を移した。「かわいそうなラビーがそんなに苦しんでるんなら、あたしも自分のことばかし考えてちゃいけないんでしょうかねえ……」

マクデューイ氏は無言のまま、じっと待っている。

ラビーのいない暮らし――ふと手に押しつけられるあの冷たい鼻も、考えぶかげにひらひらと突き出されているピンクの舌先も、お腹いっぱい餌を食べたときの満足したため息も――それどころか、この子の存在そのものがどこにもない毎日なんて。いつだって視界に入り、何かしら物音をたて、身体のどこかに触れていたラビー。老いた犬は死ぬしかない。そして、老いた人間も。ただ、あと一ヵ月、一週間、一日でもラビーといっしょにいたい一心で、少しばかりの薬をもらえたらと願っただけだったのに、こんなふうにせきたてられて、ラガン夫人は震えあがったあまり頭に血が上り、つい口を開いてしまった。「手荒なことだけはしないでいただけるんなら――」

マクデューイ氏は待ちかねたと言わんばかりに安堵のため息をついた。「犬は何も感じやしない。うけあうよ」さっさと立ちあがる。「あなたは正しい決断をしたんだ、ラガン夫人」

「そういうことなら、仕方ありませんもの。この子を眠らせてやってくださいな。お支払いはおいくらですかね?」

夫人の震える唇とあごを見て、マクデューイ氏はふと胸が痛むのをおぼえ、そんな自分を呪った。「きょうはけっこうだ」そっけなく答える。

いまだに目元を涙で濡らしながらも、ラガン夫人はふいに表情を引きしめ、威厳をとりもどした。「診ていただいたのに、ただってわけには――」

「では、二シリングということで――」

小さな黒い財布から二シリング銀貨をつまみ出し、獣医のデスクにぱちりと置くと、その音に、ラビーが白いものの交じった耳を一瞬ぴくりと立てる。夫人はそれきり、長い年月をともにすごした、誰よりも愛しい友にふたたび目をやることもなく、まっすぐにドアへ向かった。この情けを知らない男の前で、でっぷりした老婆が悲しみに打ちのめされる姿など見せてはなるまいと、せいいっぱい誇り高く背筋を伸ばして。そのまま気丈に診察室を出ると、後ろ手にドアを閉める。

ほっそりした女なら、たとえ悲しみに打ちひしがれても、身を切るような悲嘆や苦悩にふさわしい顔つきやたたずまいをもともと備えているが、でっぷりした女が悲しむ眺めは、胸が痛むほどの趣もない。小さな唇は悲劇の女らしく悲しみにゆがむこともできないまま、すぼまって震えているばかり。悲しみにくれたとき人はうなだれるものなのに、贅肉が邪魔になってうつむくことさえままならず、ただその丸々とした身体から生気が失せてしまったかのように、肌の色がすっと蒼ざめるだけ。

診察室を出て、待合室に戻ってきたラガン夫人に、飼い主たちの視線がいっせいに注がれた。ペディ牧師は夫人の様子に気づき、立ちあがってそばに歩みよりながら声をあげた。「ああ、まさか――ラビーに何かあったなんて、そんなはずはないだろうね？　入院することになったのかな？」そして、さっき夫人が口にしたのと同じことを、もう一度くりかえす。「店の敷居からラビーがいなくなったりしたら、町の連中だってこれからどうしたらいいか」

ようやく心許せる人々に囲まれ、ラガン夫人はもはや涙をこらえようともせずに、大切な友に下された宣告をうちあけた。「もう楽にしてやったほうがいいって、先生がおっしゃったんですよ。ほんとにねえ、なんだって愛しい連れあいはいつだって先に逝っちまい、あたしは後に残されるんでしょうかねえ。ラビーがいない生活なんて、これまでとは何もかもちがっちまいますよ。あたしももうお迎えが近いから、これでよかったのかもしれませんけどねえ」木綿のハンカチで目頭を拭うと、なんとか笑みを浮かべようとする。「ラビーが敷居のとこに寝てるんで、うちのお客さんたちがみんな、わざわざ足を上げてまたいでくだすってた様子、牧師さんもよく憶えておいででしょう」

ほんのささやかな一幕ながら、この悲劇に待合室の空気はこわばった。恐怖が心臓をわしづかみにし、ラガン夫人とほとんど同じ痛みが走るまで締めあげるのを、ペディ牧師はじっと味わっていた。こうしたつらい瞬間に立ちあうのは、牧師にとってけっしてめずらしいことではない。もし神が自分たちとともにこの場におられ、ラガン夫人の苦しみを目のあたりにされたら、神は自分にどうせよと望まれるだろうか、神自身はどうなさるのか、いくら考えても結論の出せない問題だった。

アンガス・ペディ牧師は、自分が仕えている神についても、宗教についても、憂鬱になったり、ひねくれた見かたをしたり、悲観的な気分になったりすることはない。神がこの世界を創造なさったことも、創造されたこの世界も、そして造物主ご自身も、牧師にとってはつねに喜びだった。教会の信徒たちが自然、人間、そして動物の驚異や美しさ、さらには説明できない謎に満ちたすばらしいこの世界の偉大さを理解し、感謝を捧げるのを見まもることこそ、自分の使命なのだろうと思っている。父なる神、その御子について、信徒たちに教えを垂れようとしたことはない。ただ、神を愛し、賛美できるように、手を貸してやるだけの役回りだ。人並みはずれて寛容な心と広い視野の持ち主でもあり、人間は誰しも、たとえ一時は神を拒むことがあろうと、けっして最後まで拒みつづけられるものではないと信じている。なぜなら、この世に生を享《う》けて呼吸するありとあらゆるもの、さらには生あるものだけではなく生なきものまで、すべてに神はあまねく存在しているのだから。神こそはこの世界のすべてであり、だからこそ拒みつづけることはできないのだ。

とはいえ、牧師もまた人間であり、ラガン夫人のような人々の願いに神が背を向けられるのを目のあたりにすると、どうしていいかわからなくなってしまう。夫人への同情で、牧師の温かい心は千々に引き裂かれるのだった。

目の前に立ちつくし、小さなハンカチで目を拭いながらすすり泣きつづける、でっぷりした老女。涙はひだのできた頰を伝い、三重あごはぶるぶると震えている。いまこの瞬間にも老女はここを去り、あとは死を待つしかない生活に足を踏み入れるのだ。

ペディ牧師は、ふいにマクデューイ氏の診察室に飛びこみ、こう叫びたい衝動に駆られた。「やめてくれ、アンドリュー！　その犬を殺すな。力つきるまで、生かしておいてやればいいじゃないか。神を憎むきみが、どうして神の真似をしようとする？」だが、そんな思いを押しとどめる。口出しをする権限など、自分にはない。マクデューイは獣医の仕事をよく心得ている。そもそも獣医というものは、人間の医者と同じように、決断を下さなくてはならないことも、人々につらい宣告を下さなくてはならないことも、けっしてめずらしくはない。ただ、獣医のほうには、痛みや苦しみを楽にしてやるために、ときとして安楽死という手段が認められているというだけで……

まるで自分に言いきかせるように、ラガン夫人はもう一度くりかえした。「ラビーがいない生活なんて、これまでとは何もかもちがっちまいますねえ」そして、診療所を出ていく。そこへ、マクデューイ氏がドアを開けてあごひげを突き出し、挑むように飼い主たちをねめつけた。まるで、この一幕が飼い主たちに残した余韻を検分し、あの老女への同情を測ろうとでもするように。

「はい、次のかた」その声に促されて、ヨークシャー・テリアを連れたグラスゴーの建設業者の妻がためらうように腰をあげ、おびえたテリアがけたたましい声で吠えるのを見て、マクデューイ氏の顔にはいっそう苦々しげな表情が浮かんだ。

ふと、小さな声が尋ねた。「先生、ちょっといいですか?」

誰かが言葉を添えた。「服地屋の息子の、ジョーディ・マクナブですよ」

ジョーディは八歳。カーキの短パンにカーキのシャツという、カブ・スカウトの幼年部員の制服を着こみ、ネッカチーフを巻いている。黒っぽい髪に黒っぽい瞳、丸い顔にまじめくさった表情を浮かべたところは、どこか奇妙に中国人めいて見えた。汚れた手でしっかりと抱えている箱の中には、きょうの善行の対象が震えながらうずくまっている。マクデューイ氏は赤毛の巨人のように少年の前に立ちはだかり、ごわごわしたあごひげを箱のすぐ上に突き出すと、声を荒らげて尋ねた。「いったい何の用だね、ぼうや」

ジョーディは勇気を振りしぼって踏みとどまった。たしかに、箱の中にいるのは、脇腹をふくらませた緑色のカエルにすぎないけれど。ここは、事情を説明するしかない。

「このカエルの脚、どっかおかしいんだ。跳ねられなくなっちゃったみたい。湖の近くで見つけたんだけど、どんなにがんばっても全然跳ねられなくって。お願いだから、こいつがまた跳ねられるように、なんとか治してやってくれませんか?」

アンドリュー・マクデューイ氏には、これまでの苦い思いがどっと胸にこみあげてきたあまり、どうしようもなく間の悪いときに、思いもよらなかった言葉をつい口走ってしまうことがある。このときも、腰をかがめて箱の中をのぞきこんだ瞬間、待合室を埋めた飼い主たちの前で、ついこんな言葉が口をついて出てしまった。「脚の折れたカエルを治せとはな、しょせんぼくの仕事など、そんな程度だというわけか――」

胸にしまいこんでいた怒りや後悔がたたみかけるようによみがえってきて、心をさいなみいらだたせる。この世に正義というものがあるのなら、いまこの待合室には、そう、この少年も含めて、それぞれ心臓や肺、喉、肝臓の不調、痛みやうずき、原因不明のさしこみ、さまざまな異状や疾病を自分に訴えにきた患者たちが並んでおり、自分はその病魔と闘って、苦しみをとりのぞいてやっていたはずなのに。ところが現実はといえば、順番を待っているのは、クンクン、ミャーミャー、キャンキャンと甘ったれた声で鳴く、わがままほうだいに育てられたちっぽけなペットたち。甘えられていい気分になりたいために、あるいは自らの子どもを産み育てるのが面倒だったり、親となるには自己中心的すぎたりする人間が、行き場のない愛情のはけ口として飼っているにすぎない存在。

すぐ目の前にいた病気のヨークシャー・テリアから、飼い主の夫人がかけてやったらしい香水の匂いがぷんとたちのぼり、すでに自分自身と人類社会すべてへの憤《いきどお》りにふくらんでいたマクデューイ氏の鼻腔を刺激した。怒りの黒雲に包まれたまま、ジョーディ・マクナブにその鬱憤をぶつける。「そんなくだらんことにつきあっている時間はない。見ればわかるだろう、こっちは忙しいんだ。そのカエルは見つけた湖に戻してきなさい。さあ、さっさと行くんだ」

ジョーディのまん丸く見ひらかれた黒い目に、大人に傷つけられ、がっかりした子ども特有の表情が浮かんだ。「でも、このカエル、具合が悪いんだ。苦しんでるんだよ。死んじゃうかもしれないのに」

マクデューイ氏は、今度はいくらか優しい態度で少年を戸口へ連れていき、背中をぽんと叩いて送り出した。「行きなさい、ぼうや。元のところへ戻してやるんだ。自然にまかせておくしかないんだよ。さて、アンダーソン夫人、こちらへ――」

2

出自を重視するかたなら、当然、あたしの家柄には感心するはずね。なにしろ、あたしはあのジェニィ――ロンドンやその他の土地、船上での冒険の日々が一冊の本として出版されている、グラスゴーのジェニィ・ボールドウィン――の親戚なんですから。

家系の一方はエディンバラの一族で、ご先祖さまの中には狩りの才能を買われて大学に雇われていたものも何匹かいるし、科学知識の進歩のために身を捧げたものさえ一、二匹いると聞いています。もう一方はグラスゴーに住む一族で、ジェニィ・ボールドウィンはこちらの出というわけ。

大叔母のジェニィは、どちらかといえば細面の小さな頭、すっと通った鼻筋、吊りあがった目、丸みを帯びてつんと立った耳という、エジプトの流れを汲んだ、このうえなく気品のあるみめかたちの猫でした。そりゃ、毛皮の色こそ全然ちがうとはいえ、その点ではあたしは大叔母に生きうつしと言われているの。ここは、胸を張ってきっちりと指摘しておきたいところね。なぜって、この容姿こそは、かつて人間がまともな分別を持ち、あたしたちを神と崇めていた時代から、あたしたちの家系が連綿と続いている証拠なんですもの。

現代では、崇められているのはにせものの神々ばかり――そう、まったく嘆かわしいこと。

あたしたちのご先祖さまが神殿にまつられていたころのエジプトは、時代も、そこに生きる人人も、どう考えてもいまよりずっと幸せだったはずなのに。まあ、そんなことは、あたしがこれからしようとしている話には何の関係もありません。とはいえ、どれほど昔の話であっても、自分がかつて神だったことを知っているなら――そう、物腰ひとつにも、それなりににじみ出るものがあって当然ね。

これからお話しすることには、ジェニィは何の関わりもありません。ただ、大叔母の独立心、気概、おちつき、そして当然のことながら優雅さを、あたしもいくらか受けついでいるらしいことを記しておきたかったのと、大叔母の物語をご存じのかたなら、その名前を聞いていっそう興味がそそられるのではと思っただけ。

あたしもまた大叔母のように、めったにない冒険を経験したの。少なくとも、あたしの身に起きたのは、このうえなく興味ぶかい、不可思議な出来事だったと言っていいわね。

これ以上もったいぶるつもりはありません。これは、殺害にまつわる物語なの。

ただ、そこらで読まれている殺しについての本とちがうのは――殺されたのが、このあたしだということ。

そもそも、あたしにこのトマシーナという名がつけられたいきさつも、滑稽ながら許せない勘ちがいが原因でした。これは、あたしたちがごく幼いころに雌雄を見分けようとする人間が、あまりにも多く犯しがちな誤りね。グラスゴーに住んでいたマクデューイ家の娘、当時三歳だったメアリ・ルーのもとにもらわれてきたあたしは、最初はトーマスと名づけられたの。やがて、それがまちがいだったことがわかると、家政婦のマッケンジー夫人がさっさとトマシーナと女性形に訂正してしまいました。あたしが気に入るかどうかなんておかまいなし、おうかがいなんて立ててくれるはずもなく。

幼いあたしたちの雌雄を見分けるのがどうしてあんなに下手なのか、人間って本当に困ったものね。いいかげんな当てずっぽうはやめて、ちゃんと見ればすむことなのに、ちょっとした手間を省きたがるからそういうことになるの。牡だったらその部分が離れてるし、牝だったらぴったりくっついてる、それだけのこと。どんなに身体が小さくたって、理屈は同じです。

獣医のアンドリュー・マクデューイ先生なら、まちがいなく一目で見分けられたはず。でも、あの人は動物のお医者さんとしてはとんでもない変わりもので、愛情も、感傷も、関心も、動物にはたいして抱いていないんです。あたしがこの家に来た日からずっと、まともに目を向けてもらったことはなかったけれど、こっちも全然気にしてません。無関心なのはお互いさま、ってことね。

そのころ住んでいたのは、やはり獣医だった父親からマクデューイ先生に遺された、ダニア・ストリートのだだっ広くて陰気な家でした。一階と二階は事務室や診療室、入院室などがあり、あたしと家族――先生と奥さん、メアリ・ルーは三階と四階に住んでたの。ここの家族は、三人とも赤毛でね。あたしもそうだけれど、もうちょっと黄色がかっていて、胸のところに白いぶちがあるんです。でも、誰が見てもすてきなのは、四本の足先と尻尾の先が、おそろいで白くなってるところかしら。見た目や物腰を誉められるのにも、もう慣れっこになってしまったけれど。

そのときはまだ、生まれて半年しか経っていなかったけれど、メアリ・ルーのお母さんだったアンのことは、いまでもよく憶えています。炉辺の銅鍋《なべ》のような色の髪をした、美しい女性だったわ。とても明るくて、家の中ではいつも歌をうたっていたから、たとえ雨が降っているときだって、あの家にいてもそれほど暗く陰鬱には感じられなかったの。ひっきりなしにメアリ・ルーを抱っこしてはさんざん甘やかし、内証話ごっこをしてるところは、まるで愛を語りあってるみたいに見えたわね。あの先生がいてさえ、けっして不幸せな一家なんかじゃありませんでした。でも、それも長くは続かなかった。あたしが家にやってきてまもなく、アンは入院していたオウムの病気に感染し、亡くなってしまったから。

言わせてもらえば、あれはあたしにとってもずいぶんつらい時期ではありました。マッケンジー夫人がいなかったら、あたしはどうなっていたことか。マクデューイ先生はなかば正気を失っているとみんな噂していたけれど、それもまんざら大げさには聞こえなかったくらい。ひどく荒れて周囲に当たりちらしていたうえ、これまで妻に抱いていた愛情を、そのまま娘に振りむけたものだから、メアリ・ルーはすくみあがってしまっていたし、それはあたしも同じこと。家に寄りつかず、入院している動物の様子さえ見にいこうとしなくなって何日も経ち、やがてどうしようもなくひどい状況に陥りかけたころ、故郷から先生の旧友が訪ねてきたの。それが、ペディ牧師だったのね。それをきっかけに、いくらかましな状態になってまもなく、大きな変化がありました。

ペディ牧師とマクデューイ先生は、ふたりがエディンバラ大学に入学する以前からの友だちらしくて——あたしの一族とも何匹か顔見知りかもね——自分の住んでいる町で獣医の診療所が売りに出ているから越してこないかと、牧師は先生を誘いに来たの。

そんなわけで、マクデューイ先生はグラスゴーの診療所を売り、生まれ育ったダニア・ストリートの家を後にして、アーガイルシャーにあるファイン湾の西岸、ここインヴァレノックの町に移ってきたんです。あたしの身に悲劇が起きたのも、ここでの話。

そのころメアリ・ルーは六歳、もうじき七歳になろうとしていました。あたしたちが住んでいたのは、アーガイル・レーンの突きあたりから二軒めの家。お隣に住む先生の友人、アンガス・ペディ牧師は、ファンという名のいやらしいパグ犬を飼ってました。ああ、ぞっとする!

うちは、実際には棟続きの二軒家でした。白塗りの壁に石板葺《ぶ》きの屋根、二階建ての細長い造りで、それぞれの端に立つ背の高い煙突には、たいていカモメがとまっているの。片方にはあたしたちが住み、もう片方はマクデューイ先生の仕事場として、事務室、待合室、診察室、入院室が置かれていました。でも、もちろん診療所のほうには、あたしたちは行ったことはないけれど。けっして来てはいけないと、メアリ・ルーは固く言いつけられてたから。グラスゴーであんなことがあった以上、家族の住む場所に二度と病気の動物を入れまいと、マクデューイ氏は心に誓ってたのね。

あたし自身ふりかえってみて、グラスゴーに比べると、インヴァレノックのほうがはるかに暮らしやすいところだと思います。ファイン湾は、グリーノックの脇を通ってケアンドウにいたるまで、海がぐっと内陸に食いこんだ入江だから、飛びまわるカモメを眺めることも、潮の香りを楽しむことも、浜辺を駆けまわって魚や奇妙な鳥たちを追いかけまわすこともできるのよ。その後ろには暗く恐ろしげな森や渓谷、岩山が広がっていて、狩りをするのにぴったり。グラスゴーでは一度も外に出してもらったことがなかったけれど、ここでは好きなように駆けまわってかまわないの。あたしもたちまち、根っからの高地っ子《ハイランダー》になってしまいました。自分以外のすべてを高みから見下す、それが高地っ子というものなのよ。

インヴァレノックはグラスゴーほど大きな都市じゃなくて、むしろかなりこぢんまりした町です。人口もせいぜい二、三千人というところだけれど、夏休みには観光客が何百人もつめかけるの。

ペット連れの観光客も多いから、マクデューイ先生にとって、夏はいちばん忙しい季節でした。もちろん、たいていは犬だけれど、猫や小鳥のこともあるし、サルが連れてこられたことも一度あったかしら。せっかく休暇にいっしょに来ても、気候が合わなかったり、森の中で何かに嚙まれたり刺されたり、たいして強くもないくせに、愚かしくもあたしたち高地っ子に喧嘩をふっかけたり、そんなことがあるたびに、飼い主たちはそのペットを先生のところへ連れてくるの。先生はペットが大嫌いだし、獣医という職業にもうんざりしていたから、こういうことにはほとほと嫌気がさしていたみたい。診療所でそんなペットたちの相手をするよりは、町を出て農場主や小作人とすごすほうが楽しそうでした。

まあ、どっちにしろ、あたしには関係のないことだけれど。そのころ、あたしは自分の趣味にぴったりの暮らしを満喫してたから。ただひとつ困ったのは、メアリ・ルーに猫の抱き癖がついちゃったことくらい。

小さな女の子を育ててみれば、あたしの言いたいことはすぐわかるはず。そんな経験がなくても、ある年ごろの女の子が、どこに行くにも人形を抱いてるところは見たことがあるんじゃないかしら。人形だけじゃない、中には猫を抱きたがる女の子もいるんです。自分がいま猫を抱いてることも忘れて、歩いたり、よちよちよろけたり。あたしたちのお腹に腕を回し、自分の胸、肩のすぐ下くらいのところまで抱えあげるもんだから、あたしたちは頭と上半身をぐったり垂らしてぶらさがるしかないの。

メアリ・ルーはこの居心地の悪い失礼な抱きかたを改良して、あたしを毛皮の襟巻みたいに肩にかつぐこともありました。これならゆっくり体重を預けられるし、通りすがりの人にあたしの美しさをたっぷり鑑賞してもらうこともできるでしょ。どこまでがメアリ・ルーの髪で、どこからが猫だかわからないなんて言われたりもしたけれど、そんなことは別に気にならなかった。まるで赤ちゃんみたいに、両腕であお向けに抱かれるときもあって、あれだけは勘弁してほしかったけれど。

どうしてそんな扱いを我慢していたのかと訊かれると、こっちも答えに困るんだけれど、あたしの人生哲学はごく単純なの。不愉快なこと、いやなことが楽しいことより多くなったなら――そこを出ていく、ただそれだけ。

そう、ほかにもまだいろいろあって、ここでお話しするつもりはなかったけれど、あたしがこの物語の主役なんだから、もう少し触れてもいいわね。お茶の時間に椅子にかけさせられて、首にナプキンを巻かれ、人間のふりをするはめになることもありました。というより、メアリ・ルーのほうが、あたしが人間だというふりをしてたのよね。キャラウェイ・シード入りのケーキもいくつか食べさせられて、意外にもなかなかおいしかったし、お砂糖入りの温かいミルクをお皿に入れてもらったりもしたけれど、あたしが味わった恥ずかしさといったら、そんなことではとうてい埋め合わせにならないくらい。

せっかく産んだ子猫も、みんな連れていかれて、溺れさせられてしまいました。

夜になると、メアリ・ルーのベッドの足もとに寝かされます。あの娘が寝入るのを待って、お気に入りの椅子へ移動しようと思っても、それは無理。ふと目をさましたときにあたしがいないと、あの娘はあたしの名を呼び、胸もはりさけんばかりに泣きじゃくるから。たとえあたしがそばにいても、ときには夜中に目をさまして暗闇の中ですすり泣き、「母さん――母さん！」とつぶやくところを見ると、やっぱり母親のことを憶えているのね。それから、暗がりで手を伸ばしてあたしを起こし、あたしの脇腹に顔を埋めると、息もできないくらいぎゅっと抱きしめるの。誰だって知っているけれど、あたしたち猫は抱きしめられるのが嫌いなのに。

それから、メアリ・ルーはこう叫ぶの。「ああ、トマシーナ、トマシーナ、大好き。あたしを置いて、どこにも行かないでね」しばらくして、そこそこおちついたところで、あたしが頬のしょっぱい涙を舐めてきれいにしてあげると、あの娘は「トマシーナったら――くすぐったいよ」とくすくす笑い、まもなくまた眠りに落ちていくのでした。

そう、あたしはあの家を出ていこうとはしなかったの。正直なところ、あれが男の子だったら、悪いけれどとっくに逃げ出していたでしょうね。さっさと飛び出して、二度と戻らない。森で暮らしたっていいし、町で誰か他の飼い主を見つけてもいいし。自分の面倒を見るくらい、このトマシーナにとっては簡単なことだもの。こんなに華奢《きゃしゃ》に見えるけれど、何があっても回復は早いし、もともと身体も頑丈で、たいていのことにはびくともしないんだから。一度、男の子に自転車で轢《ひ》かれたことだってあります。マッケンジー夫人はうちの猫が殺されたとわめきながら家から飛び出してくるし、メアリ・ルーは一時間も泣きやまないし、本当に大変な騒ぎだったけれど、実際のところはといえば、男の子は自転車から落ちてけがをし、あたしはさっさと立ちあがって歩き出しただけ。

そうね、マクデューイ先生本人についてもいろいろお話しできることはあるけれど、いい話は何ひとつ思いあたりません。動物嫌いの獣医だなんて、まったく冗談みたいに聞こえるわよね。あそこの先生ときたら、病気のペットと見るとさっさと布をクロロホルムにひたすんだから、と町でももっぱらの噂でした。あたしだって、何があろうとあんな先生には診てもらいたくなんかないもの。先生は、娘があまりにもあたしを愛しているのに嫉妬して、あたしを憎んでいるの。それよりも腹が立つのは、このあたしを無視していること。トマシーナがそこにいるのも目に入らない、お偉い全能のマクデューイ先生、ってわけ。いかにも尊大に鼻を空に向け、ひげを四六時中逆立てて。それに、あの薬くさい匂い。ぞっとするったら！　病院の前を通りかかると、中からたちのぼってくるあの匂いと同じ。夜になって帰宅すると、先生は腰をかがめて娘にキスするの。でも、メアリ・ルーはあたしを抱っこしてるから、あの大きなごわごわした赤い頬ひげがすぐ近くまで迫ってきて、薬とパイプたばこの匂いに、あたしはいつも気分が悪くなったものでした。

もちろん、あたしだって思いつくかぎりのいやがらせをしてあげたわよ。無視したくてもできないように、目の前でゆうゆうと顔を洗ってみせたり、坐ろうとしていた椅子に先回りして陣取ったり、うっかり蹴つまずくように敷居に寝転がっていてやったり、すねや足首に身体をこすりつけたり、一張羅の服を見かけるたびに毛をなすりつけてやったり、椅子に坐って新聞を読もうとするたびに、膝に飛びのってあたしの匂いをたっぷり嗅がせてやったり。メアリ・ルーの目の前ではあたしに手荒な真似もできなくて、先生も仕方なくあたしを無視するだけで我慢していたけれど、やがてふいにたばこをとりにいこうとして、あたしを膝から放り出すのよ。

これだけのことがありながら、どうして出ていかなかったのか、みなさん不思議に思うかもしれないわね。でも、あたしはあの家にとどまったし、実際のところ、それほど不幸でもなかったの。こんなこと誰にも認めるつもりはなかったけれど、本当のことをうちあけると、あたしはけっこう子ども好きなのよ。

女の子と猫とはいろんな意味で似ていなくもないから、それが理由だったのかもしれません。幼い女の子には、どこかたまらなく謎めいたところがあるでしょ。何かしら秘密を知っていそうな雰囲気とか、まるでもの思いにふけっているような、どこかそっけない目つきで人をじっと見つめ、大人たちを当惑させたり、いらだたせたりするところなんか、あたしたち猫と同じよね。

女の子といっしょに暮らしたことがあれば、あの子たちが自分だけの世界に静かに閉じこもる、あの腹立たしいやりくちや、理屈の通らない指図や禁止をものともしない、特有の頑固な独立心には憶えがあるはず。相手をいらだたせるそんな気質は、あたしたち猫も同じなの。相手が猫であれ幼い女の子であれ、その気がないことを無理強いはさせられないし、愛情を強いることもできません。そこが、メアリ・ルーとあたしの共通点だったのね。

そんなわけで、あたしは自分でも信じられないようなおかしなことを、いろいろやっていました。メアリ・ルーが学校へ行くときには――あたしの事件は夏休み中の出来事だったのよ――いやいやながら道々ずっと抱かれていき、他の子どもたちにいじりまわされたり騒ぎたてられたりするのをじっと我慢していたんだから。始業のベルが鳴って、あの娘が校舎に駆けこむと、あたしもやっと自由の身になり、家に帰って好きなようにすごすの。

それでも、信じてもらえないかもしれないけれど、午後になって学校が終わる時間には、あたしは門柱の上に坐り、足もとに尻尾をくるりと巻いて、メアリ・ルーが帰ってくるのを待っていました。そう、たしかにそこは、たまたま通りかかった牧師の家のパグ犬に唾を吐きかけてやるのにもうってつけの場所だったけれど、ともかく、あたしはそこにいたの。マクデューイ家の猫がちっちゃなご主人さまを出迎えに門柱に上ってるのを見れば時間がわかると、近所ではもっぱら評判だったものよ。

あたし、このトマシーナともあろうものが、赤い髪の、飛びぬけて器量よしというわけでもないべとべとしたちっちゃな子を出迎えるために、門柱に坐ってるだなんて。

あたしたちの絆なんて、他に何があるわけでもないのかもしれないと、ときとして思うこともあります。日が落ちていき、夕闇が怖れや寂しさとともにあたしたちを包んだときに、お互いに寄り添える相手だという、ただそれだけの間柄なのかもしれない、なんて。

誰かがそばにいて、毛皮と毛皮が、肌と肌が――そして、肌と毛皮が触れあうことで、寂しさは慰めあえるもの。怖い夢を見て夜中に目をさましたときなんか、あたしはよくメアリ・ルーの規則正しい寝息に耳をすまし、上掛けがかすかに上下するのを確かめてみました。そうするうちに、怖いことは忘れて、またすぐ眠りに落ちていけるから。

メアリ・ルーが飛びぬけて器量よしじゃないなんて言ったのは、よく考えたら礼儀に外れていたかもしれないわね。だって、あの娘はあたしのことを、世界でいちばん器量よしの猫だと思っていてくれたのに。でも、普通とはちょっとちがう角度から考えるなら、あの娘もやっぱり飛びぬけて器量よしだったかもしれません。メアリ・ルーはどこにでもいそうな女の子だったけれど、その瞳をのぞきこんでみさえすれば、何か飛びぬけてすばらしいものがこの娘の中に隠れている、この娘を包んでいるのだということが、あたしにはたしかに伝わってきたから。じっとのぞきこんでいようと思っても、つい目をそらしてしまうような瞳なのよ。まばゆい、このうえなく鮮やかな青でありながら、あの娘が何かあたしに理解できないこと、想像さえつかないことを考えているときには、荒れた日のファイン湾のような暗い色に変わるの。

それを除けば、外見についてはとりたてて何も書くことはありません。つんと上を向いた鼻に、そばかすの散った顔、いつもぎゅっと突き出している下唇。眉とまつげは薄くて、ほとんど見えないくらい。茶色がかった赤い髪は、緑か青のリボンで結び、二本のおさげにしてあります。脚はひょろっと長くて、いつもお腹を突き出してるの。

そうそう、メアリ・ルーのすてきなところといえばもうひとつ、あのいい匂いがあったわね。マッケンジー夫人がたえず洗濯とアイロンがけに精を出し、あの娘の服や下着の引出しにラヴェンダーの匂い袋を入れていたおかげで、メアリ・ルーからはいつもラヴェンダーの香りがしていたんです。

マッケンジー夫人は、暇さえあればメアリ・ルーの服を洗い、アイロンをかけ、糊づけし、香りをつけてました。あの娘に対する気づかいを表すには、それしかなかったのね。ひょろっと痩せていて、鼻にかかった声でしゃべったり歌ったりする人でした。あたしたちはよく他の猫が産んだ子どもを自分の子のように育てたりするけれど、マッケンジー夫人だって、本当はメアリ・ルーをお母さんのように可愛がってあげたかったはず。でも、あの嫉妬ぶかいマクデユーイ先生ときたら、娘の愛情が夫人に向けられてしまうのを怖れて、メアリ・ルーを抱っこすることを許さなかったのよ。そう、あの薬くさい、つんつんひげの先生は、自分以外の誰にも娘を抱かせなかったの。

ラヴェンダーの香りが、あたしは大好きでした。幸せだった思い出、つらかった記憶をよみがえらせるのは、どっちかというと音よりも匂いよね。そのとき、どういうわけでその匂いが怒りを、あるいは不安をかきたてたか、そんなことは思い出せないかもしれないけれど、もう一度その匂いを嗅いだとたん、同じ怒りや不安がよみがえるの。マクデューイ先生の薬の匂いみたいに。

でも、ラヴェンダーは幸せな香り。ついつい爪を出したり引っこめたりしながら、喉を満足げにごろごろと鳴らしたくなるくらい。

メアリ・ルーの服にアイロンをかけ、たんすにしまうとき、マッケンジー夫人はときどき引出しを閉めるのを忘れることがありました。そんなとき、あたしはすばやくその中にもぐりこんで身体を伸ばし、鼻をラヴェンダーの匂い袋に押しつけて、心ゆくまでその香りを吸いこむの。こんな幸福があるかしら。そうしていると満ち足りた気分になって、世界のすべてを許したくなったものよ。

3

マクデューイ氏の診療所を出たジョーディ・マクナブは、箱をしっかりと抱え、とぼとぼと歩いていた。箱の中には、草やヒースの若葉でこしらえた寝床の上に、けがをしたカエルがうずくまっている。時おりいつもの癖が出て、思わず元気いっぱいにぴょんぴょん飛びはねはじめても、浮かれていられない現在の状況を思い出すたび、その足どりは重く、遅くなるのだった。

どこに行こうというあてがあったわけではない。ただ、長身でひげづら、怒りっぽくて優しさのかけらもなく、上から見くだしてものを言い、こっちのお尻を叩いてさっさとその場から追い出そうとするような大人から離れ、目の届かないところへ出られたのがひたすら嬉しかった。まったく、カブ・スカウトの団員ともあろうものに向かって、なんという失礼な仕打ちだろう。

とはいえ、ときどきは立ちどまって箱の中をのぞきこみ、カエルをそっとつついてみて、折れた脚の様子を確かめずにはいられなかった。この脚では跳ねることも、カエルらしい生活を続けることもできないだろう。ちっぽけな友だちを見つめる目に、興味と愛情、そして深い懸念の入り混じった色が浮かぶ。この重荷にどう始末をつけるか、最終決定権は自分の手に握られているのだ。生きものを持ちこんではいけないという家のきまりがある以上、このまま持ち帰るわけにはいかない。かといって、獣医の先生の言うとおり、このまま置き去りにするなどという選択は、考えてみるのもおぞましかった。責任を負うという、後戻りのできない一歩を踏み出したものにとって、この世界がどれほど冷たく、そっけなく感じられるか、ジョーディはいま初めて思い知らされていた。

あてもなく歩きつづけているうちに、いつのまにか町はずれに出ていたらしい。このあたりからふいに家並みがとぎれ、その先には農場がちらほら、そして牧草地が広がっている。さらにその向こうには、アードラス峡谷の丘陵を覆う、鬱蒼として謎めいた森。ここは《赤毛の魔女》が住む場所だ。この問題を解決できるかもしれない方法として、自分がこの恐ろしい選択肢を考えてみないではなかったこと、しかし、その危険におびえて即座にその可能性を握りつぶしていたことを、ジョーディはあらためて自覚した。

とはいえ、峡谷からほとばしりおちる急流を集め、ゆったりとファイン湾に流れこむアードラス川の橋のたもとに立っていると、《赤毛の魔女》のもとを訪れるというのも、恐ろしいながら抗《あらが》いがたく魅力的で胸躍る思いつきに感じられてくる。なにしろ町の住人は、《赤毛の魔女》またの名を《変人ローリ》、ときには《いかれたローリ》とまで呼ばれるあの女の住みかはもちろん、その近くへだって足を踏み入れようとはしないのだ。ましてや、古くからの言い伝えや、かぎ鼻の魔女が箒にまたがる挿絵の入ったお伽噺に精通している幼い少年たちなら、よっぽど大勢の仲間といっしょでもないと、こんな場所に近づくはずもなかった。

だが、《アードラス峡谷の赤毛の魔女》と呼ばれるその人物については、相反するふたつの噂がある。ひとつは《魔女》という言葉に過剰反応して想像をふくらませたもの、そしてもうひとつは、小作人が丘陵に建てたこぢんまりした家にひとりで暮らし、機《はた》を織って生計を立てながら、動物や鳥の傷を癒し、育て、餌をやりつつ言葉を交わし、天使や峡谷に住む小妖精たちとも親しくつきあっている、何の害意も持たない女であるというものだった。

どちらの説も、ジョーディは聞き知っていた。インヴァー峰の斜面を下りてきたノロジカはその女の手から餌を食べ、鳥たちは頭や肩にとまり、マスやサケは呼び声に応えて日あたりのいい浅瀬から顔を出すという。また、森やけわしい峡谷で苦しんでいるのを見つけたり、人間の助けを借りようと、本能の命じるまま自分からやってきた病気の動物たちを、母屋の後ろに立つ厩舎に入れて看病しているという噂もある。それが本当だとしたら、危険を冒してでも、このカエルを預けてみる価値はありそうだ。それに、結果がどうあれ、このとてつもない冒険に乗り出すための、文句のつけようのない口実になる。

川にかかった反り橋を渡り、いまは筒形の主塔と石造りの城壁の一部分しか残っていない、アードラス城の灰色の廃墟の前を通りすぎて、アードラス峡谷の入口にある森へ。

《赤毛の魔女》の住みかは、峡谷を二キロ近く上ったあたり、森のいちばん深いところにあるという。たとえカブ・スカウトの正装をし、年長の団員たちから教えこまれた森の知識を頭に詰めこんでいてさえ、年端もいかない少年がたったひとり、苔に覆われたカシ、枝を広げたブナ、鬱蒼と茂るモミが重なりあう暗い森に足を踏み入れ、背丈ほどにも伸びたワラビをかきわけながら進んでいくには、並大抵ではない勇気をふるいおこさなくてはならなかった。恐怖をなだめるために、細い山道のかたわらに思いがけなくも顔を出し、七月を盛りと咲きほこる野の花の名を思い出しながら歩を進める。紫のハマカンザシに真紅のルリハコベ、黄色いエニシダ、薄紅色のノイバラ。そこにからまるキイチゴは、いまは白い花を咲かせているけれど、夏の終わりから秋にかけて、甘い実をたくさんつけるはず。そして、木々に囲まれた小さな空き地には、言い伝えによると妖精が踊った跡とされるキノコの輪があり、紫のオダマキ、赤いナデシコ、スコットランドのツリガネソウとして知られる青いイトシャジンがびっしりと咲き乱れて、暖かそうな木洩れ日が幾筋か差しこんでいた。

このあたりから斜面はさらに急になり、見えない渓流の荒々しい水音が聞こえてくる。腰をおろして一休みしたついでに、ジョーディはカエルを箱から出して苔の上に置いてみたが、カエルはただぶるぶる震えているだけで、動こうとはしなかった。その無力で苦しげな様子を見ていると、あまりにかわいそうで胸が痛む。こんなところでのんびりしてはいられないと、ジョーディはカエルをまた箱に戻した。

ようやく探していた小屋が見えてくると、カブ・スカウトできっちり叩きこまれたアメリカ・インディアンの戦略にならい、その場に腹這いになって偵察を始める。

石造りの小さな家は細長く、まるで耳のように、屋根の両端に煙突が立っている。窓はどれも緑のよろい戸が下りていて、森を切りひらいた空き地の片隅にたたずんだまま、まるでまぶたを閉じて眠っているように見えた。そのあたりは峡谷の斜面に広がる小さな台地らしく、さっきの渓流も幅が広くなって、穏やかな水音をたてている。母屋の斜め後ろには、背の低い石造りの建物がもうひとつ。こちらは、かつて納屋か家畜小屋だったにちがいない。ジョーディは高鳴る胸に箱をぎゅっと抱きよせながら、さらに周囲に目を配った。

家の前には、十メートルを超えるほどの巨大なオークが、太い幹から瓦に向かって枝を伸ばし、屋根にのしかかるように影を落としている。樹齢二百年以上はありそうな木で、いちばん低い枝に銀の鐘が吊るされていた。鐘の舌からは、地面に引きずるほど長い細紐が伸びている。やがて動悸も収まると、あたりの音や動きに気を配る余裕が出てきた。家の中から聞こえてくるのは、高く澄んだ清らかな歌声と、奇妙にくぐもったカタン、カタンという音。これが魔女にちがいない。ジョーディはシダとワラビの茂みの中でがたがたと震えながら、こんなところに来なければよかったと後悔した。歌声はうっとりするほどきれいだけれど、カタン、カタンという音はどこか不吉で恐ろしく響く。ジョーディは、これまで手機を踏む音を耳にしたことがなかったのだ。

頭の上では、灰緑色のすべすべしたブナの枝から、赤いリスがこちらに向かってしきりにがみがみ叱りつけてくる。喧嘩していたワタリガラスとズキンガラスが、ふいに甲高いわめき声をあげながら翼をばたつかせ、相手を叩き落とそうとしはじめたので、周囲の鳥たちはみな、おびえて舞いあがった。アオガラ、コマドリ、セキレイ、ツグミ、ミソサザイ、スズメ、アトリ。二本の煙突の周りを飛びまわりながら、さえずったり何やら文句を言ったりしている。黒と白のカササギが二羽、木立をかすめて森に出たり入ったりをくりかえし、どこからかフクロウの声がした。

家の中から聞こえてくる歌は、いっそう高く透きとおり、聞いたことがない旋律にもかかわらず、ふとまぶたに手を押しあてててすすり泣きたくなる。カラスの喧嘩も終わり、鳥たちも鳴きながら飛びまわるのをやめた。斜面の下に視線を落とすと、渓流のほとりにウサギの白い綿のような尻尾がちらりとのぞき、ハリネズミのつんつんした丸い背中が見える。

そのとき、ジョーディ・マクナブは本能の命じるまま、まさに勇敢な行動に出た。隠れていた茂みから這い出し、オークの枝から吊るされた鐘の紐のそばまで進んだのだ。カエルの入った箱を置くと、紐をそっと引く。鐘が揺れて鳴りはじめ、冴えたこだまが森に響くと、家の中から聞こえていた歌と物音はぴたりとやんだ。ジョーディはずんぐりした脚を必死に動かして空き地を横切り、さっきまで隠れていた緑のシダの茂みに飛びこむ。

鐘の音はやがて消えていったが、静かになったのもつかのま、今度は犬がけたたましく吠えはじめた。母屋の後ろの小屋から、スコッチ・テリアが一匹飛び出してきたのだ。百羽もの鳥がいっせいに空へ舞いあがり、風を切る音、羽ばたく音をたてながら煙突の周りをぐるぐる飛びまわる。猫が二匹、それぞれ黒い尻尾、灰色の縞の尻尾をつんと立て、いかにも気取った足どりで決然と、家の角を曲がってこちらに歩いてくると、お互いにいくらか距離を空け、何かを待っているかのように静かに坐った。さらに様子をうかがっていると、今度は若いノロジカがふいに灌木の間から飛び出してきた。警戒するように頭を高くもたげると、濡れた黒い鼻とうるんだ目が陽光を反射してきらりと光る。美しい頭を上下させ、家を、ゆっくりと開きつつあるドアを油断なく見すえながら、ノロジカはこのうえなく注意ぶかい足どりで歩いていった。

ジョーディは心臓がばくばくするのを感じ、恐怖と狼狽のあまり、あわや一目散に逃げ出すところだった。でも、《アードラス峡谷の赤毛の魔女》をこの目で見たい、そう願ってこれだけの苦労をし、さんざん怖い思いをして、ようやくその望みがかなおうというときに、どうしていま逃げてしまえるだろう。それに、カエルの運命を見とどけるのは、自分の責任でもあるはずだ。

ついに大きく開いたドアから現れたのは、《赤毛の魔女》にふさわしい人物ではなく、ジョーディは落胆にさえ似た思いを味わった。まだ娘と呼んでもおかしくない、ただの若い女。ジョーディの目から見れば、ごくありふれた田舎の娘だった。質素なスカートに仕事用の上着、厚手の靴下に靴をはき、肩にはショールをはおっている。このあたりの農場に、いくらでもいそうな女だ。

美しいわけでも、みにくいわけでもない、こんな女が魔女のはずはなかった。それでも、ジョーディはその表情から目を離すことができずにいた。いったい、どうしてこんなにも目を惹きつけられてしまうのだろう？　自分でもよくわからない。すっきりした賢そうな鼻。鼻の下はいくらか長く、そこがひょうきんな感じでほほえましい。口もとは優しくもあり、憂わしげにも見える。灰緑色の目には、どこか夢見るような表情が浮かんでいた。鍛冶屋が炉から取り出したばかりの鉄棒のような、よく熟れたチェリー色の髪は結ばずに、田舎の娘らしくふわっと肩に垂らしてある。

女はドアの外をのぞき、額に落ちかかった暗赤色の髪をかきあげた。そのしぐさは、まるで心にかかった蜘蛛の糸を払いのけたかのように見えた。シダの茂みに隠れ、腹這いになって観察していたジョーディは、ふいに心底この女を好きになっていることに気づいた。理由などわからないし、魔法にかけられたとも思えない。ただ、ここにこの女がいて、気がつくと好きになっていた、それだけのこと。

女はあたりを見まわし、それからジョーディを驚かせたことに、透きとおった高い声でふたことほど叫んだ。一瞬、さっきの銀の鐘がまだ鳴っているのかと勘ちがいするほど、その響きは澄んで遠くまで届いたが、鐘はもうとっくに鳴りやんでいるのだから、やはり女の声以外になかった。

その声に応えて、さっきのノロジカが森から敏捷に飛び出してくると、ゆっくりと空き地を横切ってこちらに近づいてきた。女はどこか憂いをたたえた笑みを浮かべ、夢見るような瞳でその様子を見まもっている。シカはふと足を止め、頭を垂れると、いたずらっぽい陽気な目で女を見あげたので、女は思わず吹き出した。「じゃ、あなただったのね、また鐘を鳴らしたのは。夕食が待ちきれないんでしょ――」

だが、そのシカは、何かに驚いたのか、それとも他に誰かいることに気づいたのか、ふいに身体をひるがえすと、森に駆けこんでしまった。二匹の猫はまるで行列するかのように縦に並び、ゆったりとした足どりで女に近づくと、両足の間を出たり入ったりしてじゃれつく。しかし、スコッチ・テリアがまっしぐらにカエルの箱へ駆けより、匂いを嗅ぎはじめたのを見て、女も箱に気づいた。

さっきのノロジカを思わせるしなやかで敏捷な身のこなしで、女が敷居をまたぎ、小走りに箱へ近づくのを、ジョーディはじっと見まもっていた。地面に膝をつき、まずは両手を膝に置いたまま、箱の中をのぞきこむ。それから、箱に手を差し入れて、傷ついてぐったりし、ぶるぶる震えている哀れな両生類を出してやった。

優しく手のひらに乗せると、折れた脚が力なく脇にぶらさがる。女はその脚に人差し指でそっと触れ、注意ぶかく状態を調べてから、黄緑色のビーズのようなカエルの目をじっとのぞきこんだ。独特な広い上唇をひくひくと震わせ、見るものの心を深く動かす表情を浮かべながら、カエルにそっと頰を寄せてこうささやく。「天使に連れてきてもらったのかしら、それとも小人に？　かわいそうな、ちっちゃなカエルさん。わたしにできることは、何でもしてあげる」

女は立ちあがって家に入り、後ろ手にドアを閉めた。

家はまた、固くまぶたを閉じて眠りに落ちた。二匹の猫も、スコッチ・テリアも、さっきまでいたところへ戻っていった。飛びまわっていた鳥たちもおとなしくなった。ジョーディが隠れているのを知っている、枝にとまったリスだけが、いまだにがみがみと文句をつけている。これまでの人生で最大の重荷がようやく肩からとりのぞかれ、ふたたび自由の身になれたような気分を、ジョーディはしみじみと味わっていた。カエルは安全に、まちがいのない相手に委ねられたのだ。初めての奇妙な歓喜が胸の奥から湧きあがってきて、思わず歌いだしたくなる。シダの茂みから這い出すと、今度こそ心おきなく元気いっぱいに飛びはねながら、白く泡立つ渓流に沿って、ジョーディはインヴァレノックの町へ、わが家へ全速力で走っていった。

やはりその夏の日の午前中、マクデューイ氏はようやく待合室に並ぶ患者を片づけ、最後に残った友人のペディ牧師に向かってあごをしゃくり、苦しそうになっているパグ犬を連れて診察室に入るよう促した。友人を先に通し、後ろから声をかける。「さあ、入ってくれ、アンガス。こんなに待たせて悪かった。あの愚かな連中ときたら、いつだってどうでもいいようなペットを持ちこんでは、ぼくの時間をことごとくつぶしてしまうんでね。さて、きみのところはどうした？　どうせ、また甘いものをやりすぎたんじゃないのか？　気をつけろと、いつも言っているだろう」友人まで《愚かな連中》の範疇に入れてしまっていることには、どうやら気づいていないらしい。

ペディ牧師は、もともとの顔つきや体格にそぐわないながらも、せいいっぱい申しわけなさそうな顔をし、恐縮してみせた。「そりゃ、まったくそのとおりなんだがね。しかし、いったいどうしたらいい？　こいつときたら、いかにも可愛らしくちんちんして、もっとくれとねだるんだよ。まったく、菓子には目がなくてね」エナメルを引いた診察台にぺたんと腹這いになり、ぜいぜいと呼吸しながら時おりげっぷをするパグ犬を、牧師はいかにも愛おしげに見やった。犬は穏やかな目に懇願するような色を浮かべ、マクデューイ氏を見あげている。記憶と経験によれば、この人は自分を食べすぎの苦しみから解放してくれる秘訣を心得ているはず。

マクデューイ氏はかがみこんで犬の匂いを嗅ぎ、いかにもいやそうに鼻にしわを寄せると、腹部を調べ、体温を測った。

「ふーっ！　いつもの病気だな――今回はちょっと重いようだが」あごを突き出し、ごわごわしたひげを牧師に向けてからかう。「神に仕えるもの、神の代弁者たるきみが、このあさましい犬の口に菓子を詰めこむのをひかえる、それだけの自制心さえ働かないとはな。犬の健康にもよくないんだぞ」

「うーん」ペディ牧師はきまり悪そうに身をよじり、いつもの陽気な丸顔に、叱られた子どものようなしょんぼりした表情を浮かべた。「神さまの代弁者なんてご大層なものじゃないよ、そうあろうと努めてはいるけどね。賢さや美点に欠ける分を愛でどうにか補うしかない。人間という種族の中で働く神さまの使用人、まあそんなところだな」そして、謙遜の身ぶりを添える。「できる人間はみな軍人か政治家、法律家になってしまうからね。神さまも、たいていは手に入る人材で我慢しなけりゃならないのさ」

マクデューイ氏はその冗談ににやりとし、愛情をこめて友人を見やった。「きみたちときたら、そんなふうにおべっかやへつらいを並べ、賄賂《わいろ》を供え、甘言を弄しておけば、神が機嫌よくこちらの思うままに動いてくれると思っているらしいが、そんなことを神が喜ぶと本気で思っているのか？」

間髪を入れず、ペディ牧師も同じように冗談交じりの答えを返した。「神さまがついつい犯してしまった過ちというものがあるのだとしたら、それは人間に、自分と神さまとが同じ姿をしているなどと思わせてしまったことだな。いや、これは神さまの思いつきなんかじゃない、人間の考えたことだろう。そのほうがいい気分になれるからね」

マクデューイ氏は赤く厚い唇の間から白くがっしりした歯をのぞかせ、ハイエナのような声で吠えた。ペディ牧師の勧めでグラスゴーからインヴァレノックに越してきてからというもの、いつでもどこでも顔を合わせるたびに始めてしまうこの論争が、氏は楽しくて仕方がないのだ。「ほう、ほう。それならきみは、人間が高慢でお追従《ついしょう》好きな自分たちの欠点を神に投影し、そんな神に媚びへつらうために、祈りの時間の大部分をあてていると認めるんだな？」

牧師は小さな愛犬の頭を愛情こめて撫でた。「わたしが思うに、そんな人間がエデンの園で犯した罪に対する本当の罰は、神さまが人間に貸し与えてくださっていた神性を取りあげたとき、われわれに親族を、血を分けた兄弟を与えてくださったことじゃないかな」——苦しんでいるパグ犬に向かってうなずく——「それが、こいつらというわけなんだよ。この罰にはどこかユーモアが感じられることは、きみだって認めざるをえないだろう。ユーモアという美点については、めったに誰も神さまと結びつけてみないんだが」

このときばかりは、さすがのマクデューイ氏もぐうの音も出なかった。この少年時代からのずるがしこい友人ときたら、こちらの切り札にしていた主張を逆手にとって攻めこんできたのだ。

「それなのに、きみは人間と動物のそんな間柄さえ認めようとしないんだね」やりこめられかねない立場から首尾よく逃げ出して、牧師は嬉しそうに続けた。「わたしが分別も何もかなぐり捨ててこのちびすけを可愛がり、自分自身と同じくらい大切に思うあまり、つい甘やかしすぎてしまうのも、すべてはそのせいなんだよ。なあ、アンドリュー、きみは苦しんでいる動物たちを診察していて、ふと愛おしいと感じることはまったくないのかね？　自分ではどうすることもできずに、こちらを信じきったまなざしを向けてくる動物たちを見て、胸が痛んだりはしないのか？」

マクデューイ氏は挑むようにあごひげを突き出し、辛辣さと憐れみの混じった目を牧師に向けた。「ああ、まずないな。ぼくはただの獣医にすぎんが、だからといって医者には変わりない。医者たるもの、患者やその身内にいちいち情が移ったりしていたら、とうてい仕事にならんよ。ぼくは感傷的な人間ではないし、役にも立たない動物を甘やかすなど、愛情の無駄づかいとしか思えんのだ」そして、もう一度あごひげを突き出す。

人あたりのいい丸顔で、よくわかる、そのとおりと言わんばかりにうなずいておきながら、ペディ牧師はふいに別の角度から切りこんだ。「それなら、きみは医者として、あの哀れなお年寄りの――ラガン夫人の犬に、本当に何もしてやれることはなかったのかい？　きみが安楽死させるように勧めた、あの犬だよ。もう、とうに死なせてしまったんだろうが」

マクデューイ氏の顔が、髪と同じくらい赤くなった。目が怒りに燃えあがる。「どういうことだ、不満か何か、あの年寄りがきみにこぼしたのか？」

「こぼしたって不思議はないだろう？　いや、不満ではなかったがね、どうにも悲しみをこらえきれなかったんだよ。ここを出ていったときの、あの人の目といったら。ついに、天涯孤独の身になってしまったわけだからね」

マクデューイ氏は依然として喧嘩腰に言いつのった。「ぼくがあの年寄りにひどい仕打ちをしたとでも言いたいようだな、ええ？　じゃ、仮にあの犬を三週間か一ヵ月、せいぜい二ヵ月生きのびさせてやったからって、いったいどうなるというんだ？　結果は同じことさ。いつかは天涯孤独の身になる。そのうえ、ぼくはあの年寄りに、新しい犬をもらってきてやろうとさえ持ちかけたんだ。里親を探してくれの何のって、うちにはよく話が来るからな」

「だが、あの哀れな弱りきった喘息の犬を、ラガン夫人は愛していたんだよ。あの犬がそばにいて、心を通わせあえることが、毎日の慰めになっていたんだ――このちびすけが、わたしの生活を満たしてくれているのと同じにね。愛の力というものは、自分に課せられた人生を歩む、その道程を少しでも耐えやすくしてくれるってことを、きみは信じていないのかい？」

マクデューイ氏は、肩をすくめたきり何も答えなかった。自分も、かつて人を愛し、心のたけをうちあけた。もしも医者になれたなら、その道に人生を捧げるつもりでもいた。だが、その夢はかなわなかった。あれほど愛した妻のアン・マクリーンも、自分を残して逝ってしまった……愛こそは罠、愛こそは危険。避けられるものなら、それにこしたことはない。なかなかそうはいかないものだが。メアリ・ルーのことが頭に浮かぶ。自分がどれほど娘を愛しているか。棒切れか石ころ、それともそこらの樹木になって、何も感じずにすめばどれほど楽だろう。

ペディ牧師は眉をしかめ、じっと考えこんだ。「どこかに謎を解く鍵があるはずなんだ、そうだろう」

「謎を解くって、何を？」

「愛こそが、その鍵なのかもしれないな。人間と他の動物が何によって結ばれているのか、それを解く鍵だよ。四つ足だったり、翼があったり、ひれがあったりする生きものたち。森に、平野に、小川に暮らす仲間たち、同じ地球に生きる兄弟や姉妹――」

「たわごとだ！」マクデューイ氏は鼻を鳴らした。「われわれはみな、広大な宇宙において、ふとしたはずみで生命を与えられたにすぎん。出発点は同じだったんだ。ただ、人間は直立して親指を使うようになり、他の動物は敗れた。運が悪かったというわけだ」

ペディ牧師は眼鏡の奥から友人に鋭い視線を投げ、それからにっこりして口を開いた。「やれやれ、アンドリュー――いつのまにかそんな結論にたどりついていたとは知らなかったよ。われわれが偶然によって生命を与えられたと認めるなら、かえってきみの立場は弱くなるばかりだと思うけれどね。そもそも、宇宙におけるふとしたはずみとやらは、誰が仕組んだことなんだ？　まさか、本当にただの偶然だったと信じるほど、きみも頭が古くはないだろうが――」

「きみだったら、もちろん神だと答えるだろうがね」

「神さまでなければ、いったい誰だというんだ？」

「神とは正反対の存在だよ。この世界ときたら、まったくひどいありさまだからな。このぼくだって、もう少しうまく切りまわしてみせるさ」そう言いながら棚に手を伸ばし、小さな薬の瓶をとる。パグ犬はとんでもなく大きなげっぷを漏らし、どうにか立ちあがると、身体を起こしてちんちんをしてみせた。ふたりは顔を見あわせ、どっと笑いくずれた。

4

メアリ・ルーがヒューイ・スターリングといっしょに、グラスゴーから到着する汽船を見に町の波止場へ出かけることになって、あたしを連れていこうと迎えにきたとき、あたしはちょうどネズミの穴を見張っているところでした。

正直なところ、あんまりご機嫌ではいられなかったわね。ずいぶん長いこと見張ったあげく、やっと成果が出そうなときに邪魔されてしまったんだもの。

それは食料品置場のそばにある、重要な穴でした。何日もかけて見張ったあげく、途中で連れていかれるなんて、まったく迷惑な話よね。ネズミの穴の見張りはあたしの本分ともいえる仕事で、いつだってきちんとやりとげていたのに。はたすべき他の務めといえば、メアリ・ルーを楽しませ、いい気分にさせておいてあげることだけ。どこに行くにもいっしょに連れていかれるのもそのひとつだけれど、そういう務めはみんな、あの娘の思いつきに従うだけで、あたしが自分で考えるわけじゃないの。

家庭内におけるあたしたちの本来の仕事が何なのか、人間はつい忘れがちなものよね——それも、あたしたちを自分たちの赤ちゃん代わりにしたりというように、どこまでも自分勝手な理由から——おかげで、不自然な生活を強いられた猫たちの多くは、甘やかされて怠けものになってしまうの。たとえ、ときどき足もとにネズミを置いて思い出させてやろうとしても、うぬぼれた間抜けな人間たちは、自分たちへの個人的な贈りものだと思いこむだけ。あたしたちがこの家に住む意義をはっきりさせ、ちゃんと食事代と宿泊料を払っていることを気づいてもらおうというこちらの意図なんて、理解できるはずもないんです。

ネズミの穴の見張りなんて、仕事と称するまでのこともない、簡単なことだと思うでしょうね。いいわ、一度やってみるとよくわかるはず。腹ばいの姿勢のまま、羽目板にあいた小さい穴を、まるで見ていないようなふりをしながら何時間も監視するの。犬がよくやるみたいに、匂いをちょっと嗅ぐだけで、またどこかへ行ってしまうなんて、そんなのは穴の見張りとはいえません。まったく、とんでもない話だわ。あたしくらい良心的で仕事熱心だと、一日じゅうそれにかかりきりといってもいいくらい。とりわけ、穴がふたつ三つあったり、別の出口がありそうだったりする場合にはね。

もっとも重要なのは、ネズミをつかまえることじゃないの。そんな簡単なことなら、誰にだってできるでしょ。大切なのは、ネズミに思い知らせて、この家に近づかせないこと。「いいネズミは死んだネズミだけ」ということわざをよく聞くけれど、これは半分しか当たっていません。「いいネズミはそこにいないネズミだけ」、これが本当ね。この仕事に真っ向から取り組むつもりなら、神経戦をしかけること。そうなると時間もかかるし根気もいる、そしてかなりの頭脳も必要になるの。他にやるべき仕事がこんなに多くなかったら、どれも惜しみはしないんだけれど。

ネズミの穴の見張りがどんなものか、ざっと説明しましょう。まず、穴のありかをつきとめ、それぞれの配置を把握するの。どれが空っぽで、どれにネズミが棲んでいるかを判断したら、その中からひとつ選んで監視に出かけるわけ。でも、もちろん、まちがっても前と同じ時間に行ったりしてはだめ。ネズミも馬鹿じゃないから、時間を決めて見張りに行ったりしたら、すぐに憶えられてしまうのよ。直感と本能、そして猫としてのあたりまえの知識が、結局はいちばん役に立つわね。そのときになれば、自然にわかるはず。いま行くべきだということが、夢の中みたいに頭にひらめくのよ。

そうね、まずは匂いを二、三度嗅いでみて、それから穴の前に腰をおちつけ、しばらくじっと見つめます。こうすると、中にいるネズミは出てこられないし、外にいるネズミは家に帰れなくなるわけね。どちらにしろ、ネズミにとっては不安なことよ。そのまま、一時間くらいはじっと見つめていればいいの。慣れてくれば、そうしながらいろんな考えごとができるようになるしね。計画を立てたり、願いごとをしたり、自分はいったい何ものなのか、何千世代もさかのぼった先祖にいったい何が起きたのか考えをめぐらしたり、でなければ、今夜の食事は何かを予想したり。

それから、ふいに両目をつぶり、眠っているふりをするの。ここがもっとも重要で、なおかつ細心の注意が必要なところでしょうね。なにしろ、耳をすませ、ひげの先を触角として、感覚を研ぎすませていなければならないんだから。そうやって、外にいるネズミには中に入るチャンス、中にいるネズミには外へ出るチャンスだと思わせてやるわけ。こちらの隙をついてやてやるのよ。

ふと気がつくと、猫に片目でにらまれていたネズミがどんなにあわてるか、効果のほどはあたしが保証します。ネズミにしたらどんな気分のものか、あたしにははっきり想像がつかないけれど、もう片方の目はまだつぶったままなのに、あんなに震えあがっちゃうんだから、論より証拠ってところよね。これを二、三度くりかえすと、ネズミはすっかり縮みあがっちゃって、その恐怖はすぐに一族にも伝わり、話しあいのすえ、この家を出ていこうという結論になるの。

あたしたちの種族のちゃんとした一員なら、誰でもこんなふうに家庭内のネズミ問題を処理しているはず。でも、いままでの話でわかってもらえると思うけれど、これには技術を磨き、練習を重ね、時間をかけなくてはならないの。とりわけ、大切なのは時間でしょうね。家の中や周囲の見まわりや、自分自身の身づくろい、ご近所との情報交換、メアリ・ルーの世話など、他のさまざまな用事をこなしながらも、あたしはちゃんとこの家を清潔に保ってました。もちろん、だからってマクデューイ先生に感謝されたことも、努力を認めてもらったこともないし、マッケンジー夫人にしたところで、たいしたちがいはありません。「まーったく、トマシーナは怠けものだねえ。食料品置場に、またネズミが出たじゃないの。目の前横切ったって気がつかないってわけかい？」なんて、本人は辛辣な皮肉のつもりの言葉を聞かされるだけ。もちろん、こっちは痛くもかゆくもないけれど。

ヒューイ・スターリングがやってきて、家の前で口笛を吹いたのは、あたしがネズミたちをこらしめようと神経戦に入ってちょうど三日経ったときのことでした。青いエプロンドレスに青い靴下、青い靴というでたちのメアリ・ルーが、さっそくあたしを連れにきたわけ。あたしは抱きあげられて、町を通って波止場へ下りていきました。波止場で汽船を見るのは、あたしにとっては初めてのことだったの。

ヒューイ・スターリングは大地主の息子でした。もうすぐ十歳だったけれど、年にしては背が高かったわね。うちのすぐ裏手まで敷地の広がるお屋敷に住んでいて、メアリ・ルーとはとても仲がよかったの。

みなさんのところにも男の子がいるかもしれないけれど、あたしに言わせたら、あの連中って本当に下品で、汚らしくて、だいたいにおいて残酷で、親切心のかけらもなくて、おまけに薄情で、自分勝手なちびのけだものよ。でも、ヒューイ・スターリングがそんな形容に当てはまらないことは、あたしも認めないわけにはいかないわね。いつも清潔なみなりをしていたし、ほっそりした顔立ちに波打つ黒い髪、そして聡明そうな明るい青の瞳には、どこか気品が感じられました。

メアリ・ルーはいつだって、暇さえあればあの男の子の後ろにくっついていたの。ヒューイのほうも、喜んでたいていは好きなようにさせていたところを見ると、きっとメアリ・ルーの面倒を見るのが好きだったのね。あの年ごろの男の子は、何があろうと幼い女の子なんかと遊ぼうとはしないものだけれど、たまにはヒューイみたいな例外もいるみたい。とりわけ妹がいない男の子は、幼い女の子の様子に気を配り、転んでけがをしたときには抱きおこして土を払ってやったり、涙を拭いてやったり、必要なら洟《はな》をかませてやったり、そんなことをするのが楽しいのね。メアリ・ルーと同じく、ヒューイもひとりっ子だったから、よくあの娘を連れ出していたものよ。当然、あたしもメアリ・ルーの腕に抱かれていっしょに出かけました。あの娘は、あたしなしではどこにも行きたがらないの。ヒューイもまったく気にしないどころか、あの娘の気持ちをよく理解していて、とくにおかしなこととも思っていなかったみたい。きっと、あたしの値打ちがわかっていたのね。上流階級の生まれなら、当然のことかもしれないけれど。

もしも自由に生きられるなら、飼い猫でなかったとしたなら、あたしは波止場の近くに引っ越して、栈橋で日向ぼっこしたり、船のもやい綱にしみこんだタールの匂いを嗅いだりして毎日をすごすわね。漁船が戻ってきたときには、尻尾をゆらゆらさせながら、御影石を敷きつめた埠頭をゆったりと歩き、漁師さんたちをお出迎えして、今日の獲物を見せてもらうの。ラヴェンダーの次に、あたしはここの匂いが好き。海の匂い、小舟の匂い。艇庫に積まれた古い防水布、作業着、索具、釣り道具、ゴム長靴の匂い。そして、なんともすてきな魚の匂い――魚や海草、カニ、ロブスター、そして、栈橋の灰色の石段にこびりついた緑藻。それから、ようやく夜明けを迎えるころの潮のすばらしい匂い。まだ太陽は朝もやに隠れたまま、どこもかしこも水分と塩気をたっぷり含んで、じっとりじめじめしているのよ。

そんなわけで、子どもたちふたりと連れ立って義賊ロブ・ロイの銅像が立つ広場に着き、目の前の栈橋を眺めるころには、あたしはもうそれほど不機嫌ではありませんでした。どこを見ても、楽しいこと、わくわくすることばかり。ただ、入ってきた船が鳴らした汽笛に驚き、あたしがメアリ・ルーの肩から落ちてけがをしたことをのぞけばの話だけれど。

これは、もう少し説明が必要でしょうね。いつもなら、あたしたち猫はちゃんと四本の足で着地できます。身をひるがえしてお腹のほうを下にする暇さえあれば、ね。でも、あのときはすべてがたてつづけに起きたので、あたしは身をひるがえしそこなったの。

汽船は真っ白で、黒く細い煙突がありました。あの煙突がそんなに恐ろしい音を出すなんて、あたしにわかりようがないでしょ？　煙を吐きながら石造りの桟橋に近づいてくる船に、あたしはただただ見とれていたの。鐘が鳴り、さまざまな指示が飛ぶのが聞こえ、水面に浮かんだ白い泡が、前へ、後ろへ、横へと波打っていました。そのとき、ふいに何の前触れもなく、これまで聞いたこともないほどけたたましい、怖くてすくみあがってしまうほどの鋭い音が船の煙突から響きわたり、あたしはあお向けに落ちてしまったんです。

そう、落ちなくてすむ方法もなかったわけじゃないわよね。メアリ・ルーの首に、爪を立ててしがみつけばよかっただけのこと。あたしはそのとき、あの娘の肩に身体を預けていたから。それが他の相手だったら、爪を立てるのをためらったりはしなかったわよ。ともかく、あまりにとっさの出来事で、耳をつんざくような音がしたと思ったら、次の瞬間、あたしはどさっと横向きに地面に叩きつけられ、けがをしていたの。

メアリ・ルーはすぐにあたしを抱きあげて、痛めたところを撫でてくれたし、ヒューイもいっしょになって、一所懸命に介抱してくれました。もっとも、ヒューイは「あの古い汽笛に驚いたんだね」と笑い、「あんな音にも慣れとかないと、船乗り猫にはなれないよ」と、あたしに話しかけたけれど。この少年は大きくなったらヨットを買って、いっしょに世界一周の旅に出ようと、メアリ・ルーと計画を立てていたらしいのね。でも、もちろんあの娘は、あたしといっしょでなければ行かないと答えたの。

撫でてもらううちに、具合もだいぶよくなりました。メアリ・ルーは、今度こそあたしが落ちないよう、しっかり抱きしめてくれていたから、次に汽笛が鳴ったときにはそんなに驚かずにすんだし、わくわくするような光景を見物しているうちに、いつのまにか痛みも忘れていたの。まず郵便袋が、それからぱっと目を惹くさまざまなラベルを貼った乗客の荷物が桟橋に投げ降ろされるでしょ。それから、船から桟橋にかけられた踏み板を、乗客たち自身が渡ってくるのよ。

子どもの手を引いた乗客も多くて、ヒューイとメアリ・ルー、それから途中でいっしょになったジョーディ・マクナブは、すっかり興味を惹かれていたみたい。ジョーディは八歳、カブ・スカウトに入っていて、ひとりでいろいろなところへ行っては情報を集めてくるのが得意なの。引き綱につながれた犬が五、六匹、そしてかごに入った猫が一匹、船から降ろされました。頭上ではカモメが円を描いて鳴きさけんでいるし、タクシーの運転手たちはクラクションを鳴らして客を呼んでいるし、ほんと、あたしが落ちたことをのぞけば、こんなに楽しい汽船見物もなかったんじゃないかしら。そのうえ、ジョーディはヒューイとメアリ・ルーに、わくわくするような情報を教えてくれたの。

「川を渡ったとこの、峡谷のふもとのダンモア・フィールドにさあ、ジプシーたちが来てるんだ。荷馬車や檻や幌馬車やなんか、いろいろ連ねて大勢でさ。ターベット・ロードの森の隣に天幕を張ってるよ。マッコーリー巡査が話をしに行ったんだって」

「へえ！」ヒューイ・スターリングが歓声をあげました。「わくわくするなあ！　ぼくも行けばよかった。何かあったの？」

ジョーディ・マクナブは深く息をつき、顔と同じくらいまん丸く目を見ひらきました。大地主の息子の質問に答えるという、責任の重大さに緊張したのね。あたしにはちゃんと見てとれたんだから。

「マッコーリー巡査はさあ、おとなしくして面倒を起こさないならそこにいてもいいって、そう言いにいったんだよ」

ヒューイはうなずきました。「で、向こうはなんて言ったの？」

「えーと、鋲の打ってある革のベルトを締めた、でっかい男がひとりいたんだけどさ。そいつがベルトに手をかけたまま、巡査を馬鹿にして笑ったんだ」

「マッコーリー巡査を馬鹿にするなんて、あんまり利口なやつじゃないなあ」

「もうひとり、チョッキを着て帽子をかぶったちびの男がいてさ。そいつはベルトのやつを押しのけて、巡査にお礼を言ったんだ。面倒なんて起こすつもりはありません、ただ、ちょっとばかりここでまっとうな商売をさせてもらいたいだけなんです、ってね。で、マッコーリー巡査が、あの檻の中の動物は何に使うつもりなんだ、って訊いたんだ」

「うわあ！」ヒューイはさらに興味をそそられたようでした。そのころにはメアリ・ルーも、実を言うとあたしも、すっかり夢中になって話に聞きいってたの。「檻の中の動物って、どんな？」

ジョーディは記憶をたどりました。「うーん、熊とワシとクーガが一匹ずつ、サルや犬は何匹もいたよ。それから象が一匹、馬がたくさん――」

「ええーっ！」異議の声をはさんだのはヒューイ。「ジプシーが象を飼うわけないよ」

そんなこと言わなきゃよかったという表情が、ジョーディの顔に浮かびました。「うーん、象はいなかったかもしれないけどさ。でも、熊とワシとクーガとサルはほんとだよ。一シリング払うと見せてもらえるんだって」

ヒューイはすっかり興奮してしゃべり出したものよ。「じゃ、ぼくが母さまに頼んでみるから、二、三シリングもらえたら、みんなで――」

でも、ジョーディの報告はまだ終わってなかったの。「で、マッコーリー巡査はさ、動物にひどい仕打ちをしたり、見世物をやったりしなければかまわないだろう、って答えたんだよ」

「見世物って？」メアリ・ルーが尋ねました。

ヒューイが教えてやりました。「逆立ちしたり、手品をやったりするんじゃないかな。どうせ警察がいなくなったら始めるんだろうけどね」

そして、ジョーディは話をこう締めくくったの。「ベルトのやつがまた笑いはじめたんだけど、帽子とチョッキのやつがそいつのそばに行って、また肩で押しやってさ。それで、マッコーリー巡査も帰ってった。おれ、動物が見たくてさあ、荷馬車のおおいの下をのぞこうとしたんだけど、大きい男の子に追っぱらわれちゃったんだ。そいつ、ムチ持ってたんだもん」

その夜、メアリ・ルーはお風呂に入れてもらいながら、その話をそっくり父親にしてやりました。マクデューイ先生はまるで一人前の大人の話を聞くように、ひとことひとこと、じっと耳を傾けていたの。正直なところ、びっくりしたわね。大人って、子どもを相手にしているときには——あたしたちにも同じだけれど——とっても偉そうな、頭にくる、失礼な態度をとるものでしょ。でも、先生は娘の首や耳の後ろに石鹸を塗り、タオルでこすりながら、いかにも真剣な顔でうなずいたり、ぼそぼそと相づちを打ったり、うなったりするだけだったのよ。話が終わると、先生はやっと口を開きました。「そうだな、ちびの桃色カエルさん、ジプシーが何をするつもりにしろ、くれぐれも連中に近よらないように、それだけ気をつけておきなさい。昔からやつらは汚らしい泥棒と相場が決まっていて、行いを改めたなんて話も聞かないからな。そもそも警察がきちんと取り締まらず、大目に見るからこういうことになるんだ、そうだろう?」

マクデューイ先生が娘をお風呂に入れると聞いたときは、さぞかしマッケンジー夫人も驚いたことでしょうね。たしかにあたしは先生が大嫌いだけれど、この父親が毎夜仕事から帰ってきてから、娘をていねいにすみずみまで洗ってやる姿を見ると、母親になったことがある身としても、これ以上にゆきとどいた世話をされている子猫はまずいないと認めないわけにはいきません。先生にとっては、これがいちばん楽しい、はしゃぎたくさえなるひとときだったみたいね――もちろん、あたしにとってはそうじゃなかったけれど。あたしは浴室に入れてはもらえなくて、廊下に坐ったまま、中をのぞくことしかできなかったから。
マクデューイ先生はメアリ・ルーに歌をうたってやったわ――想像できる？――あの耳ざわりな大声で、馬鹿みたいな歌詞のやつを。まだ憶えているけれど、こんなのでした。

カエルが井戸におったとさ
カディよカディ聞いとくれ
カエルが井戸におったとさ
わしのカディよ聞いとくれ

カエルが井戸におったとさ
水車小屋にはネズミがおった
キックマレーリー、カウデン・ドゥーン
わしのカディよ聞いとくれ

どう、こんな歌に何の意味があるかしら？　でも、メアリ・ルーにはそのおもしろさがわかったらしくて、父親が大声で「キックマレーリー、カウデン・ドゥーン！」と叫ぶたびに、嬉しそうな金切り声をあげてはしゃぎ、おもちゃでお湯をはねちらかしたから、廊下にいるあたしのところまでしぶきが飛んできたわよ。

やがて、マクデューイ先生は娘をお風呂から抱えあげ、髪の水気をごしごしと拭い、身体じゅう真っ赤になるまでタオルでこすると、こう呼びかけました。「ほーら、ちびの桃色カエルさん！　このきれいな青いタオル、桃色のおまえによく似合うよ。さあ、今夜は何を食べようか？　キックマレーリー、メアリ・ルー！」

でも、もちろん、あたしのことはずっと無視したままよ。

椅子にたくさんクッションを重ねて、メアリ・ルーがテーブルに届くようにしてやり、食事室で夕食をすませると、ふたりは向かいにある子ども部屋へ行くの。そこで娘と遊んだり、くだらない作り話を聞かせてやったり。ときには、メアリ・ルーが先生の膝に上り、顔をおもちゃにしたり、ひげを引っぱったりして、たがが外れたようにけたけた笑いころげることや、ふたりで手をとりあって、部屋じゅう踊りまわることも。子どもにしろ、子猫にしろ、こんな育てかたをしていいものかどうか、あたしは疑問に思うのよ。

その夜、メアリ・ルーはすっかり興奮してしまって、マクデューイ先生がいつも唱えさせるお祈りを、なかなか口にしようとしませんでした。先生は毎晩、娘が眠りにつく前にお祈りの言葉を唱えさせるのだけれど、メアリ・ルーは無理強いされるのをいやがって、ときどきすごく片意地を張って言うことをきかなくなるの。そうね、あたしだって、何にせよ無理強いなんかされたら、目にもの見せてやるでしょうよ。

そのうち、先生もいままでの陽気な気分をいきなりかなぐり捨て、厳しく険悪な顔つきになりました。赤いあごひげを娘に向かって突き出し、こんなふうにどなったの。「もうたくさんだ、メアリ・ルー。これだけ遊べば充分だろう。いますぐお祈りをしないと、お仕置きすることになるぞ」

「だって、父さん、どうしてお祈りしなくちゃいけないの？」

この質問をくりかえすのは、この週だけでも四回目だったかしら。あたしは思わず心の中でにっこりせずにはいられませんでした。それが時間稼ぎの言いわけにすぎないことはわかっていたから。あたしたち猫だって、何か命令されたとたん、ふいにどうしても手入れを後まわしにできない毛並みの乱れに気づいたりするものよ。

こんなとき、マクデューイ先生の答えはいつも決まっているの。「母さんが生きていたら、やっぱりおまえにお祈りしてほしいと思うだろうからな、それが理由だよ。母さんも、毎晩ちゃんとお祈りをしていたんだ」

メアリ・ルーは、さらにこんな質問をしました。「じゃ、お祈りしてる間、トマシーナを抱っこしててもいい？」

あたしはつい笑みが浮かんでしまうのを隠そうと、あわてて顔をそむけました。マクデューイ先生がどんなにかっかするか、よくわかっていたから。

「だめだ、だめだ、とんでもない。そんなことは許さないよ。さあ、そこにひざまずいて、いますぐちゃんとお祈りしなさい」

メアリ・ルーだって、何も父親を怒らせようと、毎晩同じ質問をくりかえしていたわけじゃないと思うの。いつか気が変わって、いいと言ってくれるかもしれないと思っているうちに、習慣になってしまっただけなのよ。

この質問に、いつもマクデューイ先生はひどく腹を立てました。いつもはせいぜいあたしの存在を無視するくらいで気がすんでいたとしても、こんなときには心底憎たらしいと思わずにはいられなかったでしょうね。

先生がベッドの脇に立つと、メアリ・ルーもおとなしくひざまずき、教えられたとおりに両手を組みあわせて、いつものお祈りを始めました。

「天国の母さんに、神さまのお恵みがありますように。それから、父さんにも、トマシーナにも――」

あたしはいつも、ここで自分の名前が挙げられるのを確かめます。この後は食料雑貨屋のドビー氏やウィリー・バノック、ごみ収集のブライディ氏といった、メアリ・ルーのお気に入りらしい奇妙な顔ぶれの名前がえんえん続くのよ。それが終わると、あたしはマクデューイ先生に近づいて脚にじゃれつき、ごろごろ喉を鳴らしながら、ズボンにたっぷり毛をなすりつけてやるの。どんなに先生が腹を立てても、あたしをどなりつけたり、蹴ったり、口汚い言葉を浴びせたりできないことはわかっているから。なぜなら、メアリ・ルーのお祈りが、そのころにはちょうど中ほどにさしかかっているんだもの。

お優しきイエスさま、穏やかで柔和なる主よ、この幼子をお守りくださいますように。

わたしの愚かさをお憐れみになり、
みもとに近づくのをお許しください――アーメン。

ここはとても大切なくだりだから、最後のひとことが終わるまで、マクデューイ先生は動くわけにはいかないのよ。その前にさっさとベッドの下にもぐりこんでしまえば、先生はもう手の出しようがないの。

でも、お祈りが終わり、赤茶色の髪を無造作に枕に広げて横たわった娘におやすみのキスをしたころには、先生はもう怒りを忘れ、じっとメアリ・ルーを見おろしていました。そのときだけは、いつものひげもそれほどつんつんと突っ立って見えなかったし、けわしい瞳も和んで見えたの。ううん、和んでいた、なんてものじゃないわね。うるんでたのよ！　それから、深く息をつくと、きびすを返して部屋を出ていきました。まるで、劇の中の登場人物みたいに。

それでも、あたしはベッドの下でおとなしく自分の出番を待っていたの。

先生が行ってしまうと、メアリ・ルーはいつもこう叫ぶから。「マッケンジーさん！　マッケンジーさん！」夫人が姿を現すと、こう頼むのよ。「トマシーナを連れてきて！」

気の毒なお年寄りによけいな仕事を増やすつもりはないから、そのころには、あたしはベッドの足もとをうろうろしています。マッケンジー夫人はかがみこんであたしを抱きあげ、メアリ・ルーのベッドに入れてくれるの。とっくに書斎に引っこんでいるマクデューイ先生は、そんなやりとりを漏れ聞き、どうなったのかわかっていながら、何も気づかないふりをしてるというわけ……

そう、あたしの《運命の日》は、そんなふうに終わりました。実際のところ、たいてい毎日がこんなふうだったのだけれど——どの日もほとんど同じようなことのくりかえしだったから——ちがった点といえば、さっきお話ししたように、ロブ・ロイの彫像のそばでメアリ・ルーの肩から落ちたおかげで、背骨の下のほうが痛かったことだけ。そして、次の日の朝、あたしは殺されることになるんです。

5

木曜の朝、マクデューイ氏はすぐ近くの農場を回り、十一時から一時の外来診療時間までに帰ってこられるよう、七時前に家を出た。一時以降は、もっと遠くへ往診しなければならない場合のために空けてある。

出かける前に、早口でウィリー・バノックに指示を下す。「バーニー農場へ、下痢を起こした牛を診にいく。ジョック・メイストックのところの乳牛には、気腫疽《きしゆそ》の疑いがあるから、かばんにワクチンのアンプルを一、二本入れておいてくれ。それからジョン・オーグルヴィのところの牛を検査してくる。時間があればマクファーソン養鶏場にも寄って、後家さんを安心させてやるつもりだ。外来診療に遅れたら、待っていてもらってくれ」

だからといって、つつましやかな入院室の見まわりも端折《はしよ》らずに、有能な助手ウィリーを後ろに従えて片づける。その朝は、こうした日課の皮肉さがいつになく心に突き刺さった。父親の都合により仕方なく選ばされた職業のこんなひとこまは、まさにエディンバラやグラスゴーの大病院で見られる光景の、戯画と言って悪ければ、せいぜいまがいものにすぎない。ああいう病院では、毎朝決まって当直の医師が、インターンをひとりふたり、婦長、そして看護婦たちをずらりと引き連れて病棟を見まわる。カルテに目を走らせ、患者に聴診器を当て、様子を観察し、診断を下し、処方を書き、ひとりひとりに快活な、あるいは陽気な言葉をかけ、薬といっしょに希望と勇気を与え、訪れる病室すべてに明るく幸せな余韻を残し、それぞれの病気やけがと闘うための新たな力を患者たちに与えていくのだ。

人々の苦しみを癒す、そんな医師としての自分の姿が、恨みに曇った心の目に浮かぶ。病室に足を踏み入れるだけで病魔を退散させ、死の天使を近づけない、少年時代にいつも思いえがいていたような姿。その夢にはねつけられてしまってからというもの、マクデューイ氏はそのお返しに、愛や温かさをはねつけるようになってしまった。病んで苦しむ動物たちを癒すためには、本来それこそが大切な役割をはたすはずなのに。

檻はどれもウィリーがきちょうめんに掃除し、毎日十回かそこら、紙やわらを替えてやっている。そこに入れられた動物たちは、適切な診断を受け、薬を与えられ、包帯を巻かれ、餌と水を与えられはしたものの、それ以外はマクデューイ氏から無視されていた。ひとつひとつの檻の前で足を止め、患畜を眺める氏のまなざしには、その症状や治療に対する反応から、さらなる知識や経験を得るための標本や事例に対する興味しかこもっていない。同じく神に創造された仲間、岩と土と水から構成される、この回転する球体の上にともに閉じこめられた同胞、生きとし生けるものすべての大家族に属する兄弟姉妹であるなどという思いは、頭にちらりとさえ浮かぶことはなかった。

動物たちにも、そんな姿勢は伝わっていたのだろう。氏が前を通りかかり、無言のまま足を止めるたび、悲しげな、あるいは暗い目でじっと視線を返したり、あるいは哀れっぽく鳴き、鼻を鳴らして、つらい胸のうちを訴えるのだった。

檻の間の通路を歩きながら、マクデューイ氏はいつものようにそれぞれの患畜の様子を見きわめ、治療や投薬の指示をしていく。その手並みに、ウィリーは感嘆せずにはいられなかった。病気の動物たちを治すことのできる、この赤毛の異教の神を、ウィリーは心から畏敬していたのだ。今朝は《安楽死》の指示もなく、それもしみじみありがたい。この患畜は生かすより死なせるべきだとマクデューイ氏が決断した場合、実際に手を下す役目を命じられるのは自分だったし、一度下された決断は、何があろうとくつがえりそうになかったから。

ウィリーはこの役目が大嫌いだったが、先生にそう命じられた以上、疑いを抱くつもりは毛頭なかった。せめてもの思いやりがこもった手つきでクロロホルムの瓶と布を扱い、このつらい務めをできるだけ手早く終わらせてしまうと、亡骸《なきがら》は家の裏手に積んでおく。一日が終わり、そうした小さなむくろも含めて診療所から出た廃棄物がすべて焼却炉で燃やされてしまうまで、二度と目にせずにすむように。

「サンダーソン夫人の犬は、四番処方の服用量を増やしてくれ。戻ったら、もう一度診察する。そう遅くはならんはずだ。そのいまいましいオウムがこれ以上けたたましい声で騒ぎつづけるようなら、首をひねってしまってもいい、ぼくが許可するよ」

マクデューイ氏はかばんを手にとった。どこの農場でどんな病気が発生し、何が必要になるか、指示されなくてもほとんど心得ているウィリーによって、注射器、吸引器、浣腸器具、噴霧器、消毒薬、ワクチン、包帯、縫合用の針と糸、ガーゼとバンソウコウ、そして緊急処置に必要な薬品などが、中にきっちりと収められている。氏は診療所を出てジープに乗りこみ、車を発進させた。

　車がアーガイル・レーンの角を曲がり、ハイ・ストリートに出るのを見おくると、ウィリーは素っ頓狂なほどの速さで身をひるがえし、入院室に駆けもどった。動物たちは吠え、鳴き、雄《お》叫《たけ》びや金切り声をあげ、わめき、甘え、大好きな人間を熱狂的に出迎えた。

　マクデューイ氏の肩にやっと届くほどの背しかないウィリーは、ちょうど七十歳。動物を愛し、世話をするという仕事に、そのうち五十年を捧げてきた。マクデューイ氏はこの診療所を買ったとき、以前からここで働いていたウィリーもいっしょに引きついだのだ。年齢に似合わずすばしこい、よく気がつく老人で、修道士のように白髪のてっぺんだけ禿げあがり、いかにも穏やかな茶色の瞳からは優しい心根がにじみ出ている。

　待ちに待った時間だった。檻の中の犬たちは後ろ足で立ちあがり、必死で前足をばたばたさせながらウィリーに向かって鳴き、鳥たちはけたたましく叫びたて、猫たちは尻尾をぴんと立て、もう待ちきれないといった風情でうなじを檻の扉にこすりつけている。病気が重く、大歓迎ができない犬たちでさえも、横たわったままぱたぱたと尻尾を床に打ちつけていた。

「そうかい、そうかい――」この熱狂ぶりを、ウィリーはいかにも嬉しそうに見まわした。

「一匹ずつ、一匹ずつだぞ」まずは太ったダックスフントの檻の前で足を止め、扉を開けて抱きあげてやる。大喜びしたダックスフントは、腕の中で金切り声をあげて身をよじり、顔を舐め、熱狂の大合唱にひときわ情熱的な助奏を添えた。「よしよし、ハンシー――そんなに暴れるな。でないとまた具合が悪くなっちまって、外に出してやったことが先生にばれちまうでな。どっちみち、明日か明後日には退院じゃねえかね——」

そうやって、ウィリーは檻から檻へ歩きまわり、医師が与える薬に負けずよく効き、薬の効き目をも助ける愛情を、一匹一匹に注いでいった。犬や猫は、ほんのしばらく抱いてもらったり、遊んでもらえばそれで気がすむ。病気が重く起きあがれないものは、耳やお腹を撫でてもらうだけでいい。オウムは頭をかいてもらえば満足する。ほとんどの動物たちは、自分の番が来てひとしきり好きなようにさせてもらい、撫でられ、甘やかされるとすっかりおちついて、日課の世話や投薬をおとなしく受けるのだった。

その朝はもやが深く、朝食を料理する木炭や泥炭の煙の匂いと潮の香りが混じりあってあたりに漂っている。マクデューイ氏の乗った車は、灰色の石壁や真っ白な漆喰壁に石板葺きの屋根を載せた、背が高く幅のせまい家の立ちならぶ通りを抜け、石壁と同じ灰色の水をたたえた入江の波止場へ向かって下りていった。ずんぐりしたマストを立て、船首のいけすにロブスター獲りの罠かごや浮き、釣具を詰めこんだ青い漁船が、のんびりした排気音をたてながら港を出ていく。

海と陸とが混じりあった匂い、猛々しい海と荒涼とした森、そしてそこで生きる人間たちの生活の匂いを吸いこんでも、マクデューイ氏にはこれといった感慨はなかった。飛び交うカモメや岸に打ちよせる波にも、真珠のように輝く朝もやに包まれ、灰色の鏡のような水面を進む青い漁船や、その朝もやをつらぬく陽光の美しさにも、いっこうに心は動かない。ハンドルを北へ切ってケアンドウ・ロードに入ると、アードラス川にかかった古い反り橋を渡り、クリーモアの分かれ道を左に入って丘を上る。

しばらく上っていくと、南の谷のふもとにジプシーたちが天幕を張っているのが見えた。荷馬車の数や、たちのぼる煙から察するに、かなりの人数がいるらしい。ジョーディ・マクナブが見た光景そのままをメアリ・ルーが語ってくれたことを思い出し、マッコーリー巡査が出かけていって連中とやりあったという話が頭に浮かぶ。だが、しょせん自分には何の関わりもないことだ。あそこに天幕を張ってかまわないと警察が許可したというのなら、そこから先は警察の仕事だ。ああいう連中の飼っている馬や家畜は、おそらく日ごろからろくな世話をされていないだろう。連中自身、現代でも動物そのままの暮らしを続けているのだから。だが、警察がそれでいいというのなら、こちらの知ったことではない、と氏は心を決めた。動物を愛さない獣医という、奇妙な矛盾をはらんだマクデューイ氏ならではの結論だった。

とはいえ、冷たい人間、愛を知らない人間と決めつけられたら、氏は憤って猛然と反論したことだろう。いや、実際にペディ牧師と議論したときにも、さんざんあごひげを突き出して、娘のメアリ・ルーに対する愛情こそが自分の人生の要だと主張したものだ。たしかに、それ以外のものにはほとんど愛など抱いてはいないが。

神学から詩にいたるまでさまざまなことに造詣が深く、つねにこちらの意表をつく論客であるペディ牧師と、哲学的な議論を戦わせるのは楽しい。しかし、その愛情についてのこちらの主張に、詩心をとんでもなく羽ばたかせた答えが返ってきたのには、さすがのマクデューイ氏も驚かされたものだ。

ひとりの女性を愛するということは、その姿をいっそう神秘的に演出する夜の闇や輝く星、その髪を温めかぐわしい香りを漂わせる陽光やそよ風をも同時に愛することになるのだと、牧師は主張した。幼い女の子を愛するのなら、牧草地から帰ってきたときに、そのじっとりした手に握られている、元気なくしおれた野の花をも愛さずにはいられないはずだ。その子の大好きな雑種犬だって、抱きかかえている猫だって、その身体にまとっている服の生地だって愛さずにはいられない。嵐に荒れ狂う海を愛するなら、うねる丘陵や、白く泡立つ波のようにぎざぎざと屹立する、雪に覆われた山の頂だって愛さずにはいられないはずだ、なぜならそんな風景を前にしたとき、嵐のただなかの大海が奇跡のように動きを止めた、その一瞬を人は目に浮かべずにいられないのだから。陽光まばゆい、暑くけだるい夏を愛するのなら、涼をもたらしてくれる雨をも愛さずにはいられない。空を舞う鳥を愛するのなら、暗いよどみにちらりと姿をのぞかせるマスやサケを愛さずにはいられない。ひとりの人間を、あるいは人類すべてを愛するとしたら、野や森を駆けるけものたちを愛さずにはいられないはずだし、けものたちを愛するのなら、木立や草むら、灌木やヒース、草地や庭にほころぶ花を、どうして愛さずにいられるだろうか。

と、牧師はここで広げていた詩心の翼をたたみ、虚をつかれて言葉を失っているマクデューイ氏を尻目に、ちゃっかりといつもの冷静な論調へ戻った。つまるところ、これらのものをすべて、いや、たとえ一部分であっても愛するのなら、神さまを愛さずにはいられないということは、哲学的にも、実際にも、神学的見地からも、純粋に理詰めで考えても明らかな結論なのだ、と。だが、結局はいつものようにマクデューイ氏に憤慨と鼻であしらわれ、きみは詩人にでもなったほうが、その口のうまさが生きるのに、と言われただけだった。

マクデューイ氏はハンドルを切り、バーニー農場へ続く荷馬車道にジープを乗り入れた。車を停めると、うんざりして顔をしかめながら石造りの牛舎に入っていく。くらくらするほどの悪臭だ。農場主のファーガス・バーニーはしわだらけの老人で、牛舎と同じくらい不潔な身なりをしていた。入口で獣医を迎え、渋い顔で文句をつける。「下痢がぶりかえしちまった。まったく、ひでえ薬をくれなすったもんだ。こうなったからにゃ、マクデューイ先生、金を返してくれるとありがてえんだが」

マクデューイ氏も恐縮して引き下がるつもりは毛頭なかった。赤いあごひげを突き出すと、農場主の悪臭に耐えられるぎりぎりまで顔を近づけてどなる。「この不潔な犬野郎が。ここの牛の下痢がぶりかえしたのは、泥の中を転がりまわってるそこの豚どもよりも、あんたが不潔にしているせいだ。何度も警告したはずだぞ、ファーガス・バーニー。このありさまをどうにかするまで、畜産と牛乳販売許可証は没収させてもらう」

牛舎を出て、納屋のドアから金属の小さい札を外す。バーニーはそこに突っ立ったまま、その様子をぽかんとして眺めていた。「一時間で戻る。できそこないの息子どもを呼んできて、牛舎と納屋を徹底的に洗い流すんだ——ついでに、自分たちの身体もな。牛も一頭一頭、キスできるくらいきれいに洗ってやれ。戻ってきたときに、少しでも汚れが残っていたら、町民の健康を危険にさらしたとマッコーリー巡査に通報して、一家全員を監獄にぶちこんでやるからな」

それから、ジープでさらに丘を上り、メイストック農場へ向かう。ここはきちんと管理されている農場だ。角が長く、額に房毛のあるエアシャー種の一頭に、恐ろしい気腫疽のきざしがあることを初期の段階で発見し、知らせてきたジョック・メイストックの判断を、マクデューイ氏は誉めた。疑わしい牛はただちに殺処分し、残りの全頭にワクチンを接種して、免疫抗体ができたことが確認できるまで、一定期間隔離しておくよう指示する。

マクファーソン養鶏場では、鶏の気管に線虫が寄生する病気、開嘴虫症《かいしちゅうしょう》が発生したのではないかと気をもんでいた未亡人をなだめにかかる。試験所からは陰性という報告が届いていた。感染が疑われたひよこはありふれた気管の炎症を起こしただけで、すでに隔離室で元気をとりもどしつつあるのだ。マクデューイ氏はそれらの事実を保証し、未亡人を安心させてやった。

さらに、丘陵で牛を飼育し、さまざまな試験を行っている裕福な実験農場に寄り、牛のツベルクリン検査を行う。小さな農場や小作人の家も回り、こまごまとした訴えに耳を傾けてから、帰りにもう一度、ファーガス・バーニーの牛舎をのぞいた。

これでは食っていけなくなるとあわてた農場主は、牛舎も牛もそこそこ清潔に磨きあげていた。少なくとも、獣医が治療にとりかかれる程度には。マクデューイ氏は一頭一頭に予防接種をしたうえで、この清潔さを保って下痢が治まったら許可証を返すと約束した。またそのうち予告なしに検査に立ちよると、念のために最後の脅しをかけておいてから、ジープに乗りこんでくねくねした荷馬車道を走り、道路に出て峡谷へ、そしてインヴァレノックへ向かう。とはいえ、巨体をかがめ、小さく見えるハンドルを握ったマクデューイ氏は、帰途を急ごうとはしなかった。湖のほとりに続くごつごつした丘陵を車で回り、農場を訪ね、薬を処方したりすることは、自分のついた職業にまつわるさまざまな仕事の中で、氏がいちばん好きな部分だったのだ。人間を守る助けになるという意味で、人間を癒す医者の仕事にも通じる部分がある。そのうえ、治療してくれと依頼される患畜は、きりりとした目の利発な牧羊犬や、その犬に率いられる黒綿羊、がっしりして丈夫なハイランド種の牛まで、すべて雄々しく一家の生計を担う、人間のしもべばかりなのだから。

こういう仕事をしているかぎり、人々はマクデューイ氏に、やはり僻地に出かけていっては分娩に立ちあい、骨折を治し、そのときどきの病気を癒すストロージー医師と、ほとんど変わらない敬意を抱いて接してくれる。羊を、豚を、鶏を、牛を飼って生活している小作人たちにとって、氏は重要な人物なのだ。人間なら、鼻風邪や扁桃腺の腫れ、斧や草刈鎌による手足の切り傷もそのうちに治るものだが、家畜が死んでしまえば、食用に売ることもできなくなり、家計には大きな痛手になる。それどころか、病気が伝染して群全体がばたばたと死にでもしたら、破滅的な大損害だ。そんな人々にとってマクデューイ氏は大切な存在で、どこへ行こうと敬意をもって扱われるのだった。

だからこそ、インヴァレノックに戻り、しょせん動物の医者でしかない自分を再認識するのは気が重い。どうせ、町の人間ばかりか、リバプールやバーミンガム、ロンドンからの観光客までが、甘やかされて増長した役立たずのペットを連れて、待合室を埋めつくしているだけなのに。

ジープを家の後ろに停め、裏口から診療所に入ったころには、十一時を十五分過ぎていた。ウィリー・バノックにかばんを渡し、午前中の訪問診療のあらましを口早に説明しながら手を洗う。助手に口をはさむ隙も与えずにまくしたてながら、洗いたての白衣をはおると、マクデューイ氏はいつものように待合室のドアを開けてあごひげを突き出した。

いつものように、どのベンチも椅子も、つなぎの作業着や上っぱりといった、質素な身なりの町の住民や、もっとけばけばしい格好をした都会の観光客で埋めつくされている。ひとりの婦人は、流行のとんでもなく大きな帽子をかぶり、目やにのたまったチョコレート色のポメラニアンを抱いていた。この光景を見て、苦々しさと耐えがたい憤りが胸にこみあげるのも、毎日この時間のお定まりの習慣だ。マクデューイ氏は目の前の飼い主たちを憎み、自らの職業を憎んだ。

だが、もう一度待合室を見わたしたとき、氏は飼い主たちに交じって思いがけない姿があるのに気づいた。部屋の奥、いちばん後ろの椅子の端に、背筋を伸ばしてちょこんと坐っているのは、娘のメアリ・ルーではないか。

娘が公然と言いつけにそむく姿を見て、マクデューイ氏の顔は怒りで赤く染まった。隣の診療所には、診察室にも入院室にも待合室にも足を踏み入れてはならないと、メアリ・ルーにも固く言いきかせてあるし、マッケンジー夫人もよく承知しているはずなのに。患畜を苦しめている病気の多くは伝染性で、人間にもうつることがある。妻に起きたような悲劇は、一生に一度で充分だった。

怒りをつのらせて娘をにらみつけるうち、肩に乱れかかる赤みがかった金髪の一部と見えたのは、娘がしっかりと胸に抱く赤茶色の愛猫だということに気づく。猫はまるで子どものように、頭を娘のあごの下にぐったりと預けていた。父親の命令に公然とそむく、このおふざけはいったい何の真似かと、声を荒らげて尋ねようとしたそのとき、ウィリー・バノックがかたわらに来てささやいた。「かわいそうになあ、猫がおかしな病気にかかっちまったみたいで。一歩も歩けねえそうな。嬢ちゃんはずっと、ここで先生の帰りを待ちわびとったんですよ」

「あの子がここに出入り禁止だということは、きみもよく知っているはずだ。そうか、ずっとここにいたというのなら、他の飼い主と同じように、自分の順番を待つことだな」マクデューイ氏は、ドアのすぐ脇に坐っていた婦人に声をかけた。「さあ、犬を連れて診察室へ。耳を診よう」そのとき、通りからすさまじい音と人々の騒ぐ声がして、こちらに近づいてきたと思うと、次の瞬間、ドアが勢いよく開いた。

飛びこんできたのは、それぞれに興奮したり動揺したりしている幼い子どもたち、エプロンで手を拭いながら駆けつけた近所の主婦たち、そしてやはり騒ぎに驚いて集まった数人の男たち。そのただなかには、アンガス・ペディ牧師、許可を得てハイ・ストリートとフォア・ストリートの角で鉛筆や靴紐を売っている、全盲の老人タマス・モファット、そしてマッコーリー巡査の姿があった。巡査の腕には、胴輪《ハーネス》と取っ手をつけたまま、泥と血にまみれて震えている盲導犬のブルースが抱かれている。ペディ牧師の呼びかけにより、教会で寄付をつのってタマスに贈られた犬だった。

診察室のドアを閉めかけていたマクデューイ氏もその騒ぎに気づき、すばやく待合室に戻ってきた。「これは、これは――いったい、何があった？　そんなに大勢で押しかけられても困る。さあ、用がないものは出ていってくれ。ペディ牧師とタマス、それにマッコーリー巡査だけでいい。アンガス、どういうことなんだ？」

「車に轢かれたんですよ」見物人を帰すのに忙しい牧師に代わって、マッコーリー巡査が答えた。「ついいましがたのことですがね。観光客がスピードを出しすぎたんです。そいつはただちに留置所に放りこみますが、その間に犬が死んじまうんじゃないかと心配で。両方のタイヤの下敷きになっちまったんでね。ともかく、大急ぎでこちらに連れてきたんですよ」

ペディ牧師が戻ってきて、心配げにおろおろと口を添えた。「まだ生きてるんだ、アンドリュー。きみならきっと、どうにかできると思って――」

目の見えない老人は、事故の衝撃に呆然としたまま、膝を震わせ、首を左右に振り、周囲の人々の騒ぎにうろたえ、犬を失って途方にくれていた。「あいつはどこです、わしのブルースは？　どこに行ったんです？　わしらは、ちょうど道を渡ろうとしてたんだ。そこに、とんでもない音と叫び声がして。あいつはどこです？　死んじまったんですかね？　いったい、わしはどうしたらいい？　わしはどうなるんだ？」

ペディ牧師が老人の腕をつかんだ。「さあ、おちついてくれ、タマス。そんなに心配しなくてもだいじょうぶだよ。ブルースは生きてるし、ここは診療所だからな。マクデューイ先生が、できるかぎりの手を尽くしてくれる」

老人は一瞬あたりを探るような手つきをし、それから声を震わせた。「マクデューイ先生？　マクデューイ先生？　ここは先生の診療所なんですかね？」

「犬を中に運んでくれ」マクデューイ氏に命じられ、ウィリー・バノックは震えている犬を慎重な手つきで巡査から受けとった。目の前を運ばれていく犬を見て、マクデューイ氏は鼻にしわを寄せた。もう、いつ息を引きとってもおかしくない状態だ。

「マクデューイ先生ですかね？」老人はくりかえし、光を失った目をまっすぐこちらに向けると、手を突き出して氏の腕に触れ、しっかりとつかんだ。「わしはもうこんな年です。あいつなしではやっていけんのですよ。わしの目を救ってください、マクデューイ先生――」

獣医たるアンドリュー・マクデューイ氏は、その懇願が臓腑をナイフのように突き刺し、えぐるのを感じていた。目の見えない老人の発した、たったひとこと――「わしの目を救ってください」――が、この挫折と失意に満ちた四十数年間の人生をまざまざとよみがえらせたのだ。人間を癒す医者としてこの言葉を聞くことができるなら、喜んでこの先の四十年を捧げつくすだろうに。自分の技術と愛と献身を、ハンプティ・ダンプティのように砕けた犬の身体をつなぎあわせるためにではなく、人間の視力を、健康を、生命そのものを救うために役立てられるのなら。

心によぎったそんな思いは、ペディ牧師にもいくらか伝わっていた。氏の顔に一瞬浮かんだように見えた苦悶の色のせいか、それとも牧師自身、友人の事情をよく知っていたからだろうか。グラスゴーでの少年時代、そしてエディンバラでの大学時代を、ふたりはともにすごしてきたのだから。

少年だったマクデューイ氏が偉大な医者になりたいという夢を最初にうちあけたのは、他ならぬ友人のアンガス・ペディだった。そして、ペディが聖職者になろうと心を決めたのも、ちょうどそのころだったというわけだ。心に決めた職業の美点について、ふたりは議論し、自慢し、ときには口喧嘩までしながら、思いのままに夢をふくらませたものだ。

そして、暴君のような父親に少年のころからの希望と野心を打ちくだかれ、自分の跡を継いで獣医になるよう強制されたとき、友人の頬を伝う悲しみと怒りと挫折の涙を目にしたのも、やはり若い神学生のペディただひとりだった。

「タマスはただ――」ペディ牧師はとりなそうとしたが、マクデューイ氏が目でそれを制した。

「何が言いたいかはわかっているよ。あの犬はもう死にかけているし、苦痛は楽にしてやらなければならない、だが――タマスの目を救うために、できるだけのことはするつもりだ――」

そして、待合室にいた飼い主たちに向かって叫ぶ。「きょうは帰って、明日また来てくれ。きょうは急患で手がいっぱいなんでね」

ひとり、またひとりと、飼い主たちはペットを抱きあげ、診療所を出ていった。マクデューイ氏はペディ牧師に告げた。「ここで待っていても仕方がない。どちらに転ぶにしても、まだ時間がかかりそうだ。タマスを家に送ってやってくれ。何かあったら知らせる――」氏は診察室に消え、後ろ手にドアを閉めた。

マッコーリー巡査が老人を外に連れ出した。ペディ牧師もそれに続こうとしたとき、ふと待合室の隅で静かに猫を抱いている少女に目がとまり、驚いて近くに歩みよる。

「やあ、メアリ・ルー。こんなところで何をしているんだい？　どうして外で遊ばないのかな？」

少女は信頼の目で牧師を見あげた。ふたりはずっと以前から、心を許した友だちどうしだったのだ。「トマシーナがひどい病気なの。全然歩けないみたい。父さんに治してもらおうと思って、ここに連れてきたの」

ペディ牧師はうなずいて赤茶色の猫の頭を撫で、いつもこの娘と猫を見かけるたびにそうするように、あごの下も掻いてやったが、心は別のところへ飛んでいた。現場を目撃していなかったとはいえ、盲導犬の事故はかなりの衝撃だったし、マクデューイ氏のさっきの表情からうかがえる心痛の深さも気にかかる。

牧師はもう一度うなずいた。「ああ、そうだね。父さんならきっと治してくれるよ」そう言いのこすと、マッコーリー巡査の後を追って外に出た。

6

運命の日、あたしはいつものように夜明けに目をさまし、毎日の習慣となっている動作にとりかかろうとしました——まず思いきり身体を伸ばしてあくびをし、それから反対に背中を丸める。そして、家を抜け出すの。

秘密の出入口はもちろん確保してあるけれど、使うのは誰も周りにいないときだけ。そうでないと、せっかくの秘密が秘密でなくなっちゃうでしょ。どこかの家に住むと決めたら、あたしたち猫が真っ先にするのは、こういう秘密の出入口を探すこと。人間は、あたしたちを閉じこめておけると頭から信じこんでいるようだけれど、あたしたちが本気で外に出ようと思ったら、出られない場所なんてほとんど存在しないのよ。

あたしは朝早く外に出て、昇ってくる太陽を眺めるのが好き。それからトイレをすませ、ざっと身づくろいをしてみっともなくないように身なりを整え、あたしたちの住む小路をぐるっと点検し、戸口の上がり段に坐りこんで同じようなことをしている友だちや近所の猫たちと、ちょっとした噂話に夢中になったりね。これこそは、一日のうちでも指折りの楽しいひとときだから、毎日楽しみにしていたの。とはいえ、メアリ・ルーが目をさますころには、ちゃんと戻るようにしていたけれど。

でも、その日はそうはいかなかったのよ。いつものとおり、窓に引かれたカーテンが黒から灰色に変わる時間に目をさまし、伸びをしようとしたときのこと、あたしは脚が動かせないことに気づいたの。こんなこと、これまで一度だってなかったのに。あたしはすっかりおびえてしまって、そこに横たわったまま、頭から尻尾の先までがたがたと震えていました。

きっと怖い夢を見ているにちがいないと、そのときは思ったの。追いかけられているのに脚がちゃんと動かない、そんな夢を猫はよく見るから。それなら、ここにじっと横になって、夢からさめるのを待てばいいと思ったのよ。でも、そうじゃなかった。あたりがだんだん明るくなるにつれて気がついたけれど、目もよく見えなくなっていたんです。部屋の隅も、窓枠も、はっきり見えないの。何もかもがぼやけていて、目をこらすと消えてしまう。まるでぼんやりとかすむ世界の中を、浮き沈みしながら泳いでいるような感じだったのよ。

次に憶えているのは、メアリ・ルーの腕に抱かれ、こう話しかけられていたこと。「ねぼすけのトマシーナ。あたしはとっくに起きてるのに、まだ寝てるんだもの。ねえ、いいこと教えてほしい、トマシーナ？　あたしね、あんたが大好きなの！」

そんな感傷につきあっている暇は、あたしにはなかった……気分が悪くて、悪くて、悪くて、このまま死んでしまうのかしらとさえ思っていたのに。あたしの身体がどこかおかしいということも、脚が動かせないということも、こうやって胸に抱かれていてさえ、あの娘の姿がよく見えないということも、伝えるすべは何もなかったのよ。人間にほとほと絶望してしまうのはこんなとき。どうしてあんなにも頭が悪くて、鈍感で、機転がきかないのか、あたしたちのごく単純な意思表示さえ、どうして理解してくれないのか。猫どうしなら、ちらりと目を見交わすだけで、ふっと匂いを嗅ぐだけで、ひげからひげへ伝わるほんのわずかな振動だけで、あたしがひどく危険な状態にあることくらい、たちどころにわかってもらえるはずなのに。

恐ろしい朝はのろのろと過ぎていき、その間も、これは怖い夢にちがいないと、あたしは何度も思いました。マッケンジー夫人がメアリ・ルーを起こしにきたものの、あの娘はどこへ行くにもあたしを連れていく習慣だから、夫人が着替えを手伝っている間も、あたしはベッドに寝かされたまま。それから、抱きあげられて食事室に連れていかれ、メアリ・ルーとマッケンジー夫人が朝食をとり、ごみ収集人についての噂話をしている間は、あの娘の隣の椅子に乗せられたまま放っておかれたの。

あたしが鳴いても、メアリ・ルーはこう言っただけ。「今朝はずいぶんおとなしいのね、トマシーナ、ねぼすけのいたずらっ子さん――」

そのうち、やっとマッケンジー夫人がいつ終わるとも知れないおしゃべりを切りあげ、ミルクで煮た麦を入れたお皿をキッチンの裏口に置いて、あたしを呼びました。「ほーれ、猫ちゃん、ポリッジを食べなさい」

あたしはメアリ・ルーに椅子に乗せられたまま、頭と尻尾の先しか動かせずにいたの。何も食べたくなんかなかった。ただ、どこかおかしいことに気がついて、あたしを助けてほしいと、それだけを願っていたのに。声をかぎりに呼びかけてみても、喉から漏れるのは、ほとんど聞こえないような音だけ。メアリ・ルーにはこんなふうに言われてしまいました。「トマシーナったら、面倒くさがりね！　ちゃんと朝ごはん食べてこなくちゃ。そうだ、だったらあたしが連れてってあげる、面倒くさがりのよぼよぼトマシーナ」

あたしは抱きあげられ、お皿の前に連れていかれたけれど、下ろされたとたん、そこにぐったりと横向きに倒れてしまいました。きまりが悪いのを身づくろいしてごまかそうと思っても、頭も舌もろくに動かせないのよ。メアリ・ルーときたら、自分がいつもマッケンジー夫人にお説教されているときの真似をして、あたしに言いきかせる始末。「トマシーナ、ミルクを飲まなきゃいけないよ。おとなしく飲まないと、きょうの午後、ヒューイ・スターリングといっしょに小川へマスを見にいくときも、連れてってあげないからね」

正直なところ、死ぬか生きるかの瀬戸際にいるときにそんな物真似をされても、おかしくもなんともなかったわよ。そのうえ、お説教されて、罰まで言いわたされるなんて……アードラス峡谷のお城の廃墟のそば、花の咲き乱れる土手に坐りこんで、小川の底にじっとしたままひれだけをそよがせているマスを眺めるのは、いちばんの楽しみのひとつだったのに。

そのまま何日でも坐っていられる気がするくらい、あそこにいるのは楽しかったの。マスをつかまえたりはしてません。つかまえようと思ったら、それくらい簡単だったでしょうけれど、前足ですくいあげたりなんて、試してみようとも思わなかった。あたしはただ、そこに坐っているだけで幸せだったの。ときどき、中の一匹が日あたりのいい浅瀬から暗い淵へするりと泳ぎこみ、かすかな影のようにしか見えなくなってしまうと、あたしも立ちあがってその後を追い、澄んだ水をじっとのぞきこんでその姿をとらえようとしたものよ。子どもたちはそのへんを歩きまわり、探検していたけれど、あたしはいつもそこに坐って、ずっと魚を眺めているだけで飽きなかったわね。あんな楽しみもあれが最後だったのかもしれないと思うと、どうしようもなく涙がこみあげてきました。

そんなわけで、あたしはなすすべもなく横たわり、救いを求めようにも声さえ出せずにいたの。

でも、やっとそのときが！　メアリ・ルーが近づいてきて、あたしを立たせようとしました。「トマシーナ、朝ごはん食べなくちゃ！」それでも、またあたしがぐったりと倒れこむのを見て、あの娘もようやく何かがおかしいと気がついてくれたみたい。もう一度やってみても同じ結果に終わったところで、声をあげて呼んでくれたの。「マッケンジーさん！　ねえ、マッケンジーさん、すぐに来て、お願い。トマシーナが変なの。お願い、マッケンジーさん、早く！」

夫人はあわててキッチンに飛んできて、あたしのそばに膝をつきました。夫人が立たせようとしても、あたしは倒れてしまうだけ。「あれあれ、メアリ、こりゃあいけないねえ。よくない病気かもしれないよ。かわいそうに、立つこともできないじゃないかね」

メアリ・ルーはあたしを抱きあげ、押しつぶさんばかりにすがりついて、涙をぼろぼろこぼしながら、あたしの名前をくりかえし呼んだものよ。「トマシーナ――トマシーナ――かわいそうなトマシーナ――！」こんなときに馬鹿みたいだけれど、あたしは喉を鳴らしたの。そうせずにはいられなかったから。マッケンジー夫人はあたしごとメアリ・ルーを抱きしめました。

「そんなに悲しむんじゃないよ、メアリ・ルー。そんな声を聞いたら、猫ちゃんだってよけいつらいじゃないかね。それより、急いで隣に走っておいきよ。お父さんは立派なお医者さまなんだもの、どんな病気だって、きっと治してくださるさね。せっぱつまった用事だもの、お父さんだって怒りゃしないよ」

それを聞いて、メアリ・ルーは泣くのをやめたの。魔法みたいに涙がぴたりと止まった目で、あたしにほほえみかけたのよ。「聞こえる、トマシーナ？　父さんのところに行こうよ。父さんなら、きっと治してくれるから」

ここだけの話だけれど、あたしはそんな楽観的な気分にはなれなかったわね。あの乱暴な赤毛の大男はあたしを見るのもいやがっているというのに、そんな人間の手に委ねられ、この危機に瀕した生命を預けなくちゃならないなんて、すなおに喜べるわけがないでしょ。でも、あたしにはどうすることもできなかった。この脚さえ動くなら、這ってでもどこかの穴か隅っこに逃げこんでいたでしょうに。

あたしを抱いたメアリ・ルーを、マッケンジー夫人は隣まで送っていきました。診療所の中に足を踏み入れたとたん、マクデューイ先生と同じ薬くさい匂いがむっと鼻をつき、気持ちが悪くなってふっと意識が遠のいたのを憶えているわ。あたしはまたしてもぼんやりかすむ世界の中を、浮き沈みしながら泳いでいたの。まるで、風でさざなみの立った入江の水面をのぞきこむような、ぼやけた視界。室内には犬や猫を連れた人々がぎっしり並んでいたけれど、あまりにひどい気分だったから、そんなことにはかまっていられなかった。メアリ・ルーは椅子に腰をおろし、マッケンジー夫人はウィリー・バノックに、ことの次第を説明したの。先生は朝から農場を回っていて、もうすぐ帰ってくるから、メアリ・ルーはそこで待つのがいちばんいいと、ウィリーが答えたのが聞こえました。

「わしがその猫を診たりしたら、先生に残りの髪をみんなむしられちまうよ。だが、メアリ・ルーがそんなに気をもむこたねえさ。うちの先生は、動物にかけちゃ世界でいちばんの腕利きだ。先生に治せねえもんなら、誰にだって無理だよ」そんなウィリーの言葉を聞いて、あたしは初めて明るい気持ちになれたの。ウィリー・バノックのことは、前からずっと好きだったから。まさか、この人があんな役目を押しつけられるなんて、想像もしていなかったのよ！

そんなわけで、あたしたちは腰をおちつけて待つことにしました。あたしが浮き沈みしていたのは意識と無意識の境目か、夢とうつつか、それとも生と死だったのかしら？　それはわかりようがないけれど、ふっと気がつくたび、あたしはメアリ・ルーの膝に抱かれていたの。その服にしみついたラヴェンダーの香りが、あたりに漂う薬の匂いをしりぞけるようにこの身を包んでいてくれて、あたしはかすかに喉を鳴らさずにはいられませんでした。

くたびれたぬいぐるみよろしく、メアリ・ルーにあちこち引っぱりまわされる身の上を、あたしはさんざん愚痴らなかったかしら？　子どもの思うままにされる生活、あたしを見るのもいやがっていて、こちらも心底嫌いな男の家に、招かれざる客として居すわる生活について、あれこれと不平を並べたてなかった？　そうよ、それなのに、そんな暮らしもこれっきりと思うと、どうにもつらくてたまらなかったの。

死ぬのって、大好きな人、大好きなものに別れを告げることなのね。光から、闇の世界への旅。胸の躍ること、楽しいこと、いろいろな味、匂い、声、そして愛に背を向けて、終わりのない静かな眠りにつくということ。

黄色に輝く暖かい陽光を浴びながら、なめらかに、リズムに乗って、心ゆくまで背中を舐めることも、これから先は二度とないの。丈高くつやつやと生い茂った牧草や野の花の間に身を隠したまま足音をひそめて忍びより、ぱっと宙に躍りあがってバッタや蝶々、コガネムシなんかに飛びかかることも。ネズミの穴の前にうずくまり、ひげを伸ばして目をこらし、いつでも後ろ足をひらめかせて飛びかかれるように、身体のすみずみにまで神経を行きわたらせて辛抱づよく待つことも。石板葺きの屋根を打つ雨音に、あるいは真っ白なぼたん雪がしんしんと降り積もる気配に耳をすませつつ、暖かい炉辺で気持ちよくまどろむことも、同じ屋根の下にいる人間たちの息づかいや新聞をめくる音、編み針の触れあう音や漏れ聞こえる会話をぼんやりと意識しながら、安心しきってうとうとすることも。ボウルいっぱいの温かいミルクにも、柔らかく煮た麦やタラの残りものにも、人の脚や足首に、身体をこすりつける楽しみにも、撫でてくれる手にも、いちばんかゆいところを察して掻いてくれる優しい指にも、これでもうお別れ。あえて禁を犯してたんすの引出しにもぐりこみ、ふかふかした衣類と甘いラヴェンダーの香りにくるまれてうたた寝することもなくなるの。

死ぬのって、こんなさまざまな幸せと永遠に別れて、この世の始まりから綿々と続く過去の世代のひとりとなり、来るべき世代の骨格やひげに宿るかすかな記憶となりはてることなのね。

いまならはっきりと言える。あたしの住んでいた世界は、別れを告げるには美しすぎるってことを。生命は、そんなにやすやすと捨てられるものじゃないの。あたしたち猫の多くは、みじめでつらい日々を味わった経験があります。大都市に、あるいは町に棲み、飢え、凍え、濡れそぼち、叩かれ、蹴られ、襲われながらも、そんな哀れな生命を永らえるために毎日闘いつづけるの。そんなにもつらい思いをし、友さえもなく寒々とした孤独なねぐらにひそんで、火の暖かさも、家庭の温もりも、愛情のこもった人間の手の感触も知らないまま、いっそ死んだほうがましだと思える毎日でも、必死に生命にしがみついているものなの。

だとしたら、ましてやこのあたしが、いまの生活に別れを告げて、種族に伝わる記憶の、暗い色をした長い鎖のちっぽけな環のひとつに納まろうだなんて、思えるはずもないわよね？

あたしはまだ生きているのかしら、それとももう死んでしまったの？　ものすごい音がしたと思ったら、人間たちが騒ぎたてる声が続いて、あたしはてっきり、ジャッカルの顔をした偉大なる神アヌビスが、最後の旅へあたしを迎えにきたのかと思ったくらい。でも、ふと気がつくと、室内は叫んだりさまざまな身ぶりをしたりしている人間たちでいっぱいになっていました。マッコーリー巡査の青い制服や、マクデューイ先生が赤いあごひげを振りたて、手を振りまわしながらどなっているのがちらりと見えたような気もしたの。

全身から力が抜けるくらいほっとしたわよ。心の中でこうつぶやいたわ。（よかった！　あたしが病気だってことが伝わって、町じゅうの人間たちが、おまわりさんまでいっしょになって、どうかメアリ・ルーのために、そしてこの猫を愛し崇めている自分たちみんなのために、トマシーナを治してあげてくださいって、あごひげ先生にお願いしてるのね）って。

それに、こんな思いも頭をよぎったの。（そうよ、マクデューイ先生だって、あたしをみすみす死なせるような真似ができるわけはないわ。あたしは大切な猫なんだもの。先生があんなに愛してやまない、どんな骨折りも惜しまない娘のメアリ・ルーは、あたしなしでは幸せでいられないんだもの。そう、もう安心していいのよ、だいじょうぶ、トマシーナ。誰もがあたしの無事を祈ってるんだから）

それだけ考えると、あたしはまた闇の中に落ちていきました。でも、もう怖くはなかった。すっかり安心していたの。あたしの病気に、こんなにみんなが大騒ぎしてくれるだなんて、普段から行いがよかった証拠よね。

しばらく経って――どれくらいだったのかしら――またしてもメアリ・ルーの膝の上で目がさめたときには、さっきまでとはちがう気分でした。もう、夢とうつつをさまよってはいなかったの。すべてがくっきりと、ぐらつかずに目に映ったのよ。病気が峠を越え、症状が和らいできたのか、それとも死ぬ前にいっときの安らぎが訪れたのか、それはわからなかったけれど。

ともかく、ふいにこれまでなかったほどはっきりと視界が澄み、聴覚が冴え、感覚が研ぎすまされていたの。

最初に聞こえてきたのは、マクデューイ先生の怒った声。ドアの向こうから、いまや室内にひとりぼっちになり、あたしを胸に抱きしめたままじっと坐っているメアリ・ルーに浴びせかけられた声でした。

「メアリ・ルー！　そんなところに残って何をしている？　すぐに帰って、二度と戻ってくるなと言っただろう？　ここにはけっして入ってきてはいけないと、父さんがいつも言っているのを忘れたのか？　おまえの母さんがどうなったか――」

メアリ・ルーは、そんな言葉にひるまなかったわ。きっぱりと父親の言葉をさえぎり、こう言いました。「父さん！　トマシーナが病気なの！　父さんならきっと治してくれるって、マッケンジーさんが」

「マッケンジーさんがどう言おうと知ったことか！　女ってやつは、おとなしく言われたことだけしていればいいものを、どうして関係のないことに首を突っこむんだろうな？　きょうは診察できないから明日にしてくれと、さっき全員に言いわたしたじゃないか。いまはそんな余裕がないんだ。いい子だから、家に帰っていなさい」

白衣には、肉屋のように血がべっとりとにじんでいました。ゴム手袋をはめた手には、小さなメス。すさまじい形相で、ひげも髪も汗に濡れてもつれ、誰もがぎょっとしそうな姿だったけれど、メアリ・ルーはびくともしなかったの。「家になんか帰らない。トマシーナがひどい病気なんだもの。立つことも、食べることもできないの。ねえ、父さん、お願いだから治してやって」

先生はよくそうするように、まるで大人を相手にするような口調で語りかけました。「もう一度言うが、頼むから家に帰ってくれ、メアリ・ルー。いまは大切な手術の最中なんだ。何も見えない人に、目の代わりとなって仕えている動物の生命を救おうとしているんだよ。いいか、どっちが大切だと思う、見えない人の目と、そのろくでもない猫と？」

「トマシーナよ」この馬鹿げた質問に、メアリ・ルーがきっぱりと答えたのを聞いて、マクデューイ先生は怒りのあまり、しばらく口がきけなかったみたい。でも、ふと、奇妙に穏やかな顔つきになったかと思うと、まるでこの子どもと猫をいま初めて目にしたかのような表情で、あらためて娘をしげしげと見つめたの。

「わかった。それなら、その猫をここへ連れてきなさい。さっきの犬が眠っている間、ほんのちょっと時間が空くからね。だが、何の病気かわかるまで、おまえは近づくんじゃない。おまえまで失うことになったら、父さんはいったいどうしたらいい？」

あたしたちはいっしょに診察室に入りました。その先にはもうひとつ部屋があって、まばゆい照明の下の白い台に、何かが寝かされているのが見えたの。「だめだ、だめだ、メアリ・ルー、こっちに入ってきちゃいけない。その猫を父さんに渡して、おまえはそこで待っていなさい」

先生は娘からあたしを受けとりました。メアリ・ルーは別れぎわにあたしを軽く叩き、こう声をかけてくれたのよ。「じゃあね、トマシーナ。心配しないで。父さんがきっといいお薬を使って、あんたを治してくれるから。いいこと聞きたい？　父さんの次に、あたしはあんたが世界でいちばん好きよ」

マクデューイ先生はあたしを抱え、奥の部屋に入ってドアを閉めました。部屋の真ん中の白い台に寝かされているのは、大きな犬だったの。身体じゅう血だらけでね。口は開いたまま、舌がだらりとはみ出して。その目を見たときには、いくら犬でも、かわいそうに思わずにはいられなかったわ。やっぱり前掛けを血に染めたウィリー・バノックもそこにいて、犬が吸えるように濡れたスポンジをくわえさせていました。そばに置かれた金属の缶と布きれからは、甘ったるくて気持ちの悪い匂いが漂ってくるの。なんだか怖くて、メアリ・ルーがそばにいてくれたらと思ったものよ。

部屋の片隅にもうひとつ、やや小ぶりの台があって、先生はあたしをそこへ横向きに寝かせたの。ウィリー・バノックの声が聞こえました。「おやおや、嬢ちゃんのかわいそうな猫じゃねえですかね。そりゃあもう、さっきはひどい悲しみようで――」

「ぼくが診るまで、なんと言っても聞かないのでね。まあ、とりあえず診てみよう――」

でも、その前にまず、先生は犬の様子を見にいきました。犬の目がぎょろりと先生を見あげ、また視線を落としたのが見えたわ。それから、あたしのほうに歩みより、あたしの身体に触れたの。想像していたほど乱暴な、荒々しい手つきじゃなくて、思いやりがあって優しい感じでした。まずは身体じゅうを探られてから、お腹と背中をぎゅっと押されたけれど、その瞬間ひどい痛みが走って、あたしは声をあげずにいられなかったわ。それから唇をめくられ、さらにまぶたの裏まで調べられたわよ。しばらくあたしを眺めてから、先生は肩をすくめ、あたしの知らない言葉をウィリー・バノックに向かってつぶやきました。「髄膜炎だ」それから、こうつけくわえたの。「始末してしまうしかないな――」こちらは、さすがにあたしにも意味がわかったわよ。あまりの恐怖に、先生の手の下でがたがた震えだしてしまったのも当然よね。

「いやあ！」ウィリー・バノックが叫んだわ。「そりゃ、嬢ちゃんがどんなに気を落としなさることか。どこか、痛めちまってるだけかもしれんのに。わしにまかせてもらえりゃあ――」「けっこうだ」マクデューイ先生は言いはなったの。「いまはそれどころではないのを忘れたのか？ この猫は死んだほうがいいんだ。あの娘はすぐに立ちなおる。別の猫を飼ったってい い――」それから、診察室に続くドアを開けました。戸口に立ちはだかった先生のおかげで、メアリ・ルーの姿は見えなかったけれど、ふたりのやりとりは聞こえてきたわ。「残念だが、おまえの猫は重い病気なんだ、メアリ・ルー」

「わかってる。マッケンジーさんもそう言ってたもの。だから、いいお薬でも何でも使って、父さんにどうしても治してほしいの」

「父さんにもそんなことができるかどうか。メアリ、この猫は楽にしてやったほうがいい。治ったとしても、後ろ足を引きずるようになるだろうからな。さあ、トマシーナにお別れを言うんだ、メアリ・ルー」

横たわったままこんな言葉を聞かされて、いったいあたしがどんな気分だったと思う？

メアリ・ルーは納得しませんでした。「いやよ、トマシーナとお別れなんかしたくないもの。父さん、お願いだから何かお薬を服ませてやって。そうしたら、連れて帰ってあたしが看病するから」

中央の台に寝かされた犬が、咳とうなり声を漏らしました。マクデューイ先生は一瞬ふりかえって様子を確かめると、娘のほうに向きなおったの。「それはだめだ。いいか、聞き分けよくするんだよ。人間が病気になったときは、よくなるときもあるし――亡くなってしまうときもある。だが、動物はちがうんだ。苦しみを楽にしてやるほうが、思いやりのある行いなんだよ。トマシーナにも、そうしてやるだけなんだ。楽に眠らせてやるんだよ」

メアリ・ルーはようやく父親の真意を悟り、そばをすり抜けてあたしに駆けよろうとして、父親にぶつかりました。「いや、いやよ、父さん！ トマシーナを眠らせるなんていや！ 治してよ。父さんならきっと治してくれるって、マッケンジーさんも言ってたのに。眠らせたりなんかしないで。そんなのいや、いや、いやだったら！」

そこへ、ウィリー・バノックの声。「先生、犬の呼吸が楽になってきましたが」

「やれやれ！」先生は娘の背中に手を回したまま、怒ったように嘆息を漏らしました。「おまえはそんな、聞き分けのない馬鹿な子ではないはずだろう。この猫はもう死にかかっているんだ。このままにしておいても死ぬだけだし、実際のところ、父さんはいまそれどころじゃないんだ――」

それを聞いて、メアリ・ルーは金切り声をあげはじめたの。マクデューイ先生は暴れる娘に手を焼き、怒りのあまり首筋を髪と同じ色に染めてどなったわ。「メアリ・ルー！ さっさと家に帰るんだ――」

ウィリー・バノックが口をはさみました。「先生さえよけりゃ、わしに世話をさせてくださいよ。ひょっとして――」

でも、マクデューイ先生は助手に向きなおったの。「どうか言われたとおり、自分の仕事に専念してほしいものだな。そこのクロロホルムの缶をとって、このいまいましい猫をさっさと楽にしてやってくれ。そっちが片づいたら、犬のほうにかかるとしよう……」

そっちが片づいたら！　このあたしのことよ！　このあたしを、片づける！　あたしの生命を、思いを、飢えを、望みを、喜びを、存在そのものを片づけるだなんて！

メアリ・ルーがあたしに駆けよろうともがく音が聞こえたけれど、あたしは横たわったまま、加勢することもできずにいました。ああ、マクデューイ先生の背中に飛びかかり、喉笛を嚙み切ってやれるものなら。

「先生――」ウィリー・バノックが口をはさもうとしました。

「わたしがドアを閉めたら、すぐにかかるんだ」

「父さん、やめて、お願い――ねえ、そんなのいや、お願い！」メアリ・ルーはすすり泣いていたわ。なんて恐ろしい光景だったことか。

そんなあの娘に、ウィリー・バノックが声をかけました。「そんなに泣かんでおくれ、嬢ちゃん。わしまで胸が張りさけちまう。猫ちゃんはこれっぽっちも苦しみゃしねえんだ。このウィリー・バノックが約束しますで」

「そうとも、ウィリーの言うとおりだ」マクデューイ先生も、娘をなだめにかかったの。「ウィリーにまかせておけば、誰よりも優しく眠らせてくれるさ。ほんの一瞬のことだ。さあ、いい子だから――」

あの娘はもがくのも、泣くのさえもやめて、奇妙な沈黙が流れました。それから、いままで聞いたこともないような口調で、メアリ・ルーがこう言うのが聞こえてきたの。「父さん――父さん――トマシーナを眠らせたりなんかしたら、あたしはもう一生、二度と父さんと口をきかないから――」

「好きにしたらいい」マクデューイ先生はどなったわ。「そんな反抗的な態度を、父さんは許すつもりはないからな。さっさと帰りなさい！」そう言うと、身をひるがえしてこちらの部屋に滑りこみ、ドアに鍵をかけてしまったの。

メアリ・ルーが必死にドアを叩き、声をかぎりに泣きさけぶ声は、あたしにもはっきりと聞こえてきました。

「父さん――父さん――お願い、トマシーナを死なせないで！　お願い、やめて！　トマシーナ――トマシーナ――」

マクデューイ先生はウィリー・バノックに向かって、あごひげをしゃくって合図したわ――「じゃ、さっさと片づけてくれ、ウィリー」――そして、もう一度、犬の様子を確かめました。器具を手にとる先生を見れば、もうメアリ・ルーのことも、あたしのことも、頭にないのは明らかだったの。

ウィリー・バノックが近づいてきて、缶のふたを開け、甘ったるい匂いのする液体を布にしみこませると、それをあたしの鼻に押しつけました。あたしもまた、メアリ・ルーを心配し、あの娘がこれからどうなるかを思いめぐらす余裕などなくなってしまったの。頭の中は、自分のことだけ。あたし、あたし、このあたしが、死にたくないのに死を迎えようとしているだなんて。あたしは生きたい、生きたい、生きたい、病気だろうと、身体がきかなくなろうと、捨てられようと、ずっと生きていたいのに――

もう息もできなかった。喉が詰まり、意識がぼうっと遠のいていくなか、マクデューイ先生の叫ぶ声が聞こえたの。「おいおい、そんなことにいつまで時間をかけているんだ。ちょっと手を貸してくれ――」メアリ・ルーは依然として外からドアをこぶしで叩きつづけていました――そして、絶望のこもった最後の叫び。「トマシーナァァァァ！」

あたりはみるみる、みるみる暗く、静かになっていき、やがてすべての光が、音が消えて、あたしことトマシーナはこの世を去ったのでした。

7

ファイン湾のほとりインヴァレノックでアンドリュー・マクデューイ氏が切りまわす、動物診療所と入院施設の裏手には、焼却炉とごみの山がある。入院施設から出る廃棄物と、病気で死んだ、あるいは氏の判断により安楽死させられた動物の死骸からなる、このごみの山を片づけるのは、夕方までのウィリー・バノックの仕事だった。

衛生にこだわる獣医は、こうした死骸はすぐ外に出し、ごみの山の上に乗せておくよう指示していた。そうしておけば、消煙装置のついた最新の電気式焼却炉にごみを入れるとき、真っ先に死骸が目につくからだ。近所の穿鑿《せんさく》の目が届かないよう、その一角は高い塀に囲まれていた。こぢんまりした診療所の裏庭と、自宅の裏庭とは、それよりやや低い塀でへだてられている。自宅側の裏庭で、香草や花、野菜をどうにか栽培できないものかと、かねてからマッケンジー夫人はたゆまぬ努力をくりかえしていた。

マクデューイ氏にとって、そして夕べのひとときを友人とともにすごそうと訪ねてくるペディ牧師にとってさえ、夫人の名ばかりの花壇はちょっとした冷やかしの種となっていた。もっとも、花が咲いたり、めずらしくラディッシュやタマネギ、ニンジンなどの収穫があったりしたときに、誉めてくれるのもこのふたりだけではあったが。アーガイル・レーンに立つ棟続きの家の裏手では、生と死がこんな形で隣りあっていたというわけだ。

当然ながら、メアリ・ルーは診療所の裏に足を踏み入れてはならないと固く戒められている。とはいえ、自宅の裏庭のほうは、マッケンジー夫人の苦心の花壇を踏み荒らさないように気をつけさえすれば入ってかまわなかったので、ここで遊ぶことも多かった。

昼食までは一時間ほどあったので、マッケンジー夫人は二階に上がり、裁縫やつくろいもの、手芸などをするのに使う予備室でアイロンがけに精を出していた。そんなわけで、メアリ・ルーが隣の診療所で悲劇に見舞われ、ひとりぼっちで帰ってきたことにも、夫人はまったく気がつかなかったのだ。少女は激情にまかせて泣きわめくわけではなく、ただぼろぼろと、いつ尽きるともない涙を流しつづけていた。以前はいつも声をあげて笑ったり、忍び笑いを漏らしたり、にこにこ笑みを浮かべたりしていたのに、これからはもうこんな表情が普通になり、とめどなくすすり泣きつづけるかのようにさえ見える。

とはいえ、そんなにも涙を流しながら、いまのメアリ・ルーにはどこか重々しく決然とした雰囲気が漂っていた。家に入ると、すすり泣きの声を押しころしたため、漏れるのはただ、悲しみのこもったかすかな息づかいだけとなる。

ドアを後ろ手にそっと閉め、しばしあたりの気配をうかがう。悲しげな讃美歌を口ずさみながらアイロンをかける音に耳をすませ、マッケンジー夫人が二階にいて、しばらくは下りてくる気配がないことを確かめると、食事室を突っ切ってキッチンに足を踏み入れた。床には、トマシーナが口をつけなかったポリッジのお皿がそのまま残っている。きっと無事に病気が治り、お腹を空かせて帰ってくるものと思ったマッケンジー夫人が、そのままにしておいたのだ。

やむにやまれぬ気持ちと向こうみずな決心につき動かされ、メアリ・ルーはお皿をちらりと見ただけでさっさとまたぎ越えた。裏口から庭に出ると、隣の診療所との境をへだてる塀に向かって歩みよる。背丈よりも高い塀。メアリ・ルーはあたりに転がった木箱をひとつふたつ運んでくると、その上によじのぼって向こう側をのぞいた。ごみの山のてっぺんには、古びて捨てられた毛皮のように、トマシーナの死骸がぐったりと横たわっている。目は閉じられていたが、唇がわずかに開き、白い歯をのぞかせていた。

これまで必要になったことのない、しかし都合よく備わっていた抜け目なさを発揮して、メアリ・ルーは家と診療所それぞれの裏窓に目を走らせた。どちらにも、人影はない。依然として悲しげな鼻歌が聞こえるところを見ると、マッケンジー夫人はまだアイロンがけを終えていないようだったし——アイロンがけのたびに讃美歌を口ずさむのは、きっと熱したアイロンから罪人を待ちうける地獄の炎を連想するからにちがいない——父親とウィリー・バノックがまださっきの犬から手を離せずにいるのだとしたら、ふたりとも表に近い手術室にいるはずだ。

少女はすばやく塀を乗りこえ、両手でぶらさがって、反対側の地面に飛びおりた。ごみの山に駆けよって、大切な亡骸《なきがら》をその腕に抱えとる。戦いが終わり、一族の男たちの息絶えてこわばった身体が累々と横たわる戦場へ、夕闇が迫るのを待って駆けつけ、愛する男の亡骸を探し出して無言のまま抱きあげると、誰も知らない、冒瀆されることもない秘密の墓所へそっと運んでいく、スコットランドのかつての女たちのように。

生きていたころのように、トマシーナの亡骸を肩にかけると、メアリ・ルーはふたたび手早く箱を重ねて踏み台を作った。塀によじのぼったところで箱を蹴りたおし、マッケンジー夫人の花壇側に下りると、アスターやストック、ナデシコなどを傷めないよう注意しながら、こちら側の箱も片づける。まだ温かい亡骸を胸に抱きしめた少女は、裏の塀の扉をすばやく通りぬけ、後ろ手にそっと閉めると、そのまま走り出した。

この小路は、町の南のはずれにあった。すぐそこのさざれ石の岸辺には潮が満ち、小さなカナヘビや海鳥が餌を探している。いっぽう、百メートルも離れていない場所には入江を見おろす小高い丘があり、淡い灰色の幹のトネリコや、すべすべした肌のブナ、節くれだったオークなどの雑木林が茂っていた。重荷を抱えてメアリ・ルーが駆けこんだのは、暗い色をした石造りの地主屋敷の敷地へ続く、この雑木林に他ならなかった。まるで、急がないと悲しみに追いつかれ、隠れることもできないまま、無防備な姿をさらけ出してしまうことを、怖れてでもいるような走りかたで。

年輪を重ねた巨大なオークの、老人の手に走る静脈のように節くれだった根は、苔に覆われて地面から浮きあがり、小さな身体にはもってこいの隠れ家を形づくっている。メアリ・ルーはその下へ、友の亡骸といっしょに身を躍らせた。いつもと同じように始まったこの日、少女はすべてのものを失ったのだ。

そう、大切な仲間、かけがえのない友だった猫だけでなく、父親までを。

いまや、メアリ・ルーは柔らかくぐったりした猫の横腹に顔を埋めて、手を、足をばたつかせ、愛しいトマシーナの名をくりかえし呼びながら泣きじゃくっていた。やがて雑木林に響きわたる泣き声をヒューイ・スターリングが聞きつけ、何ごとかと様子を見にやってくるまで。

岸から一キロ半にわたって広がる斜面に巨大な屋敷をかまえる大地主の息子、九歳のヒューイは、黒い眉にはっとするほど青く澄んだ瞳、きゅっと上を向いた長いまつげ、縮れた髪をし、親戚筋のキャンベル家ゆずりの秀でた額と頬骨を持つ魅力的な少年だった。インヴァレノックとその周辺に住む、ありとあらゆる地位階級の子どもたちが集まる教区学校のリーダーでもあり、いまは夏休みの自由でのんびりした日々を楽しんでいた。

白いTシャツに半ズボンという格好で、ヒューイはメアリ・ルーに近づき、かたわらに膝をついて、動かない猫の身体を調べた。「やあ、メアリ・ルー。トマシーナはどうしたの？　死んじゃったのかな？」

メアリ・ルーは涙に汚れた顔を上げ、目の前にひざまずいて自分を守ろうとしている友を見て、胸のうちをさらけ出した。「病気になったら、父さんが死なせちゃったの」泣きながら告げる。「今朝起きたらトマシーナが立てなくなっちゃってたから、治してもらおうと思って父さんのところに連れていったの。そしたら、父さんはウィリー・バノックに、眠らせろって言って。それで、トマシーナは死んじゃった」

ヒューイは注意ぶかく猫の死骸を調べ、そっと身体をつっついてみた。その身体にはいまだに甘ったるいクロロホルムの匂いがまとわりついていて、思わず鼻にしわを寄せる。何が起きたのか、回転の速い頭にはすぐに答えが浮かんだ。犬や猫、馬、家畜など、たくさんの動物を抱えながらも、それらにあまり感傷的な思い入れを持たない環境に育ったヒューイは、ふいの病気やけがに苦しむ動物が、苦痛から救ってやるためにどれほどあっさりと殺されてしまうかをよく知っていたのだ。「きっと、他にどうしようもなかったんだよ。トマシーナの病気が重すぎて、きみの父さんの手に負えなくてさ――」

少女はきっと顔を上げ、絶望と湧きあがる憎しみの混じりあった視線をヒューイに向けた。ヒューイは人一倍察しがよかったから、自分の失言にすぐ気がついたものの、信じていた友だちにまで裏切られるというとどめの一撃に、またしてもメアリ・ルーの目から流れおちる涙、喉から漏れるすすり泣きをどう止めたらいいかわからず、おろおろと見まもるしかなかった。「父さんは、治そうとさえしてくれなかったんだもん！　何もしないで死なせただけ」そして、最後に「あんただって大っ嫌いよ――」とつけくわえると、少女はこみあげる悲しみに地面へ突っ伏し、小さな爪で苔をかきむしった。

どうしていいのかわからないまま、ヒューイはとりあえず亡くなったものへ哀悼の辞を述べた。「いい猫だったよね」言葉を切り、こう続ける。「そんなに泣かないで、メアリ・ルー。きみまで病気になっちゃうよ。トマシーナはいまごろ天国で、背中に羽が生えてるよ。やっぱり羽のあるネズミを追っかけたりして、楽しくやってるんじゃないかな」

少女は一瞬、いくらか憎しみの和らいだ視線をこちらに向けたが、その華奢な身体を震わせる涙とすすり泣きは止まらなかった。ヒューイにとっては、トマシーナの死をそれほど騒ぎたてる理由は見あたらない。猫なんて、納屋や厩舎をうろついたり、厨房のコンロの後ろでうたた寝していたり、つまりはどこにでもいる動物で、どれをとってもたいしたちがいはないのだから。だが、メアリ・ルーの悲しみようには心を動かされたし、いくらか不安になってもいた。ふたりの年齢はそれほど離れていなかったから、ペットという仲間だけでなく、父親への信頼まで失ってしまったという悲劇の根の深さが、ヒューイにはよく理解できたのだ。正直なところ、トマシーナにはもう何もしてやれることはないが、メアリ・ルーのことは心配でならない。悲しみにくれるあまり、死んでしまう人もいるという。夏じゅうずっと優しく見まもる保護者役を務めたおかげで、いまや思いがけなくも自分にとって大切な存在になっているこの遊び仲間は、このまま猫の死骸に突っ伏して泣きつづけ、ついには死んでしまうかもしれない。

慰めることができないのなら、気をまぎらせるのがいちばんだと、このせっぱつまった状況に際し、大人の男へすでに一歩を踏み出しているヒューイ・スターリングはすばやく判断した。

「じゃ、こうしようよ、メアリ・ルー。トマシーナのために、これまでどんな猫もしてもらったことがないくらい、最高にすごいお葬式をしてやるんだ。ねえ、メアリ！　メアリ・ルー！　聞いてる？　きょうのうちに、とびきり豪華な埋葬式をやろうよ。うちにちょうどいいサテン張りの箱があったから、あれを棺にしよう。中にヒースの若葉を敷くんだ。綿毛みたいに柔らかいのを選んで——まあ、綿毛と同じってわけにはいかないかもしれないけど。ねえ、聞いてるの、メアリ・ルー？」

たしかに、メアリ・ルーは聞いていた。身を引き裂くようなすすり泣きはしだいに収まっていき、やがて古びた苔と木の根に覆われた灰緑色の地面から顔を上げたときには、その目に憎しみと不信の色はなかった。浮かんでいるのは、ただ熱心な興味だけ。

どうにか手にした主導権を、ヒューイはさらに確立しにかかった。もともと豊かな想像力が、どんどんふくらんでいくのがわかる。悲しみにくれる少女の気をまぎらせてやろうというその場の思いつきではあったが、ひょっとしたら、これはインヴァレノックじゅうの遊び仲間がのちのちまで語りぐさとするようなお祭り騒ぎになるかもしれない。

「考えてごらんよ、メアリ・ルー。ラクラン・ドゥーガルの埋葬式のときみたいに、葬送の行列を作って町をねり歩くんだ。きみは寡婦みたいに喪服を着て、泣きながら棺のすぐ後ろを歩かなくちゃ」

メアリ・ルーは、その提案にすっかり好奇心をそそられた。身体を起こしてしゃがみこみ、いまや忘れられたトマシーナの亡骸をはさんでヒューイと向かいあう。「じゃ、ヴェールと黒いショールしていい？　マッケンジーさんが黒いショール持ってたわ」

「もちろん」ヒューイはうけあった。自分の思いつきの効果に喜び、ますます想像力をふくらませる。「ヴェールは母さまのを探してきてやるよ。式はきょうの午後。ジョーディ・マクナブも誘っとく。きっと、イアンも弟や妹、学校の友だちなんかを連れてきてくれるよ」

「ごみ集めのおじさんも来てくれる？」

「うーん、それは無理かな。きっと仕事中だろうし――」メアリ・ルーがうつむいた瞬間、ヒューイの頭にはまたしてもすばらしい思いつきがひらめいた。「ジェイミー・ブレイドは知ってる？　あいつの父さん、ブレイド軍曹はバグパイプが吹けるんだ。ジェイミーも習ってて、もうけっこう吹けるんだよ。あいつをぜひ呼ばなくちゃ。キルトはいてさあ、パイプにくっつけたリボンもひらひらさせてさあ（ヒューイは興奮すると、ついうっかり地元っ子のような口調になってしまうのだ）、格好つけた帽子までかぶってさあ、《マッキントッシュの哀悼歌》を吹いてるあいつ、想像してみなって」

メアリ・ルーは、いまやすっかり心を奪われていた。半クラウン銀貨のようにまん丸く見ひらかれた目からは、もう涙がこぼれ落ちる気配はない。

ヒューイは続けた。「そうだな、ぼくもよそいきのキルトに、ちゃんと短剣や毛皮の袋も提げて正装するよ。通りすがりの人たちが、みんな振りむいてこう言うよ。『かわいそうに、マクデューイ未亡人だよ。神さま、よこしまな手により奪われた、かの魂に平安を――』」

「それ、ほんと、ヒューイ？」

「ああ、ほんとさ。まだまだ、それだけじゃない」悲しむ友だちの気をまぎらせたばかりか、午後のすばらしいお楽しみまで着々と軌道に乗りつつあり、ヒューイは自分の思いつきに有頂天になっていた。もともと考えていたありきたりなピクニックなんかより、こちらのほうがよっぽどわくわくする。「ぼくたち、墓標も作らなくちゃ！」

「墓標って？」

「えーと、墓石を建てる時間がないときに、代わりに建てとくものだよ。どんな人が埋葬されているか、見てわかるようにね」黒っぽい縮れた髪を指ですきながら青い目を大きく見ひらき、真剣に墓碑銘の案を練る。手を下した人物たるマクデューイ氏にとっては、苦痛をとりのぞいてやる以外に方法がなかったのだろうという、さっきの判断はきれいさっぱり頭から消えてしまっていた。「こうしよう。《殺されしトマシーナ、ここに眠る——一九五七年七月二六日》」

メアリ・ルーはうっとりしてヒューイを見つめた。《殺されし》という、まさにぴったりと思える言葉に、奇妙な満足感が心に広がったのだ。動かないトマシーナの身体を見おろすと、今朝のつらい思い出がまざまざとよみがえり、ある宣言が口をついて出てきた。「あたし、父さんとは二度と口きかないの」

ヒューイは上の空でうなずいた。家庭内の反目はメアリ・ルー自身の問題で、これからとりおこなわれる盛大な葬式に支障がないかぎり、自分の知ったことではない。なにしろ、ハイランドのかつての族長たちも、いや、現代のこの町の住民たちさえ誇りに思ってやまないほどの、凝りに凝った式典を開催しようというのだから。

夢は広がるばかりだった。「ぼくが牧師になって、墓の脇で説教するよ——『灰は灰に還り、土は土に還り』ってね。それから、故人がどれほどすばらしい人物だったか、天国へ召されたことを、どれほど寂しく思っているかについても。それが終わったら、棺に土をかぶせ、盛り土に花輪や花束を飾るんだ。それから、今度はジェイミー・ブレイドに楽しい曲を吹いてもらって、ぞろぞろと墓から帰ってくる。みんなで何かちょっとつまんで、そう、ほんものの葬式菓子でもさ。それでまた、陽気で楽しい気分に戻るんだ。どう思う、メアリ・ルー？」

答える代わりに、少女はトマシーナの身体ごしに両腕を伸ばし、ヒューイの首に巻きつけてぎゅっと抱きしめた。ほんのしばらくではあっても、自分の世界にすてきな、わくわくするひとときをもたらしてくれたお礼に。これから自分が主役を務める催しに、メアリ・ルーはすっかり夢中になっていた。

「いい子だ！」ヒューイはそこそこきれいなハンカチを取り出すと、頬を濡らしていた涙を拭き、洟《はな》をかませた。それから、エプロンドレスから落葉や苔を払いおとし、明るい色の髪を指ですいてやってから、メアリ・ルーを立たせてこう告げる。「さて、と。トマシーナはぼくが連れて帰って、棺の用意をするよ。ぼくがお昼を食べたり、いろいろな準備をしている間は、ジョーディ・マクナブにトマシーナを見ててもらうから。ジェイミーの弟のユアンが、他のみんなを集めてきてくれるよ。時計塔の鐘が三時を打ったら、またここに集まって、葬列を作ろう」

頭ひとつ背の高いヒューイは、自分にも、メアリ・ルーにもすっかり満足して、笑顔で遊び友だちを見おろした。きょうの午後はすばらしいお祭り騒ぎになりそうだ。おそらくはこの夏いちばんの思い出となって、長いこと仲間じゅうの語りぐさとされるような。トマシーナの亡骸を抱えあげ、無造作に肩に背負うと、メアリ・ルーを家のほうへ向かせ、愛情をこめてぽんと肩を叩いてやって、自分も歩きはじめる。「さあ、行きなよ。ちゃんと喪服を着て、遅れないようにね。未亡人や泣きくずれる身内のいないお葬式なんて、ちっとも盛りあがらないからな。今回のは、最高のお葬式にするつもりなんだ」

メアリ・ルーは言われたとおり、早足で家路についた。魂はこの世を去り、いま身体も自分から遠ざかっていくトマシーナに、ふりかえって別れを告げることもなく。かつてどこにでも抱いていき、世話をし、いっしょに遊び、夜は抱きあって眠ったトマシーナは、いまや永遠に《遠くへ行って》しまい、二度と戻ってこない。もっと幼かったころ、母親が《遠くへ行った》と説明されて以来、メアリ・ルーは死をそう理解していたのだ。《遠くへ行って》しまったということは、もうここにはいないということ。とはいえ、恋しい気持ちは変わらなかったし、いつもトマシーナを抱いていた左腕が、奇妙に軽く感じられる。愛がその力と熱さを受けとめてくれる相手を失ったとき、その感情をどう処理すべきかなどということを、まだ幼いメアリ・ルーが知っていようはずはなかった。

それに、今回のことは、誰かが死んだというだけの単純な話ではなかった。いろいろな意味で、トマシーナは周囲の誰よりも、メアリ・ルーにとって近しく人間的な存在だったのだから。そのうえ、トマシーナの死とほとんど同時に、ひとつの愛も死を迎えてしまい、いまやメアリ・ルーの心の中で、じわじわと冷たくなりつつある。

優しくて、頭がよくて、何でも知っていて、何ひとつ不可能なことはない、愛情に満ちあふれた父親もまた、《遠くへ行って》しまった。父親がいたはずの場所には、いまやごわごわした赤いあごひげを生やし、雷のような声をし、トマシーナの生命が奪われる間、自分をドアの外に押し出した鉄のような腕を持つ大男が残されているだけ。ヒューイの使ったすてきな言葉、これから永遠にトマシーナの思い出の一部として残るであろう言葉が頭をよぎり、どこまでも無垢だった唇に満足げな薄ら笑いが浮かぶ。トマシーナの死という凶事をもたらした大人をどうするか、それはこれから考えなくては。

8

アンドリュー・マクデューイ氏は、その午後、自分が手にかけたばかりの犠牲者の葬列を見のがすことになった。友人のアンガス・ペディ牧師とともに、町の別の区域に住む目の不自由なタマス・モファット老人の家へ、老人の《目》がまた見えるようになるというすばらしい知らせを伝えに向かっていたのだ。

午後三時過ぎ、ペディ牧師が診療所を訪れたのは、もっとも年長の教区民のひとりであるタマスの安全を守るために教会から贈った盲導犬がどうなったか、その結果を知りたかったからだ。ペディ牧師には不思議な力があって、必要とあらば、どんな相手からも弁舌巧みに寄付金を集めることができる。牧師にかかると、競馬やサッカー賭博の秘密情報をちらつかされでもしたように、誰もが好奇心をそそられて話に釣りこまれてしまう。陽気なおしゃべりに夢中になり、いっしょに悪巧みでもしているような仲間意識が生まれたところで、気がつくと一ポンド札か十シリング、あるいはとりあえず手持ちの金を差し出しているのだ。後になって、その金が何に使われたかを目のあたりにしてみれば、もちろん競馬や賭博で勝てたわけではないが、たしかに祝福された気分にはなれる。

診察室へ入ってみると、マクデューイ氏はぐったりと疲れているようだったが、その顔には満足げな表情が浮かんでいた。牧師は友人に声をかけた。「タマスの犬がどうなったかと思ってね、ちょっと寄ってみたんだ――手術がうまくいったかどうか――」

いい返事のできる幸せを嚙みしめて、マクデューイ氏は一瞬の間をおいたが、口を開く前から、その厚い唇には嬉しげな笑みの気配があった。やがて、ごわごわした赤いあごひげと口ひげの間から、がっしりした歯がのぞく。「ああ、タマスの目を助けることができたよ。あの犬は生きのびる。三週間もすれば、何事もなかったようにぴんぴんしているだろう」

「そうか。ああ、よかった、本当によかった。そうなるだろうと思っていたよ。きっと、そうなるだろうとね」

マクデューイ氏は友人に向かって首をかしげた。「そこまで信頼してもらえるのはありがたいがね、実のところ――」

「いやいや」ペディ牧師はいかにも悪気なさそうに答えた。「信じていたのは、きみじゃないんだ――」

マクデューイ氏は荒々しい笑い声をあげた。「ははっ！　そりゃそうだ、きみは神の御力を信じていたんだな。いやはや、知らなくて幸いだよ、きみのその信仰はいったい何度、裏切られる危険にさらされていたことか。あの犬が死ななかったのは、まさに奇跡とも――」自分がうかうかと相手の罠にはまってしまったことに気づいて、氏は口をつぐんだ。

ペディ牧師は陽気にうなずいた。「そう、まさにわたしはその奇跡を信じていたんだよ。信仰という見地から言えば、どれほど危険だったかは関係ないんだ。最後には助かった、そのことだけが大切なんだよ、そうだろう？　きみの治療については、もともと全幅の信頼をおいているからね。それより、このすばらしい知らせを、タマスに伝えてやりにいかないか？　さっき別れたときには、犬の身を案じるあまり、いても立ってもいられないようだったよ。目が不自由なのにひとり暮らしだなんて、まったく大変な毎日だろうな。あの犬は、目の代わりというだけでなく、寂しさをまぎらせてくれる存在だったんだろう」

「ええ？　どうしてぼくまでいっしょに行く必要がある？　きみが知らせてくれれば、それで――」

「あの老人は、きみに『わしの目を救ってください』と頼んだんじゃないか。そして、きみのその手と技術があの犬を――」

「おやおや、ぼくが？　たしか、きみはさっき――」

「いや、実のところ、奇跡のおかげだと言ったのはきみだよ。まあ、神さまの御力そのものと、神さまのお使いになった道具をごっちゃにするのは、きみが最初ではないけれどね。さあ、行こう、アンドリュー。あの老人が喜ぶのを見たら、きみだって幸せだろう」

マクデューイ氏は喉の奥でうなりながらも、ひじとポケットに革を当てた、着古したツイードのジャケットをはおり、大ぶりな黒いパイプにたばこを詰めこむと、ねじれたリンボクのステッキを手にとった。「まず、犬の様子を見ていかないか？」

牧師を連れて、入院室へ。清潔なわらに横たわる犬の下半身は、包帯と石膏のギプスに包まれていた。だが、その澄んだ目は機敏で油断なく、とがった耳をぴんと立て、尻尾で床をとんとん叩き、前足で檻の扉をひっかいてふたりを迎えた。

「麗しい眺めだね」ペディ牧師は、いかにも嬉しそうに目を細めた。

「甘やかしてわがままにさせないように」近くをうろうろしていたウィリー・バノックに、マクデューイ氏は言いわたした。「この犬は、たったひとりの人間に仕えるよう訓練されているんだからな」

タマス・モファットの家は町の反対側、貧しい人々の住む区域にある。ふたりがあれこれしゃべりながら歩いていたとき、バグパイプのかすかな哀悼の調べが風に乗って流れてきた。ペディ牧師はそれに気づき、立ちどまって耳を傾けた。「おかしいな。《マッキントッシュの哀悼歌》が聞こえたような気がしたんだが、きょうは誰の葬式もないはずなのに」

それは、バグパイプ吹きの軍曹を父に持つジェイミー・ブレイドが、はるかかなたを行くトマシーナの葬列とともに奏でる、死者を悼む歌だった。マクデューイ氏も耳をすましてみた。

「ぼくには何も聞こえんがね」ふたりは歩きつづけた。

灰色の石板葺き屋根に白い漆喰壁、二階建ての家の二階にある一部屋に、タマス・モファットは住んでいた。あたりには、同じような家に交じって、建てたばかりの画一的な公営住宅や、戦時中は兵舎に使われていた半円形の屋根のプレハブが並んでいる。幼い子どもたちが何人か、ごみの散らかった家の前で遊んでいた。灰色と白のカモメが一羽、片足で煙突にとまっており、帽子とエプロン姿の年老いた女が、戸口を箒で掃いている。

「タマス・モファットは中にいるかね？」ペディ牧師が尋ねた。

女は手を止めて答えた。「ええ、おりなさると思いますがねえ。おとなしくしとられるようで、さっきから何も聞こえんですが」

「ありがとう。じゃ、上っていってみよう。こちらの獣医さんが、犬のことでいい知らせを持ってきたんでね」

「そりゃあ、さぞ喜びなさるでしょうよ。あの立派な犬が、かわいそうにけがをしたっていうんで、ずいぶん力を落としてなすったから。戻ってきてから、ずっと姿が見えませんがねえ」

ペディ牧師が先に立ち、暗くせまい階段を上る。家の外からは、掃き掃除をする乾いた音、パン屋の車の通りすぎる音、煙突から飛びたつカモメの羽ばたく音が聞こえてきたが、屋内は何の音もせずに静まりかえっていた。

階段の途中でためらいがちに足を止めた牧師は、マクデューイ氏のほうをふりかえった。

「アンドリュー——」

「なんだ?」

牧師はそのまま口をつぐみ、重苦しい沈黙があたりを包んだ。このでっぷりした小柄な聖職者は、見かけにも、おおかたの人々の予想にも反して、外界の異常をいちはやく察知する能力を備えている。その人並みはずれた思いやりと鋭い洞察力を持つ魂が、いま、牧師の中でいやな予感に震えはじめたのだ。

「アンドリュー」もう一度呼びかけたが、友人の巨体がすぐ後ろにぐっと迫ってきたのを見て思いなおし、こう続ける。「そうだな、とりあえず様子を見てみよう」階段を上りきり、たどたどしく重い足どりで奥の部屋へ向かうと、閉まったままのドアをノックした。予感が確信に変わっていくのを感じながらしばらく耳をすまし、返事がないのを確かめてから、そっとドアを押しあけて中に足を踏み入れる。マクデューイ氏も、それに続いた。

「ああ、そんな」ペディ牧師はそっとつぶやいた。目の見えない老人は、ドアに向かって安楽椅子に腰かけている。頭を前に垂れはせず、まるで何かに聞きいっているかのような姿勢のまま。死がやってくる足音に、おびえて身体をこわばらせたまま耳を傾けていたのだろう。

ペディ牧師はかがみこみ、まだ生命の炎が残ってはいないかと、見えない目をのぞきこんだ。マクデューイ氏のほうは急いで老人に歩みより、胸に耳を当て、さらに手首をとって脈を確かめる。しなびた腕はまだ温かかったが、その身体にはもう魂は宿っていなかった。

「亡くなっている」マクデューイ氏が告げた。「ほんの一、二時間前のことのようだ」

ペディ牧師はうなずいた。「そうだろうな——そんな気がしていたんだ」

マクデューイ氏の喉から、ふいにおぞましくも荒々しい笑い声が漏れ、静かな室内に響きわたった。「せっかく《目》を救ってやったのに！　きみの神とやらは、いったいいま、どこにいるんだ？」

アンガス・ペディ牧師は衝撃を受け、それが怒りに変わった。背丈の許すかぎり背筋を伸ばし、ありったけの威厳をかき集める。丸い顔を紅潮させ、唇を震わせ、眼鏡の奥の瞳を憤りに熱く燃やして、牧師はどなりかえした。

「黙れ、アンドリュー。そんな罰あたりな口をきいて、地獄に落ちるぞ」

「ああ、落ちたっていいさ。きみは質問に答えられないじゃないか。今回のことには、いったい何の意味があったんだ？　ぼくのした仕事は、いったい何のためだった？　盲導犬を生かし、本人を死なせるなんて、きみはいったいどんな神を崇めているんだ？」

「神さまは神さまさ。きみは、自分の召使か何かと勘ちがいしているんじゃないのか？」いつもの自分らしくない激しい憤りに身をまかせ、ペディ牧師は叫んだ。「父親が子どもを甘やかすように、きみの仕事に感心し、うぬぼれを満足させてくれる、そういう存在だと思っているんだろう？　神さまには神さまのお考えがあるということがわからないのか？」

「馬鹿馬鹿しい！　じゃ、こんな顛末が、偉大なる神の計画なのか？　こんなもののために、われわれは神を崇め、信仰し、感謝しなければならないのか？」

怒りに身体を震わせながら、ふたりは向かいあっていた。その間には、いまや何も聞こえなくなった老人が、ふたりの愚かさと人間らしさに無言の裁きを下すかのように、静かにじっと坐っている。

あごひげを友人の頭のてっぺんに向かって突き出し、マクデューイ氏はさらにまくしたてた。「いったい、感謝できるようなことを、きみの神はしてくれたのか？」

先にわれに返ったのは、ペディ牧師のほうだった。亡くなった老人を見やりながら口を開く。「もう年だったからね。静かな死にかただったようだ。心に望みを抱いたまま」それから、マクデューイ氏の心を動かすほどの悔恨の色を穏やかな瞳に浮かべ、友人を見つめる。「ついかっとしてしまって、すまなかった、アンドリュー」

「いや、ぼくこそ恥ずかしいよ、こんな哀れな老人の頭ごしにどなったりして。きみにも罰あたりな言葉を吐いたし――」

「いやいや、きみが罰あたりだったのは、わたしに対してではないよ。そんなつもりで言ったんじゃないんだ。ふたりとも、ふいをつかれて動揺してしまったからね。階段を上っていたときから、そんな予感がしないでもなかったんだが」このうえなく優しい手つきで、老人の目を閉じてやる。

だが、その途中で、ふとあることが頭をよぎり、牧師は手を止めた。いま、この状況には何の関わりもないように見えながら、なぜかどうしようもなく気にかかること。「今朝、メアリ・ルーをきみの待合室で見かけたがね。猫が病気になったと言っていたよ。あれはどうなった？」

今朝の一幕が脳裏に生々しくよみがえり、マクデューイ氏の胸を鋭くえぐった。手術台の上で苦しみうめく犬、舌と鼻面をスポンジで湿してやっているウィリー・バノック、そして、死にかけた猫を胸に抱き、ドアの外に立っていた娘。そう、あの猫はまちがいなく死にかけていたんだと自分に言いきかせ、あの病状を指す長ったらしい医学用語を、心の中でつぶやいてみる。ひょっとしたら伝染する病気でないともかぎらない、現に妻のアンもあんな運命をたどったではないか。だが、自分の命令によりあの猫を殺すため、ウィリー・バノックが布に含ませた甘ったるいクロロホルムの匂いが鼻をつき、他にどうしようもないまま、メアリ・ルーが小さなこぶしでドアを必死に叩きつづける音、悲痛な叫び声が耳から離れようとしない。

「あの猫は安楽死させたよ。髄膜炎じゃないかと思う。後で悔やむよりは、安全が第一だからな。それに、あのときは犬の手術で手いっぱいだったんでね。まちがいない、それが最善の道だったんだ」

ペディ牧師は穏やかな顔を曇らせ、何かひどく心にかかることがあるときの癖で、下唇を引っぱった。「ああ、そんな。そんなことを！」またしても、心の目に未来の光景が映ったような気がしてならない。悲劇の絨毯がくるくるとほどけて広がるとき、それを踏むよう定められた人の足もとに届くはるか以前から、自分にその模様が見えてしまうことがあるのは、遠い先祖に運命の女神ノルン三姉妹でもいたのだろうか。あの猫が死に、子どもがたったひとりで孤独を噛みしめているとするなら、その傷はどれほど深いことだろう。

「ああ、そんな」牧師はもう一度つぶやくと、下唇を引っぱったまま、部屋を出て階段を下りはじめた。わけがわからないまま、マクデューイ氏もそれに続いた。

9

バグパイプ吹きの軍曹を父に持つジェイミー・ブレイドが先頭に立ち、葬列は町を通りぬけていった。ロブ・ロイの彫像が立つ広場を突っ切り、波止場を北へ横切って、岸辺を迂回する。そこからはカブ・スカウトのジョーディ・マクナブの案内で、川にかかった古い反り橋を渡り、そこから西へ曲がって、アードラス峡谷に入る。途中で見かけたジプシーの野営地には、何台もの荷馬車が並び、ひん曲がった細い煙突から静かに煙がたちのぼっていた。

十一歳という年齢にしては背の高い、痩せぎすのジェイミーは、胴体からぎくしゃくと伸びる長い脚のすねのせいで、まるで竹馬に乗って歩いているように見える。小脇に抱えたタータン・チェック柄の袋に息を吹きこもうとがんばると、細面の頬はまるで小さな野生のリンゴを詰めこんだようにふくらみ、目玉はいまにも飛び出しそうだ。とはいえ、形のいい頭には豊かな茶色の髪がふさふさと波打ち、その上に毛織の縁なし帽を、父親がつい最近までいた連隊のならわしどおり、格好よくあみだにかぶっている。帽子からは吹流しの飾りが、バグパイプからも吹流しとリボンがたなびいていて、父親から教わったとおり、バグパイプ吹きらしいゆっくりとした足どりで進むたび、キルトのひだがひらひらと上下した。

続いてカブ・スカウトの聖なる団旗を捧げもったジョーディ・マクナブが、同じく制服に身を包んだ仲間数人を従え、葬列に軍隊めいた雰囲気を添えている。その後ろにはインヴァレノック小学校一年生の女の子四人が二列に並び、他ならぬ霊柩車を引いていた。これは、昼食をとってから約束の時間に集まるまでのわずかな間に、ヒューイ・スターリングがふと思いついたすばらしい演出だった。トマシーナの亡骸が入った棺は、立派な箱馬車と手押し二輪車の折衷案として、育苗鉢の並んだ納屋から探し出してきた古いおもちゃの荷馬車に乗せてある。

棺にしたのは、もともとは砂糖菓子が入っていたふた付きの大きな四角いかごで、内側にサテンが張ってある。裁縫箱か何かに使えるかもしれないと、クリスマスからずっととっておいてあったのを、ヒューイが以前から目をつけていたのだ。その中に、さらにヒースの若葉を敷いて床を作り、まるで丸くなって眠っているだけのような姿勢でトマシーナを横たえる。箱の上には、棺にかける軍旗の代わりに、スターリング家の模様を織ったタータンをかけてあった。

棺の後ろには、喪服に身を包んだメアリ・ルーが、ヒューイ・スターリングの腕につかまって歩いている。ヒューイはこの好機に――後でこっぴどく叱られるであろうことは覚悟のうえで――一幕の立役者を務めようと心に決めていたのだ。

ハイランド競技大会か王族の訪問でもないかぎり着る機会もなく、衣装だんすで虫よけに埋もれていた正装の礼服も、そのために引っぱり出してきた。袖と胸のひだ飾りにあしらわれたメヘリン・レースはふわふわと華やかで、スターリング家の紋章入りの銀ボタンがついた黒いベルベットの短い上着によく映えている。短剣と毛皮の袋を腰に提げ、白い手袋をはめ、縮れた髪に縁なし帽をあみだにかぶり、小脇に教会の祈禱書を抱えた姿は、めったにお目にかかれないほどの美少年ぶりで、葬列に華を添えていた。

メアリ・ルーはマッケンジー夫人のよそいきの黒い毛織のショールをはおっていたが、丈が長すぎるため、肩にぐるりと巻きつけても腰まで届き、どこか奇妙に東洋人めいて見える。ヒューイは屋敷の大人の部屋に忍びこみ、母親のものか、いや、おそらくは祖母のものらしい紫色のヴェールをみごとに探し出してきた。二〇年代、オープンカーでドライブに出かける貴婦人たちがつけていたヴェールが、いまはメアリ・ルーの頭を包んでいる。その隙間からのぞく赤みがかった金髪は、夏の雷雲から時おり漏れる陽光を思わせ、葬式に似つかわしくはないとしても、見るものをはっとさせ、目を惹きつける効果があった。

そして、これらの主催者や重要人物の後ろには、ヒューイの遊び仲間、学校の友人に加え、噂を聞いてやってきた観光客の子どもたちまで、ともかくインヴァレノック一の猫の葬列に加わるにふさわしい顔ぶれが、自薦他薦を問わず並んでいる。葬列が進むにつれ、さらに加わるものもいて、町の北側へ出て、ジョーディ・マクナブの提案した峡谷の埋葬予定地へ向かうころには、すでに二十人を超えていた。

町の人々は、この仮装行列を平静に受けとめていた。時代は変わり、いまの若いものたちは昔のように、先達の歩んだ道を厳粛になぞろうとはしなくなったのだから、夏になるとインヴァレノックにどっと押しよせる観光客の馬鹿げた騒ぎ同様、これもそんな変化の表れと理解して諦めるしか仕方あるまい。道の脇に立っていた近眼の老紳士は、上が平らで縁が反りかえった古い山高帽を脱いで葬列を見おくり、何人かの人々はほほえましげな視線を向けただけ、他にはこれといった反応はなかった。

だが、見物人にとっては無邪気で風変わりな子どもの遊戯にすぎず、参加者にとっては午後の楽しいごっこ遊びにすぎなかったとしても、この葬列をそうとらえていなかったものがひとりだけ交じっていた。華やかに洗練されたヒューイ・スターリングの腕につかまり、どこまでも無垢だった幼年時代の名残を一歩一歩振り捨てるように歩きつづけている、メアリ・ルー・マクデューイ。スターリング家のタータンの下、絹とヒースの若葉に包まれて棺に横たわり、これから土の下で永久《とわ》の眠りにつくのは、自分の猫であると同時に、もうひとりの自分でもあったのだ。

傷ついたカエルを《赤毛の魔女》のところへ連れていったとき目についた場所を、ジョーディ・マクナブは埋葬地に選び、ヒューイ・スターリングもそれに賛成した。アードラス峡谷に住み、《いかれたローリ》として知られる奇妙な機織り女の近くを訪れることは、本人を見たことのあるジョーディにとってはもう恐ろしくはなかったが、他の子どもたちにとっては、この日の遊びをさらに刺激的な冒険にしてくれる趣向だったのだ。

そんなわけで、この幼いカブ・スカウトは、森の中の《妖精の輪》へ葬列を案内していった。空き地の周りにはブナやトネリコが生い茂り、中央には森の老賢人と呼ぶにふさわしい、年を経たオークの巨木が根を下ろしている。かつて、王の家来から逃れて目くらましのマントに身を包んだ無法者のロブ・ロイも、この幹に身を寄せて幾夜となく眠りについたにちがいない。

峡谷を上る道からは三十メートルほど外れ、いままでバグパイプの悲しく単調な調べに涼しげな伴奏を添えてくれていた小川からも離れた場所。夕方に近い陽光が劇場の照明のように差しこんで、子どもたちの色とりどりの仮装行列を浮かびあがらせていた。

その陽光は、ヒューイ・スターリングの上着の銀ボタンと、腰に提げた短剣の銀鎖に反射して、半キロ近く斜面を上った、さらに鬱蒼と茂る森の奥深くで、キノコやさまざまな薬草を摘んでいた《いかれたローリ》の目を射た。羊毛を緑に染め、自分で織りあげたスカートとショールに合わせ、赤い髪も緑のスカーフに包んだ姿。腕に提げた軽いかごには、小さなナイフと移植ごてが入っている。

自分の縄張りと考えている場所への、こんな時ならぬ侵入に、ローリは若いシカのように敏感に反応し、油断なく身がまえた。山歩きを楽しむ人たちでさえ、峡谷のこんな場所までは入ってこないのに。バグパイプの音が風に乗って流れてくる。ローリは注意ぶかく木から木へ身を隠しながら軽やかに斜面を下り、空き地から百メートルほど離れた場所に、斜面にへばりつくように生えている赤茶けたブナの木の陰で足を止めた。ここからなら、ほぼ空き地全体を見わたすことができるから。

妖精が集会を開いているのか、それとも別の時代から小人たちが遊びにきたのだろうかという思いが、ふと頭をよぎる。地の精や小妖精、精霊、小鬼、エルフ、木の精、天使といったものをローリは信じていたし、気持ちを通いあわせることもできたのだ。レースやベルベット、タータン・チェック、そしてリボンや吹流しなど、鮮やかな色合いが視界に広がり、バグパイプの音色が哀愁と悲しみを運んでくる。距離のせいもあり、侵入してきたのが人間の子どもたちだということを、すぐに見てとることはできなかった。

だが、何を話しているのか、何をしようとしているのか、あの奇妙な儀式らしきものにはどんな意味があるのか、いまだにはっきりとは理解できなくても、じっと眺めているうちに、それほど魔法めいた光景ではないのがわかってくる。とはいえ、すべてが明らかになるまでは、この隠れ場所から出ていくつもりはなかった。

ヒューイはスコットランド人らしい周到さを発揮して、墓掘人まできっちりと指名していた。選ばれたのは、屋敷で働く庭師の幼い息子たちのひとりで、シャベルを肩にかつぎ、いかにも誇らしげな顔で葬列に加わっていたものだ。ヒューイが厳粛な声で「墓掘人よ――務めをはたせ」と唱えると、いよいよ晴れの出番がやってきた。

しばらく空き地に土を飛ばすうち、そこそこ立派な浅い穴が完成する。主催者も会葬者も穴の周りに立ち、小枝で編んだかごが中に下ろされるのを、わくわくしながら見まもる。メアリ・ルーも無言のまま、真剣に目を見ひらいてこの光景を眺めていたが、いったい何を考えているのか、他の誰も知るよしはなかった。

ヒューイ・スターリングはふと、式次第を度忘れしてしまった。かごの上に土をばらまきながら、こうつぶやく。「大地に戻りたまえ、なぜならおまえは――じゃない、汝《なんじ》は塵から生まれ、塵へ戻るさだめなればなり。アーメン」そして、こう告げた。「ここで何か歌わなきゃいけないんじゃないかな――」

だが、誰も讃美歌集を持ってきてはいなかった。頌栄《しょうえい》に詳しい子もいない。ひとりの女の子がいかにもそれらしい鼻にかかった調子を真似て、ためらいがちに震える声で口火を切ったが、誰も後に続かなかったので、また恥ずかしそうに口をつぐんでしまう。この場を救ったのは丸顔のジョーディ・マクナブだった。神学にも式次第にもとらわれる年齢ではなかったから、何か歌をと言われて、すなおに「なつかしき河の岸辺、光まぶしロッホ・ローモンド——」と歌いはじめたのだ。よく知っている曲だったから、これは誰もが熱心に声をはりあげた。そのよく通る声は峡谷の斜面を漂い、ブナの幹の後ろに、まるで木の精のように身を隠している《アードラス峡谷の赤毛の魔女》の耳にも届いた。

最後の一節が終わると、ヒューイは咳ばらいし、いくらか重荷を下ろした気分になって、道道ずっと考えてきた告別の辞を述べはじめた。

「この墓の周りにお集まりいただいた信者、友人、会葬者のみなさん。トマシーナをここに埋葬し、その徳を称えましょう。ここで悲しみにくれているわれらが仲間、みなさんよくご存じのメアリ・ルー・マクデューイに愛された猫、トマシーナ。それがいま、この棺の中に眠っているのです。トマシーナはいい猫でした。インヴァレノック一の、いや、アーガイルシャー一の猫と申しあげても過言ではないでしょう。生前のトマシーナを知っていたわれわれとしては、その友のひとりに数えられていたことを誇りに思うとともに、天に召されたいま、かけがえのなかったその存在に思いをはせ、ここで悲しむ育ての母に深い同情を寄せるのであります」

この雄弁な弔辞に感動した何人かが、わっと喝采を浴びせたが、ヒューイはいかめしく「まだです、みなさん、ご静聴を」とさえぎり、静かになったところで先を続けた。

「トマシーナは鳥をつかまえたり、誰かに噛みついたりひっかいたりといったような、悪事に手を染めたことはありませんでした。食料品置場でネズミをつかまえたときにも、自分で食べてしまうようなことをせず、メアリ・ルーのもとへ運んできたものです。かっとしたり、不機嫌だったりしたこともありません。いつも身づくろいに精を出す、ごく清潔な猫でした。メアリ・ルーを誰よりも愛していましたが、他の子どもたちに抱かれたり、いっしょに遊んだりすることもいやがりませんでした。そんな猫は、ご存じのようになかなかいないものです。喉を鳴らす音もどんな猫よりよく響き、いつもトマシーナにこそ似つかわしい表情を浮かべていました。欠点もまったくなかったとは申しませんが、それについてはここでは触れますまい。いまや、亡骸こそわれわれの足もとに眠ってはおりますが、トマシーナの魂はすでにまっしぐらに天へ昇って、いつかメアリ・ルーの魂と再会し、永遠にともにいられるときを、神の御手のもとで待っていることでしょう。アーメン」

今度こそ本当に弔辞が終わったというまちがいのない合図を聞き、子どもたちはみな、すばらしい挨拶に喝采した。その拍手はいつまでもやむことなく、岩だらけの峡谷に幾重にもこだまが響きわたる。ヒューイ・スターリングはつつましく一礼した。「それでは、これから棺に土をかけます。でも、メアリ・ルー、その前にきみが棺にすがりついて泣かなくちゃ。遺族はそうするもんなんだから」

メアリ・ルーはにべもなく答えた。「いや、そんなことしたくない。おうちに帰りたいの」

とんでもない大事件がたてつづけに起こった、長い一日だった。それがどれほどとんでもないことだったのか、メアリ・ルーはまだ気づいてさえいなかったのだが。葬列も埋葬式も、わくわくしながら気をまぎらわすことのできる行事だったし、みんなの注目を浴びるのも楽しかった。だが、いまは早く家に帰りたかったのだ。自分が何を失ったのか、はっきりと自覚できるであろう場所へ。自分とかごの中に横たわっている物体とのつながりも、見えなくなったいまとなってはよくわからない。この空き地はなじみのない場所だったし、もう日も傾きかけている。お茶の時間も近いはず。暖かく、居心地のいい部屋で、マッケンジー夫人といっしょに飲むお茶。人形たちもそれぞれの椅子にかけている。トマシーナは向かいの席に坐り、ナプキンを首の周りに巻きつけて、何かしらすてきなものをお相伴《しょうばん》するときにはいつもそうするように、ピンクの舌の先をちょっぴりのぞかせているのだ。あまりにも鮮やかによみがえったこの情景に、葬式が始まってからは涸れていた涙が、ふいにどっとこみあげてきそうになった。トマシーナが死んだ、というより《片づけ》られてしまい、もう二度と会えないのだということを、メアリ・ルーはようやく本当に悟ったのだ。だが、こんな場所で、みんなの視線を浴びながら悲しみにくれることなんてできない。悲しみと水入らずになれるのは、家に帰ってからのことだった。

朝から夕方までの、ほんの短い時間のうちに、幼かった女の子がこんなにも大人にならざるをえなかったとは……

実のところ、ヒューイ・スターリングも早くお茶にしたかった。屋敷の納屋には、葬式の後のご馳走となるべき食べものが隠してあるし、いつのまにか、もうけっこうな時間になっている。それに、メアリ・ルーの目頭にまた新たな涙がきらりと光ったのにも気づいたので、ヒューイは穏やかにこう答えた。「わかったよ。いやだったらいいんだ。悲しみを気高くこらえ、感情を表に出さない遺族もいることだしね。穴を埋めよ、墓掘人」

小枝編みのかごの上にばらばらと土がかぶせられ、浅い穴の上に土をゆるく盛りあげて、小さな塚が作られた。墓掘人もまた、そろそろ家に帰りたくなっていたのだ。ヒューイ・スターリングは、用意してあった墓標を建てた。何人かの子どもが周囲に咲いていた野の花を摘むと、ジェイミー・ブレイドが吹く、この場にぴったりの風笛曲《ピブロック》に合わせて墓の周りに輪を作り、塚の上にまき散らす。

「さあ、今度は何か陽気な曲にしよう」ヒューイの指示どおり、ジェイミーは《キャンベルタウン舞踏曲《リール》》を吹きはじめ、ひょろっとした脚を曲げて、むき出しの膝を高く上げながら歩き出す。ヒューイはメアリ・ルーの手をとり、一行はインヴァレノックめざして空き地から姿を消した。

かなり長く感じられる間、空き地には何も動くものの気配はなかった。緑の草地にスポットを当てていた陽光も、いまは舞台の天井裏からではなく、袖から斜めに差しこんでいる。地面に長く落ちた影の間から、《いかれたローリ》と呼ばれる女が、あたかも緑の精霊のように、周囲に溶けこんで目につかない格好で音もなく姿を現した。

軽やかな足どりで注意ぶかく空き地の周りを歩き、やがて好奇心につき動かされて中央に歩みよると、掘りかえされたばかりの地面にすばやく膝をつき、ヒューイ・スターリングの筆になる墓碑銘を読む。どうやら、インヴァレノック教会の墓地で目にした墓石から、気に入った文句を借りてきて書きあげたらしい。

「トマシーナここに眠る。一九五二年一月一八日に生を享け、一九五七年七月二六日に非道にも殺《あや》められたり。亡き友よ、安らかに」

ローリの顔から不安と当惑の色が消え、甘く悲しげな口もとに同情と理解のほほえみが浮かぶ。だが、一瞬の後、《非道にも殺められたり》という一節が目に飛びこんできて、またしてもその顔が懸念で曇った。まるで、その言葉が運んできた冷気に、この空き地と自分が包まれてしまったような気がする。子どもたちによるたわいない夏の仮面劇が行われていただけだった場所のどこかに、実は邪悪なものがひそんでいたのだろうか。ローリは身ぶるいして立ちあがり、何歩か帰りかけたが、また戻ってきた。そのぞっとする墓碑銘から、どうしても目が離せなかったのだ。

もう一度墓のかたわらにひざまずき、指を組みあわせる。かがみこんだローリの飾り気のない顔と賢そうな額には、深い懸念の色があった。ここで子どもたちが葬式ごっこをしていた、それはまちがいない。でも、いったい誰が、何が埋葬されているのだろう? 自分がいま何をすべきか、それさえわかったら。一瞬、腕に提げたかごの移植ごてに手を伸ばしかけ、またためらう。この土の下で何が眠っているにしろ、それはすでに死んでいる。生命を失っているものに対して、自分にはどうすることもできない。その場にひざまずいたまま、ローリは迷いつづけた。

10

アンドリュー・マクデューイ氏にとって、とことん不運な一日が暮れた。インヴァレノックのふたりの代診のうち、年かさのストロージー医師が到着するのをペディ牧師とともにモファット老人の家で待ち、死体発見のいきさつを警察に証言した後、不機嫌なまま夕食どきに帰宅する。

老人の死そのものが意外だったわけではない。なにしろ、もう八十六歳だったのだから。年老いた心臓が緊張とショックに耐えきれなかったのだろうというストロージー医師の診断は、まもなく解剖によって確認されるはずだったが、そんな細かいことなど、マクデューイ氏にはどうでもよかった。老人が死んだ、それですべてが終わってしまったのだ。自ら語ったとおり、現代における奇跡ともいえるみごとな手術によって、せっかく死の淵から盲導犬を救いあげたのに、どうして老人が死ぬ必要があったのだろう。助かったということさえ知らず、老人は息を引きとってしまった。宿命だの、状況だの、めぐりあわせだの、そんなものをありがたがる気にはなれない。人間の癒し手、医者になりたいという少年の大志の前に立ちはだかったのも、そういったたぐいの何かだったのだから。

上の空のまま背の低い木戸を開け、石を敷きつめた小道を戸口に向かう。何か忘れものをしたような気がして、途中でふと立ちどまったマクデューイ氏は、不安げにあたりを見まわし、ポケットを、それから自分の頭の中を探ったが、なぜ立ちどまってしまったのか、原因も理由も思いあたるふしがない。気がついたのは、後になってからだった。肩に髪の延長のように猫をぶらさげ、いつも小道に迎えに出ているメアリ・ルーの姿がなかったのだ。

敷居をまたいで家に入っても、「父さん――父さん！」と叫びながら走ってくる小さな足音は聞こえなかった。とはいえ、漂ってきた料理の匂いにいくらか心を浮きたたせながら、まずは自分の部屋に戻って身体を清める。やがて食事室に入っていったマクデューイ氏の目に飛びこんできたのは、ぎょっとするような光景だった。

ふたり分の席がしつらえられたテーブルに、メアリ・ルーが坐っている。その身体に喪服をまとった――つまり、マッケンジー夫人の黒いショールを肩から腰へだらりと巻きつけ、紫色の雲のようなヴェールを、聖母のように頭から肩へ垂らした――ままの姿で。

キッチンへ続くドアの向こうでは、マッケンジー夫人がオーブンの扉や鍋の蓋を開けたり閉めたり、忙しく立ち働いているのが見える。料理が運ばれてくるのも間もなくのようだ。マクデューイ氏が入ってきた気配を聞きつけて、夫人はちらと心配げな視線を投げたが、またすぐに自分の仕事に注意を戻した。メアリ・ルーは帰ってきた父親のほうを見ようともせず、膝に両手を置いたまま、まっすぐ前を見つめている。

マクデューイ氏はせいいっぱい陽気に呼びかけた。「やあ、ちびちゃん。その格好はどうした？　おしゃれして、夜の女王さまのつもりかい？」頭をかしげ、あごひげを娘に向かって突き出す。「たしかに似合うが、父さんは大変な一日をすごしてきたからね、もうちょっと明るい雰囲気のほうがいいな。さあ、もうそろそろ夕食だし、その衣装は脱いできたらどうかな?」

娘は頭をもたげ、まばたきもせずにまっすぐ父親を、その後ろまで見とおすような目つきで見つめたまま、何も答えなかった。

マッケンジー夫人がキッチンから頭だけ突き出し、その痩せた顔にはらはらと心配そうな表情を浮かべて声をかけた。「メアリ・ルー、お父さんに『お帰りなさい』は?」

黙りこくったまま、娘はかぶりを振る。この冗談どころではない状況で、マクデューイ氏はよりによって最悪の冗談を口にしてしまった。「どうした、ちびちゃん? 猫に舌を食べられちゃったのかな?」

二粒の涙がメアリ・ルーの目にふくれあがり、頬を伝って転がりおちた。いまにもわっと泣き出しそうに、小さな顔が一瞬ゆがむ。いっそ、泣いてしまったほうがよかった。そうすれば、この大柄な父親は娘に腕を回し、胸にしっかり抱きよせて、あごの下をくすぐって慰めてやれただろうに。慣れ親しんだ父親の温かい腕と愛情に包まれたなら、娘のかたくなな決意も、その場で溶けて流れてしまっていたかもしれない。

だが、涙は二粒だけ、それ以上流れることはなかった。幼い顔に浮かんだ、いまにも泣きそうなしわは消え、石のようにそっけない嫌悪のまなざしを父親に向ける。

マクデューイ氏はキッチンに向かって叫んだ。「マッケンジーさん! あー、マッケンジーさん――いったいこの子はどうしたんだ?」

家政婦はおろおろとエプロンで手を拭きながら、食事室に入ってきた。メアリ・ルーがこんな態度をとるのは初めてだったから、ただ心配というよりも、狼狽さえしていたのだ。とくに器量よしというわけではないが、子どもの夢の世界に片足を残し、片足を現実に踏み出した時期のはりつめた真剣さと、無垢なあどけなさを残した奇妙に可愛らしい顔に、いまは奇妙に大人びた、かたくなな表情が浮かんでいる。まるで、妖精がメアリ・ルーをさらい、似て非なる子を代わりに残していったかのようだ。マッケンジー夫人は単純な人間だったから、こんな生生しい感情をどう扱ったらいいものか、見当もつかずに途方にくれていた。

それでも、なんとかマクデューイ氏に説明しようと試みる。「かわいそうにねえ、嬢ちゃんは猫が死んだことで、ひどく心を痛めてなすって。猫がいなくなったことが、つらくてつらくて仕方ないんでしょうよ」ぽかんとしてこちらを見つめる氏に向かい、夫人はさらにつけくわえた。「きょうの午後、子どもたちみんなでお弔いをしたんだそうで。ジェイミー・ブレイドが、ほら、バグパイプ吹きの軍曹さんとこのぼうやですけど、お弔いの行進曲を吹いて、けっこうな葬列だったそうですよ。どこへ埋めなすったかは存じませんけど――」

マクデューイ氏はいらだたしげにさえぎった。「ふん、なるほど。だが、そんなものはたかが子どもの遊びにすぎんじゃないか。いったい、この子はどうしてぼくに口をきかないのか、知りたいのはそこなんだがね」

しかめっつらをした子どもから、しかめっつらをした大人に目をやったマッケンジー夫人は、勇気を奮いおこした。「嬢ちゃんは苦しんでなさるんです。もちろん本気のはずはないでしょうけど、嬢ちゃんの言いなさるには、トマシーナを殺し――いえ、その、安楽死させなすったのは先生だから、生きかえらせてくれるまでは口をきかないって」

　マクデューイ氏は信じられないという顔で夫人を見つめた。シャツの襟もとから、もともと燃えるような色をした髪の生えぎわまで、さっと赤みが広がる。目の見えない老人の悲劇と、そこで自分のはたした役割のことで頭がいっぱいになっていて、今朝、娘の猫をクロロホルムで殺したことなど、きれいさっぱり忘れてしまっていたのだ。

　これが、一日じゅう忙しく働いて帰宅し、目に入れても痛くない娘とともにのんびりとくつろぐ、よくある普通の日の出来事だったなら、マクデューイ氏もちがった態度で娘に接していたにちがいない。同情と理解で娘の心を溶かし、反乱を未然に防ぐこともできたのに。

　だが、今朝の一件に触れられた瞬間、あの目の見えない老人の懇願から始まった一連の出来事が、またしても次々と頭の中によみがえった。老人の目を助けようと懸命に治療に取り組んでいた最中に、娘が病気の猫を連れてやってきて、使命感に燃えていた自分を夢から呼びさましたのだ。死を宣告した瞬間の、愕然とし、思いつめ、打ちひしがれた娘の顔が目に浮かぶ。救おうと努力するに値しないと思われる動物たちにはそうするしかないのだと、これまで何度同じ宣告を下してきたことだろう。手術室のドアを小さなこぶしで叩く無力な音、精根つきはてて激しく泣きじゃくる声が耳によみがえる。年老いたラガン夫人の苦悩する目や表情が、苦しげにあえぐ哀れな太った犬の姿が、そして友人たるペディ牧師の思いやりのある言葉が、またしても脳裏をよぎった。「だが、あの哀れな弱りきった喘息の犬を、ラガン夫人は愛していたんだよ――」

そして、椅子にかけたタマス・モファット老人が、永久の旅に出ようとして、ドアに見えない目を向けたまま耳をすます姿。

そんな記憶に責めたてられたマクデューイ氏は、まるで聞き分けのない飼い主に対するように、赤いあごひげを挑みかかるように娘に向かって突き出し、目を怒らせ、声を荒らげてどなりつけた。「どういうつもりだ、メアリ・ルー？　悪ふざけもいいかげんにしなさい。おまえの猫は重い病気で、どちらにしろあと一日かそこらの生命だったんだ。さあ、すぐに部屋へ戻ってその衣装を脱ぎなさい。すなおな態度でテーブルにつくんだ」

驚いたことに、娘はおとなしく立ちあがってテーブルを離れると、自分の部屋へ向かった。まるで哀れなタマス・モファット老人をはさんでペディ牧師にどなったときのように、マクデューイ氏はふいに自分の愚かさを悟り、恥じ入った。目ざわりな衣装を脱ぎ、まもなく戻ってきて席についた娘に、今度は優しく話しかける。「いいかい、メアリ・ルー、トマシーナのことは父さんも残念だったと思っているよ。だが、治すすべはなかった、これは本当なんだ。こうなったら、また猫を飼ったらどうかな、可愛い子猫を？　ドビーの食料品店に寄ったら、あそこじゃ六匹も子猫が生まれたから、どれでも選んでいいと言っていたよ。一匹なんて、斑点がひとつもなくて、雪のように真っ白なんだ。おまえはどう思う？」

メアリ・ルーは答えなかった。何も聞こえなかったかのようにさえ見える。マッケンジー夫人はお盆を持ったまま、入るに入れず戸口でおろおろしていた。「いいから運んで、運んでくれ」マクデューイ氏はいらだたしげに命じた。「じゃ、今度は犬を飼ってみるのはどうだろう、おまえだけの犬だよ、メアリ・ルー。どこへ行くにも、おまえの後をついてくるよ。いや、シャム猫もいいかもしれないな。いま思い出したが、一匹、心当たりがあるんだ。さあ、メアリ・ルー、返事をしてごらん」

娘は無言のかたくななまなざしを父親に向けた。まるで、見知らぬ他人を眺めるような目だ。唇は固く引きむすばれている。マクデューイ氏はどうにもこらえきれない、かといってぶつけるあてもない怒りがむらむらと胸にこみあげてくるのを感じた。軽蔑もあらわにこちらを見ている、強情で片意地な子どもを前にして、大人がよく感じる怒りだ。どうにか自分を抑え、それ以上は何も言わずに夕食を食べはじめたものの、食欲はない。重苦しい沈黙が室内に垂れこめる。キッチンではマッケンジー夫人が、足音を忍ばせておろおろと歩きまわっていた。

メアリ・ルーも食べてはいたが、いかにも無関心な表情で、父親のほうは見ようともしない。マクデューイ氏は気持ちが落ちこんでいくのを感じていた。もし、娘がこれっきり――二度とふたたび口をきいてくれなかったら？　いったいどうしたらいい？　自分はどうするだろう？　いったい何ができる？　だが、そもそも、そんなことを考えること自体、本末転倒で馬鹿馬鹿しいかぎりではないか。どんな病気を持っていたかもしれない、そうでなくてもいらだたしいだけの、とっくに家から放り出しておくべきだった、あんないまいましい猫のために。娘があの動物に惜しげもなく注いでいた愛情は、本来は人間に向けられるもののはずなのに――娘ときたら、あの猫をまるで人間扱いして。メアリ・ルーの母親が娘を抱きしめていた姿、死ぬ前に自分に向けたまなざしを、必死に頭から振りはらう。そして、ほんの一瞬、恐ろしい問いを自分に突きつけてしまったマクデューイ氏は、奮いおこせるかぎりの力でそれを否定しようとした――ひょっとして、自分は嫉妬からあの猫を死なせたのでは――

そのとき、このつらくいたたまれない沈黙が、ふいにあっけなく破られた。メアリ・ルーが口を開いたのだ。「ねえ、マッケンジーさん、リンゴのプディングおかわりしてもいい?」

痛いほどの沈黙が思いがけない終わりを告げたこと、娘が話しかけたのが家政婦だったことは、このまま沈黙が続くより百倍もいまいましく、憤ろしかった。だが、自分が帰宅して初めて娘が口をきいた以上、これは仲直りのきっかけになるかもしれない。テーブルごしにあごひげを突き出して尋ねる。「リンゴのプディングをもっと食べたいんだね、メアリ・ルー?」

テーブルの向こうから、娘はまっすぐこちらを見つめたが、何も答えなかった。キッチンの戸口では、マッケンジー夫人がプディングの鉢を手にしたまま、入っていいものかどうかためらっている。

「もっと食べたいのなら、メアリ・ルー」言外の意味をひとつひとつ強調しながら、マクデューイ氏は意地悪くほくそえんで先を続けた。自分の勝ちを確信し、最初の「王手!」を敵手に向かって高らかに宣言するチェスの選手のように。「食べたいのなら父さんのをやるから、そう言いなさい」

またしても、娘は父親をまっすぐ見つめた。今度は静かにじっくりと、あれこれと考えをめぐらしながら、敵意をこめて、侮辱とも思えるほど長いこと視線をそらさずに。

そこにいるのは父親だ。すばらしくて、温かくて、抱かれるといい匂いがした父親。いつもあごひげや首に顔を埋めたし、腕の中にいると安心だった。ときには好きで好きでたまらなくて、どれほど強く抱きしめても、どれほどキスを浴びせても足りないような気さえしたのに、いまはもう、そんな感情はどこにも残っていなかった。

目の前にいるのは、トマシーナの生命を奪うよう命じ、その亡骸をごみの山に放り出させた男。その報いを味わわせてやっているいまも、まだ卑怯なふるまいに及ぶ男。メアリ・ルーにとって、こちらはさらに大きな打撃だったかもしれない。自分が暮らし、遊ぶ世界、ヒューイ・スターリングやジョーディ・マクナブのいる世界、そしてマッケンジー夫人の単純な世界においてさえ、不正は許すべからざる大罪だ。公明正大なふるまいと卑怯なふるまいとの間には、歴然とした境界がある。その境界を踏み越えれば、同じ年ごろの相手だけではなく、大人だって裁きを受けなくてはならない。

幼いメアリ・ルーは《脅迫》という言葉を知らなかったが、いまの父親の言葉を聞いた瞬間、そこにこめられた圧力と根底に横たわる忌まわしい意図を悟り、この日すでに経験させられた打撃よりも、さらに深くさえある悲しみと失望を噛みしめていた。最初に猫が殺され、次が父親。いま、メアリ・ルーは視線で父親を処刑しているのだから。こんなにも短い時間のうちに、安心と幸せのほとんどすべてを与えてくれていた存在が、ふたつとも奪われてしまうなんて。

それでも、メアリ・ルーは繊細な子どもが深く傷ついたときの例に漏れず、動揺を顔に出さずにこの二重の痛手を静かに受けとめていた。非難のまなざしを父親からそらすと、こう告げる。「ごめんなさい、マッケンジーさん、やっぱりリンゴのプディングのおかわりはやめとく」
アンドリュー・マクデューイ氏はナプキンをむしりとって床に投げつけ、荒々しく椅子を後ろに押しやると、無言のままきびすを返し、部屋を、そして家を出ていった。娘にしてやられるなんて。自分の「王手！」に、娘は「王手詰み！」と答えた。「食べたいのなら父さんのをやるから、父さんにそう言いなさい」という、こちらの作戦が何を目的としてのことか、娘は最初から気づいていたのだ。娘はけっして脅しに屈しないだろう。石のような冷たいまなざしと、固く引きむすんだ唇には、父親と口をきくくらいなら飢え死にするという、揺るがぬ決意があふれていたから。

　娘をつかまえ、乱暴に揺すぶってやりたい衝動をこらえ、入江の岸にまで飛び出してきたマクデューイ氏の胸には、熱い憤りがたぎりつづけていた。自分と同じ性根や性向が子どもにもそのまま引きつがれているのを見てかっと頭に血が上る、親としてのこの奇妙な怒りは、氏にとって初めての経験だったのだ。

　もうあたりは闇か薄暮に包まれ、眠りにつく時刻のはずなのに、入江は奇妙に現実離れした明るさに包まれている。緯度の高いこのあたりでは、太陽が地平線に沈んだ後も、昼の明るさの名残として、見るものを惑わすような緑がかった光が長いこと夜を寄せつけないのだ。潮の流れはゆるく、入江の水面は動かない。熱を含んだもやが水面を覆っているために、そこにあるのは水ではなく、向こう岸にそびえる山脈のごつごつした不毛な山肌へ向かって、低く垂れこめた雲のようだ。北に目をやると、インヴァレアリーの町の明かり、そしてトロサックスへ向かう道をさえぎるように立つ巨大な山、コブラーの頂が残光に染まっているのが見える。

静寂の刻《とき》だ。だが、こんな風景も、心乱れて荒々しい足どりで岸辺を歩きまわる不幸な男の胸に届きはしない。ハイランドの穏やかな黄昏も、きょうの一連の出来事を頭から追いはらい、安らぎをもたらしてはくれなかった。マクデューイ氏の怒りの大部分は、悪いほうへ転がるばかりで手のつけようもない今回の出来事が、なぜ自分をねらって起きたのかに向けられていたのだ。だいたいにおいて、氏は自分を善良な人間とみなしていた。悪意に満ちた運命も、ただの不運も、自分に降りかかってくるいわれはない。氏は神を信じてはいなかったから、今回のことは運のせいにするしかなかった。すべては自分が引きおこしたことだという事実から目をそむけない道もあったのだが、それはアンドリュー・マクデューイ氏には荷が勝ちすぎる選択だった。

歩いているうちに、ようやく心がおちついてくる。熱い憤りも冷めたところで、氏は家へ足を向けた。こんなことはけっしてめずらしくない、親子喧嘩も初めてではないのだし、朝になればきっとわだかまりも解ける、娘も猫のことを忘れ、何もかもが元に戻るだろうと、自分に言いきかせながら。

11

わが名はバスト・ラー。

ブバスティスの猫の女神。

またの名を《東方の貴婦人》、あるいは東の空に輝くかの星座から《七つ星の貴婦人》ともいう。引き裂き、報いを与えるもの、セクメト・バスト・ラーの名でも知られる。天界の木の根に巣食う、邪悪な大蛇アポピスを滅ぼすもの。

父君の名はラー、すなわち太陽神。母君の名はハトホル、すなわち月の女神。天空の女神ヌートはわが姉君、悪霊を祓《はら》う神コンスはわが兄君。

わらわはもっとも力あるものにして、もっとも重んじられし神。

第十二王朝の紀元前一九五七年、セソストリス一世の御代に、そして第十三王朝においても、わらわはクフ王神殿の女神であった。王の御魂《カー》が永久に輝かんことを。わらわが息を引きとりしとき、わがミイラは麻を編んだリボンで幾重にもくるまれ、赤と青に染めわけられた。わがために作られし仮面には黄金の瞳が描かれ、黄金のひげが植えられており、耳は硬く細工をされて、麗しきもの、愛しきもの、神聖にして力あるものと崇められし生前の姿そのままにしゃんと立っていた。

わがミイラを納めし白檀《びゃくだん》の棺には、わらわの在りし日の姿がみごとに彫られ、わが巫女《みこ》たちは「これぞ麗しのバスト、われらが最愛の神よ」とむせび泣いた。わらわはかくのごとき存在であったのだ。棺が黄蘗《きわだ》と白と朱に塗りわけられたのは、茜に黄蘗の斑をちりばめ、胸と足は白かりしわらわの毛皮にちなんでのこと。緑の瞳を模して、棺にはふたつのエメラルドがはめこまれた。

巫女たちのむせび泣きに覆いかぶさるごとく、琴とラッパが奏でられ、鈴《シストルム》が打ち鳴らされた。髪と眉を剃りし神官たちがわが亡骸を陵へ運んだが、わが魂は天に召され、天空の女神イシス・ハトホルのもとにとどまった。

わらわは生を享け、女神として生きた。死を迎えた。やがてよみがえり、転生した。

ブバスティスではわらわの祭事を四月と五月に定めていた。都の民はみな船を連ねて集い、陽光を受けて櫂《かい》がきらめいた。船は青と真紅に彩られ、帆は紫か黄土に染められ、神官と巫女の船は金と銀に輝いていたのも、すべてはみなわらわのため。わらわはかくも偉大な女神なのだから。

ナイルの二筋の支流をそれらの船が行き、わが島の都を囲むとき、民は大太鼓を、小太鼓を、カスタネットを打ち鳴らし、わが巫女の妙なる声がシストルムの輝かしき音色に重なる。

わが神殿の至聖所にて、わらわは待ち、まどろみ、眠り、人間の運命の行く末を夢に見、ゆりかごから墓場へ織られていく糸を紡いでいた。前世も、そして今生も、わらわは生ける女神バストなれば。

わが神殿は都随一の優美さを誇り、輝かしくも繊細で、木立に囲まれた中庭には、涼しく心地よき木陰があった。広さは二百メートル四方、内陣の柱は斑岩。わが巫女たちはブバスティスの麗しくも汚れなき乙女から選りすぐられ、昼も夜もわらわにかしずいていた。

それもいまは昔のこと。当代のわが神殿は小さな石造りの家。巫女もただひとりのみ。名をローリという。ナイルでわらわに仕えた十二人の巫女ほど麗しくはない。肌の色は薄白く、瞳はわらわと同じ明るさで、髪はブバスティスの波止場に並ぶ銅の鋳塊のごとく光っている。だが、心根は優しく、麗しき声でわらわに歌いかけてくる。

ここは別の国、別の時代。この前現世を生きたときから三千九百十四年の年月が流れた。いまはまたしても一九五七年、大英帝国第八王朝の偉大なるエリザベス二世が女王となって五年め。わらわが住むのは寒々しい北の地、スコットランドだ。細長く陸に食いこむ潮のたまりのほど近く、森を流れる小川のほとりの家に、わが魂は戻ってきた。この屋根の下に住むものはわらわを信じず、女神と名乗っても笑うだけ。名前すらも変えられ、わが巫女はわらわをタリタと呼ぶ。それでも、わらわはバスト・ラー。人間の運命の行く末を夢に見、人をその運命にからめとる糸を紡ぐ。ナイルのほとりに初めて生を享けたときと同じく、みなはいつかわが力を知るであろう。

女神であり、全知全能であるのはまことに不可思議なわざ——そして、猫であることも。

ブバスティスのわが神殿の内陣で、わらわはよく、人間の賢さにそっと笑みを漏らしたもの。そう、これほどに、これほどまでに賢いとは！　立って歩き、手を使い、衣をまとう。言葉をも生み出し、文字を書き、遠くから文を送り、戦《いくさ》をし、船を走らせ、馬に乗り、食物や富を蓄え、世界を統《す》べ、それでいてわれらに祈りを捧げる。

人間であり、世界の主でありながら、われらに願いごとをし、われらのために香を焚き、貢物をし、歌や踊りを捧げ、神官や召使をはべらせるとは。

太鼓を打ち、鈴を振り、ラッパを吹きならす音が近づいてくるとき、香を焚く匂いが遠くから漂ってくるとき、規則正しき足音とともに、わらわを称える歌が聞こえてくるとき、「おお、偉大なる女神バスト、おお、バスト・ラー、おお、偉大なるセクメト・バスト・ラー、天空に輝く女神の子にして太陽神たる父君の守護者よ、おお、薫り高き女神、おお、不可思議なる女神、この卑しき祈り手に慈悲を垂れ、たったひとつの祈りを聞きとどけたまえ――」の決まり文句に続く願いを当て推量するとき、わらわはいつも忍び笑いをこらえかねたものだ。

そしてまた、心の奥底より、人間たちを憐れむこともある。

かくも偉大でありながら、かくも卑小な存在。すべてを手の内に納めながら、何ひとつ自由にならず、征服者として地上を闊歩しながら、一瞬たりとも怖れから逃げられぬとは、どれほどつらい生涯であろうことか。

バスト・ラーたるわらわは、何ひとつ怖れたことはない。女神として神殿に住むわらわのおかげで、猫たちも何ひとつ怖れることなくかの地を闊歩できたのだ。猫を害するものはただちに処刑され、投獄され、追放された。人間たちがいまよりも賢く、より優れた種族の前では行いを慎むすべを知っていた時代のこと。

わらわが女神であった時代には、父君たる太陽神ラーも《偉大なる猫》との異名を持っていた。わらわは慈愛あふれる太陽の御力をも体現する存在だったのだ。大地を肥沃に、女を多産にする力を司る、麗しく豊満な女神。わが名を示す象形文字は香水の壺。わらわは月に惑わされた民を癒し、世界の魂を守って荒野のジャッカルに立ちむかった。

ジャッカルは嘘つきで、《邪悪な犬》と呼ばれる。この世界は神々の治める地であり、わらわもそのひとりなのだから、鳥一羽、子羊一匹であっても、傷つけたものにはその報いを与えずにおかない。永遠に続く善と悪の戦いの間も、神を信じるものたちは、最後には善が、われらが勝つにちがいないことを知っていた。たとえ嵐が空をかき曇らせ、風が何もかも破壊しつくし、雷と稲妻が天蓋を引き裂こうとも、最後には太陽がふたたびよみがえって蒼穹にその船を進め、月や星々も姿を現し、世界にふたたび平和が戻るであろうことを。

それも、わらわが力を持っていた時代の話。呪い、許し、整え、定め、罰し、報い、願いを聞き、加護を与え、遊山の日には陽光を、愛《いつく》しみあうふたりのために月光を注いでやることのできた時代。「偉大なるバストよ」と祈る民の言葉を聞き、心を動かされれば奇跡を起こしてやることもできた時代。

すべては変わり、わらわの力も衰えた。いまはもはや、わらわが神だったことを信じるものも、崇めるものも、祈りを捧げるものもいない。わらわを愛しみ、仕え、必要な儀式をこの娘なりに朝夕務めてくれているローリでさえ、例外ではないのだ。神でありつづけ、その力を失わずにいるためには、わらわが神であり、神としての力を備えていることを、人が信じていなくてはならない。遠い昔、ブバスティスの都にあるクフ王の神殿に、わらわが神として君臨していたときのごとく。黄金虫《スカラベ》にも、ネズミにも、ワニにも、牛にも、われら猫と同じように、人やけものとはちがう、神としての力の源となる神聖さが備わっている。人の苦しみに、怖れに、絶望に耳を傾け、運命の織りなす模様が変わるよう、糸をひねってやる力。それは、信仰に呼応して生まれる力なのだ。われら神々もまた、生き、そして死ぬ。だが、神を信じ、必要とするもののいるかぎり、その力はけっして消えることはない。

不思議なことに、わらわが誰で、どんな存在なのか、わが巫女のローリは知らないらしい。神の持つ力に、かつて触れたことのある人間のひとりなのに。ローリはいまのこの世界より、むしろわらわの世界に住む人間だ。自分が看病し、育て、心を通わせ、巫女として仕える、小さなけものたちの世界。われらと同じように、ローリもまた過去に取り残されたものたちを見、心を通わすことができる。かつては人間の友であり、味方でありながら、とうに忘れ去られてしまった、小さく奇妙な神々たちと。エルフや小妖精、小川の精や森の精、小鬼、地の精、水の精、さらには宙を舞うものたち、目に見える、あるいは見えぬものたち。そして、それらになり代わって天を支配するようになった天使や大天使、智天使、熾天使。

そのうえ、わがローリは織女でもあった。羊毛を紡ぎ、かせに糸を巻きとり、手織り機で織りあげて、このあたりの丘で羊を飼っている農家に毛織物にして返し、引き換えに食料や、用が足りる程度の代金を受けとる。助けを求めて迷いこむ、あるいは森でローリが見つける、病気やけがに苦しむ動物たちを治すための、包帯や薬、牛や羊の脂《あぶら》といった品物を、わざわざ届けてくれる農民もいる。ローリは森で摘んだ薬草をこうした獣脂に混ぜこんで、軟膏や膏薬を作るのだ。

バスト・ラーことブバスティスの女神として、紀元前一九五七年にエジプトに君臨していたわらわは、この一九五七年夏、スコットランドはアーガイルシャー、インヴァレノックにあるローリの家に至聖所を設け、ふたたび神殿に入った。

わが魂が天にましますハトホルの手を離れ、ふたたび肉体に宿りし日のことを、わらわはよく憶えている。わが魂を呼びもどしたのはローリだった。

わが神殿となる小さな石造りの家の前に、ローリはわらわを下ろし、みなにこう告げた。「ほら、新しいお友だちよ。名前はタリタがいいわね」そこにいたのは、ごくありふれたけものたちばかりだった。猫が三匹、子猫が一、二匹、コクマルガラス、疥癬《かいせん》にかかったスコッチ・テリア、老いぼれた牧羊犬、ハリネズミ、そしてリス。猫たちはわらわを威嚇し、犬たちは吠えかかり、コクマルガラスは金切り声をあげ、ハリネズミは身体を丸めて針を逆立て、リスは何やら叱りつけるような声を出した。

ローリがなだめる。「みんな、初めてのお客さんにずいぶん意地悪なのね。そんなことをして、恥ずかしくない？」

マクマードックという名だと後に知る、顔に傷痕のある黄土色の牡猫は、かたくなな態度を崩さなかったけれど、たいした血筋ではなく見かけも平凡、いちばん年かさというだけが取柄のウリーという黒猫が、礼儀というものをいくらかでも思い出したらしく、前に進み出て口を開いた。「ほう、じゃ、歓迎する前に聞かせてもらうが、あんたは誰で、どこから来たね？　いったい何が目当てなのかい？　ごらんのとおり、ここにはもう大勢いてね、何か分けるったって充分に行きわたらないし、もうこれ以上、ひとりも増えなくてかまわないんだがね」

わらわは答えた。「わが名はバスト・ラー、神聖にして麗しく、光輝に満ちて全能なり。わらわはセクメト・バスト・ラー。太陽を父に持ち、月を母に持つ。父君の名はアメン・ラー、母君の名はイシス・ハトホル。世界はわが弧を描きし背に載る。神聖にして崇められ、《東方の貴婦人》と呼ばれるものなり」

二匹の子猫は自分の尻尾を追いかけるのをやめ、母親である、ドーカスという長毛種のトラ猫のところへ駆けもどった。ウリーが口を開く。「そんな連中は聞いたことないが、それにしても、ちびのみっともない牝猫の分際で、ずいぶんでかい口を叩くもんだな――」

神の怒りが炎となって燃えあがる。次の瞬間にも、わらわはタカの姿の天空神ホルスを召喚し、このものたちの肝臓をつつき出させるべきだったのかもしれない。だが、その前にもう一度だけ、機会を与えてやることにしよう。

尾をふくらませ、毛を逆立てて、伸ばせるかぎり背筋を伸ばす。「わが名はバスト・ラー、神性を持つものにして、ブバスティスの女神。頭《こうべ》を垂れ、わらわを崇めよ。愚かな冒瀆者よ、不信心なるものよ、この地上から追放されぬよう祈れ。わらわの光輝に目がつぶれぬよう、ひれ伏して拝むがよい」

だが、この世によみがえりし天空の女神たるわらわの言葉に対し、返ってきたのは爆笑のみ。

猫どもはけたたましく笑い、地面に転がって脇腹をこすりつける。カラスは翼をばたつかせて金切り声をあげ、リスは木に駆けのぼり、犬たちは狂ったかのごとく吠えたてた。スコッチ・テリアは何度も小刻みな突撃をくりかえしては、わらわの尾を嚙み切るふりをしたものだ。天罰を下すまでもなく鼻面に一撃見舞い、考えを改めさせてやったけれど。

それでも、他のものたちはいまだに騒ぎ、転げまわり、背を叩きあい、涙を拭くのをやめなかった。ドーカスはあわてて子猫たちを守ろうと、まるでわらわの気がふれてでもいるかのごとく、自分の頭を意味ありげに示しながら、そそくさと遠くへ連れていった。マクマードックが、ふいに威嚇するように背を丸める。「目をつぶすってんなら、やってみな。ただ、それなりの覚悟はしとくこった」

こうなっては、この神をも畏れぬものどもに天罰を下し、恐怖に震えおののかせたすえ、炎でその息の根を止め、亡骸を聖なるワニの餌とするしかない。わらわは戦の神ソプドゥ、死者を導くアヌビス、獅子の頭を持つマーヘス、強大にして恐ろしき大蛇アポピス、その兄弟のベシトとメヘン、罪人の心臓を食らうアムムト、そして疫病をもたらす悪霊アデンに呼びかけた。

だが、誰ひとり姿を現さず、神を畏れぬものたちにも、何ひとつ起こりはしなかった。大地は口を開け、このものたちを吞みこんではくれなかったのだ。みな何もなかったかのごとく、罰あたりな態度で笑いつづけている。

神を信じぬものたちに出会ったのは、これが初めての経験だった。憤りに耐えかねて、いまにもとりみだしそうになったとき、ローリが間に入ってくれて、思わずわれとわが身を恥じる。

この娘はわらわを抱えあげた。「そう、仲間にも入れてもらえないし、礼儀も守ってもらえないなら、わたしの猫になるといいわ」そして自らの住みか、わが小さな神殿となる家に入れてくれたのだ。わらわの他、ここに入ることは許されていない。寝室のある階上へはわらわも入れなかったが、その代わり、炉辺に置かれたかごがわが至聖所となった。隣の部屋には手織り機が置かれている。わらわはローリをわが巫女として認め、このたびはどんな場所でどんな暮らしをすべく地上に戻されたのか、まずはそれを調べにかかった。

この森の神殿は、風変わりながらこのうえなく神聖な場所だった。人間はめったに訪れない。たまに顔を見せるのは、病気の犬や傷ついた野生のけものを癒してもらおうと連れてくるものにかぎられている。このあたりの丘陵に住む羊飼いや、峡谷の上の荒れた土地を耕す小作人たちは、時おり野山のけものが罠にかかったり、けがをして苦しんでいるのを見つけるのだ。そんなとき、人々はわが寺院の外に立ち、巨大な《コヴンの木》の枝に吊るされた《慈愛の銀の鐘》を鳴らして、ローリを外に呼び出す。

人々はローリを怖れているようだった。それもいわば当然のこと、いまやこの娘はまことの女神に仕える巫女なのだから。犬の脚やつま先のけがに包帯を巻いてもらう間、その場で待つ羊飼いもたまにはいるけれど、たいていは鐘から垂れるひもの下に傷ついた小さなけものを置き、ローリが出てくるのを待たずに姿を消してしまう。ノックや呼び声には、ローリはけっして応えない。応じるのはただ《慈愛の鐘》の音にのみ。その音は、いまをさかのぼること四千年近い昔、わらわを称えるために巫女たちが打ちふったシストルムの冴えわたる響きを彷彿させた。見かけも生まれも卑しくはあれど、中ではいちばん見識広きウリーが、その鐘はローリが峡谷をはるか上った森の中で見つけたということ、かつて無法者のロブ・ロイが、王の家来の襲来をあらかじめ知るために使ったものだということを教えてくれた。

わが神殿と呼ぶこの石造りの家は、一階に三つの部屋がある。キッチン、暖炉のあるわが至聖所たる部屋、そして手織り機のあるがらんとした広き部屋。階上にはローリの寝る屋根裏部屋があるけれど、たとえわらわが女神といえども、そこに入ることは許されていない。

家の後ろには、石の壁に石葺き屋根の小さな納屋があり、傷ついたけものたちの施療所となっている。屋根にはいくつか瓦が抜け落ちた部分があり、そこからローリが病気やけがに苦しむけものの世話をしているのが見えることを、マクマードックが教えてくれた。いまはウサギが一羽、トガリネズミや野ネズミが何匹か、巣から落ちてけがをした鳥が数羽、足にけがをした若いイタチがいる。空の囲いや金網の小さき檻もたくさん目につくけれど、マックによると、これらがすべて埋まっているときもめずらしくないという。

そう、いまやわれらは「マック」「ウリー」と親しげに呼べる間柄となった。気取り屋のドーカスでさえもすっかりうちとけて、ときにはわらわに子猫の毛づくろいをさせてくれる。あれきりブバスティスのことも、わらわが神だということも口に出してはいないし、その話題が向こうから出ることもない。例のコクマルガラスがわらわを見つけ、翼をばたつかせながら「やあ、大年増の女神さま」と金切り声でからかうことがあるくらいのもの。犬たちはよくできた冗談と思っているようだけれど、猫たちはわらわがローリの家に住んでいるからといって嫉妬するでもなく、同族の味方をしてくれる。

だからといって、わらわが本当は何ものなのか、かつてはどんな身分でどんな役割をはたしていたのか、忘れてしまったわけではない。いつの日か、女神がその気になればどれほどのことができるものか、みなにその力を見せてやるときが来るであろう。力は必ず戻ってくる。そのときには、わらわはローリのごとく織女となって、人間の定めの糸を紡ぎ、からみあわせ、その運命を織りあげるのだ。

わが魂は、この新しき肉体に満足し、安んじている。ローリの家には鏡がないけれど、そばを流れる小川のよどみにこの姿を映してみるかぎり、わらわはいまだ麗しく、ナイルのほとりに立つ神殿で、人間の希望、導き手として民の崇敬を一身に集めていたころと、色も模様もほとんど変わっていない。

あのころ、わらわは巫女たちの心に愛を呼びさました。神殿に神官や役人どものおらぬとき、巫女たちはひそかにわらわを撫で、抱き、あごの下を掻いては、さまざまな噂話を聞かせてくれたものだ。ご想像のとおり、わらわはそうして集めたさまざまな知識を、女神としての務めをはたすのに役立てていた。ローリもまた、あのころの巫女たちと変わらない。わらわを抱いて甘やかし、手織り機の前に坐っているときには、いろいろな歌をうたってくれる。わらわが歌を好きなこと、歌を聞かされるのに慣れていることに、どうやらすぐに気づいたらしい。ブバスティスの葦笛のごとく澄んだ甘きローリの歌声を聞きながら、ふと目を閉じると、またあの神殿の至聖所に戻り、わらわを崇め、祈りを捧げんとする参拝者たちの奏でる音楽を聞いているかのごとき気分になる。

タリタとしてよみがえったことに、わらわは不満を抱いてはいない。ローリは優しく、細やかに心を配ってくれる。食べものが足りなかったこともない。もっとも、ここではわらわが望んだとしても、狩りはしてはならぬと戒められている。ローリはどんな生きものであれ、傷つけられるのを見たくはないのだ。これ一事をとってさえ、ローリが巫女であり、われらが一員であることは火を見るより明らかだった。

かくて安らかな、幸せな日々が流れていく。このままこの暮らしが続くとばかり、わらわは信じこんでいた。あの、赤きあごひげの男さえ現れなければ——

12

マクデューイ氏は帽子もかぶらずに、夏の霧雨にけむるダムリース・ストリートをつかつかと急ぎ足に歩いていた。ベビー・ベッドで猫を飼っている中年の独身女に往診を頼まれ、まったく無駄な仕事だと思いながらも顔を出してきたところだ。そのとき、黒い傘がすいと後ろから追いついてきた。遅れまいと必死に急ぐ足音に気がついて、氏は歩調をゆるめた。

「よかったら、わたしからメアリ・ルーに話してみようか?」何の前置きも挨拶もなしに、ペディ牧師はいきなり切り出した。それから、いかにも何気なさそうにつけくわえる。「きみの娘も、そろそろ日曜学校に出てもいい年ごろだな」

最初の問いが与えかねなかった痛みの矛先を、添えた言葉がそらしてくれた。それが一連の提案なのか、それとも別の話なのか判断しかねて、マクデューイ氏の胸にふくれあがりかけた怒りの叫びも、ふっと空気が抜ける。

「娘を日曜学校に行かせたいかどうか、ぼくは自分でもわからんのだが」むっつりと答え、それから思いなおして穏やかな口調になる。「たしかに、あいつの母親が生きていたら、きっと行かせたがったことだろうがね」言葉を切り、やがて続ける。「やれやれ、いったいどうしてまた、こんなときに面倒なことを持ち出してくるんだ?」

マクデューイ氏にとっては、つらいことばかりの二週間だった。自分の家にいながら孤独な思いを嚙みしめ、娘のかたくなで冷ややかなまなざしを浴びながら無言のまま食事をとり、どうにか橋渡しをしようと焦るマッケンジー夫人のおろおろしたおしゃべりを聞かされつづける日々。

自分に頼まなければおかわりはやらないと脅迫する手は、あの日を最後に使っていない。こちらの魂胆が最初から見抜かれていた以上、あれは負け戦にすぎなかった。あれ以来、氏はさまざまな手を試みてみたものの、いまだに娘は口を開こうとしない。父親に風呂に入れられることこそ拒否しなかったものの、その後、お祈りをしなさいと命じても、メアリ・ルーは唇を固く引きむすんだままで、マクデューイ氏のほうが先にかんしゃくを起こして部屋を出てきてしまった。マッケンジー夫人に言われておとなしくお祈りを唱える娘の声に、怒りはさらにつのるばかり。それでも、神のお恵みがあるよう願って、大切な人々の名を並べる娘の祈りに、氏はじっと耳を傾けていた。「父さん」とは言ってもらえないだろうと覚悟はしていたものの、「天国の母さん」の後に自分の名がないのを実際に耳にしてみると、やはり衝撃は大きい。これまで、お祈りなど馬鹿げた呪文の一種にすぎないし、こんな嘆願は人間の尊厳を損ねるだけだと信じてきたのに。娘と自分の部屋をつなぐ廊下に立ったまま、マクデューイ氏はふと、天国の書物の記述が変更されたのを目のあたりにしたような、奇妙な錯覚をおぼえた。自分はもう恵みを受ける人々の名簿から抹消されてしまったのだと思うと、みじめな寂寥感を嚙みしめずにはいられない。

「いや、実のところ、メアリ・ルーと話すべきだと思った理由はね」友人の顔からいくらかけわしさが消えたのを見て、ペディ牧師はうちあけた。「きみといまだに口をきかない件についてなんだが。あんなに幼い少女が父親との間に壁を築いて何も話さないなんて、まったく不幸な話じゃないか──たとえ、どんな理由があったとしても──」

「どんな理由があったとしても──どんな理由があったとしても、か」マクデューイ氏は荒々しくくりかえした。「いったい、どんな理由があるというんだ？　何もありはしない。うちの娘が意地っぱりなだけだ」しかめっつらを小柄な牧師に向け、目を怒らせてみたものの、黒い傘にさえぎられて友人に届かない。氏は傘ごしに声をはりあげた。「ぼくがやってだめなものを、いったいきみに何ができる？　うちの娘の頑固さは──頑固さは──そう、正直なところ、ぼくゆずりだからな。きみにも手の打ちようがないだろうよ」

「他の動物を与えてみたかい？」

「ああ、やってみたさ。この間は、とりわけ見ばえのいいのを持って帰ったよ。シャムの子猫、血統書付きでしつけもゆきとどいたやつだ。膝の上に乗せてやったら、娘はそいつを床に払いおとし、泣きさけびながらマッケンジー夫人のところへ走っていって、エプロンに顔を埋める始末さ。その子猫を家から連れ出して、診療所の檻に入れてくるまで泣きやまなくてね。近所の連中には、ぼくがムチでお仕置きしたとでも思われたにちがいない。いっそ、そうするべきだったのかもしれんが──」

「いくら叩いたところで、子どもの愛情をこっちに向けさせることはできないよ」ペディ牧師がさえぎった。

マクデューイ氏も、むっつりとうなずいた。愛情とは、不和や怒りや失望によって、こんなにもたやすく損なわれてしまうものなのだろうか？　娘を抱きしめたい気持ちがつのり、一瞬、腕がぴりりとうずく。娘のこめかみにキスしたときの柔らかさや、肌からたちのぼるいい匂いが恋しくてたまらない。だが、いまの娘が幼い顔にどんな表情を浮かべて自分を見るか、氏にはよくわかっていた。怒りをこめたまなざし、不用意に声など漏らすまいと固く引きむすんだ唇。女ながら自分にそっくりな娘のそんなふるまいを見ていると、胸にどす黒い憤りと憎しみが湧きあがってくる。いったい、あのいまいましい猫と娘の間には、どんな絆が存在したというのだろう？

そう、近所の人々があれこれとささやき交わしているのは本当だった。アーガイル・レーンの突きあたりの家では、まったく会話がなくなってしまったらしいという噂。マクデューイ先生のところの嬢ちゃんは、飼っていた猫をその必要もないのにクロロホルムで殺されて以来、父親と口をきかなくなってしまったそうだ。そういえば、あの先生はすぐにクロロホルムを使いすぎるという噂があったが、それはやっぱり本当だったらしいな。そうとも、自分の娘の飼い猫にさえも憐れみをかけない獣医のところへ、病気の動物を連れていって何になる？　それでなくとも、あんなに尊大で、偏屈で、こちらがちょっとでも口をはさむと、とんでもない剣幕で嚙みついてくるような無礼な男なのに。

これが仕事にも大きな悪影響を及ぼしていることを、マクデューイ氏ははっきりと自覚していた。娘の飼い猫の件があってからというもの、あの先生は仕事に身が入らないようだという噂が広がるにつれ、待合室に並ぶ飼い主の数は目に見えて減ってきている。郊外の農場主たちには、けっして愛されているとはいえないまでも、これまでは少なくとも尊敬されていたというのに、いまや噂はそうした人々の間にまで広がりつつあるらしい。この二週間、往診を頼まれる回数は減るいっぽうだった。

「わからん――わからん――いったい、どういうことなんだ」友人がそこにいるのを忘れたのか、マクデューイ氏はうめくようにひとりごちた。「できるものなら、あの子の猫を生きかえらせてやりたいくらいだが」――それから、ふいに怒ったように、ぼさぼさした頭を振る――「だが、誓ってもいい、あの子がもう一度、あんな状態の猫をぼくのところへ連れてきたって、やっぱりクロロホルムを使うしか――」

「中には寂しい子もいるんだ」ペディ牧師が口をはさんだ。「メアリ・ルーはあの猫を可愛がることで、寂しさをまぎらせていたのかもしれないな」

牧師が言わずに呑みこんだ「あの子には母親がいないからね」という最後のひとことは、はっきりとした声となってマクデューイ氏の耳に届いた。娘が愛情を注いでいた猫に、自分は嫉妬していたのだろうか？　だからこそ、病状を正確に診断しようとせず、手っとり早く片づけてしまったということか？　だが、もう終わったことだし、いまとなってはどうにも仕方ない。そもそも、あれだけ遊び仲間がいるのだから、娘が寂しがっているはずはなかった。いつだって、近所の誰彼といっしょに遊んでいるではないか。

だが、あの猫の件以来、娘が友だちにもいつもの遊びにもすっかり興味を失い、毎日ひとりぼっちで長いこともの思いに沈んでいることに、マクデューイ氏は気づいていなかった。てっきりヒューイ・スターリングかジョーディ・マクナブとどこかに出かけているものと、マッケンジー夫人が思いこんでいるときも、たいていは入江の岸にひとりで出かけていって、砂浜に腰をおろしたまま見るともなく水面を見つめていたり、あるいはひそかに部屋に閉じこもって、愛しいものの死を嘆いたりしていたというのに。

遊び友だちも、いつしかメアリ・ルーから離れてしまっていた。同じ年ごろの仲間の変化や奇妙なふるまいを、子どもは大人よりも敏感にすばやく感じとるものなのだ。自分たちのそんな感覚を大切にし、だめだと思ったら諦めをつけるのも早い。波止場へ行こうとか、イチゴ摘みをしようとか、ヒューイ・スターリングのお屋敷の庭でピクニックをしようとか、そんな誘いをメアリ・ルーが無言のままかぶりを振って断ることが重なると、やがて子どもたちは寄りつかなくなった。ふいに荒々しく残酷で不条理な本性を現した世界から、メアリ・ルーはじわじわと身を引きはじめていたのだ。

マクデューイ氏はふたたびうめき声をあげた。「ああ、だが、どうしたらいいんだ？　しばらくすれば、あの子もきっとこんな遊びに飽きてくるとは思うんだが、ひょっとしたら、何かのはずみでさらに頑固にならんともかぎらんからな。まるで、ぼくがここにいないかのような目つきで、あの子はこっちを見るんだ——」

ペディ牧師には、放っておけばメアリ・ルーが飽きるとはとうてい思えなかった。「これから、あの子とちょっと話してみよう。何を考えてそんなふうにふるまっているのか、聞き出せるものならやってみるよ」

それきり、ふたりとも無言のままアーガイル・レーンの突きあたりまで歩く。マクデューイ氏は「何も聞き出せないさ――うけあったっていい」と捨て台詞を残し、診療所のあるほうの棟に消えていった。ペディ牧師は石を敷きつめた小道を歩き、隣にある友人の自宅に足を踏み入れる。メアリ・ルーは階段に坐り、こちらに目を向けていたが、その視線はどこを見ているのでもない、自分自身の心の中を見つめているのだということに、牧師は気づいた。そのうえ、その蒼ざめた顔色にも、げっそりと痩せたらしい姿にも驚かされる。二週間前、病気になった猫を抱いていた、元気でほがらかな子どもとは、まるで別人のような変わりかただ。

ペディ牧師はまじめくさった顔で帽子と傘を脇に置き、無理をして陽気にふるまうのはやめて、少女の数段下に腰をおろした。自分もひとりの父親として、子どもの心がどれほど複雑なものか、すべてとはいわないまでもいくらかは知っている。まずは無難な天気の話題を選んで、牧師は口を開いた。「ふーっ。夏のしとしと降りってやつは、なかなかやまないもんだね。服は乾く暇もないし、ちっちゃい女の子たちも外に遊びに出られないし。よかったらうちに来て、フィオーナやちびのアンドリューといっしょに、シャボン玉遊びでもしないかい?」

はるか、はるか離れたどこかから現実に戻ってこようとして、メアリ・ルーが懸命にもがいているのが見てとれる。ようやく夢のカーテンを引き開け、外に足を踏み出した少女は、真面目な顔でこちらをじっと見つめると、無言のままかぶりを振って断った。

その様子を見あげていたペディ牧師は、ふいにこの小さな、とりたてて可愛らしいわけでもない赤い髪の少女が、人形も、友だちも、四つ足の友だちもなく、たったひとりでこの石造りの家の階段にぽつりと腰をかけている光景に、なんとも形容しがたい感情がこみあげて胸が震えるのをおぼえた。だが、同時に、神の手足となって働く人間として、こんなにも深く傷ついた魂が目の前にいることに、大きな衝撃を受ける。大人ならまだしも、これほど苦しんでいる子どもなど、いままで目にしたことはない。病室に足を踏み入れたとたん、室内の雰囲気を敏感に読みとって病状を診断できる医者のように、牧師はその苦しみをまざまざと感じとっていた。

「メアリ・ルー」優しく、しかし真剣な口調で、でっぷりした小柄な牧師は呼びかけた。「トマシーナのことで、きみはそんなにも悲しんでいるんだね――」少女の目が、ふいに怒りに燃えあがる。やがて顔をそむけた少女に向かって、牧師は先を続けた。「わたしも、トマシーナのことはよく憶えているよ。この階段の下に、いまも坐っているような気がするくらいね。どれくらいちゃんと憶えているか、聞いていてくれるかな。まちがったら教えてほしいんだ」

信じていいものかどうか、メアリ・ルーはためらいがちにこちらに視線を戻したが、それだけでも充分だった。「身体はこれくらいの長さで」――手を開いてみせる――「これくらいの幅で、背の高さはこれくらいだったよね。毛皮にはショウガとハチミツ入りのビスケットみたいな色の縞が入ってたけれど、胸のところだけは三角形に真っ白くなってたな、こんな形の――」牧師は指で形を作ってみせた。

メアリ・ルーはきっぱりとかぶりを振った。「丸かったよ――こんなふうに！」

牧師はうなずいた。「そうそう、そう言われれば思い出したよ。たしかに丸かった。つま先は三本が白くて――」

「四本」

「尻尾のいちばん先っぽに白い斑点が――」

「うん、でも、つま先のよりはちっちゃいの――」

「そうそう、そうだった。頭の形はすごくきれいだったね。耳は優雅にぴんととがっていて、頭の割にちょっと大きかったけれど、まっすぐ立てたところはいかにも機敏で頭がよさそうに見えたよね」

いまやメアリ・ルーはひとことも聞きのがすまいと真剣に牧師を見つめ、ひとつひとつ頭の中で確認している。その表情は、いつしか和らいでいた。蒼ざめた頬に血の気が戻り、目も生気をとりもどしたようだ。

「それから、鼻だ。鼻はどれくらい憶えているかな。教会の屋根の素焼き瓦みたいな赤茶色で、小さな黒い点がひとつあったよね」

「ふたつ」メアリ・ルーは訂正し、二本の指を突き出しながら、得意そうにえくぼを浮かべた。

「ああ、そうか、ふたつだ。もうひとつはごく小さくて、ひとつめの下にあったっけな。よくよく目をこらさないと見えないくらいの小さな点だったね。次は目だ。どんな目だったか憶えているかい、メアリ・ルー？」

少女は熱心にうなずいたが、自分では説明しようとせず、牧師が描写してくれるのを待っていた。「目は、まちがいなくトマシーナのいちばん美しいところだったね。黄金の台座にはめこんだエメラルドかと思うくらいに。ピンクの舌のきれいなことといったら、うちのノイバラのつぼみが、春になってようやくほころびはじめたときのような色をしていたっけ。そういえば、お茶の時間にトマシーナがきみの向かいの席に坐り、白いナプキンを首に巻いて、舌の先をほんのちょっとのぞかせていたのを見たことがあるよ。あのときは、てっきりこう思ったね。『おやおや！　トマシーナがうちのノイバラの花を食べているじゃないか。花びらが一枚はみ出してるよ』って」

メアリ・ルーは声をあげて笑った。驚いたマッケンジー夫人がキッチンのドアから頭を突き出したほど、この家で久しぶりに響いた笑い声だ。「でも、花びらじゃないもん。トマシーナの舌って、いつもそんなふうに見えるけど」

ペディ牧師はうなずいた。「事情が呑みこめたときには、自分でも間抜けだと思ったよ。それにしても、トマシーナは本当にお行儀のいい猫だったね。ほんものの貴婦人のようにテーブルに向かって、いいと言われるまでは温めたミルクを舐めようともしなかった。きみがビスケットをやると、いつも鼻で三回つっついてから食べていたっけ」

「トマシーナはキャラウェイのケーキがいちばん好きだったのよ」メアリ・ルーは言葉を切り、やがて尋ねた。「どうして鼻でつっついてたの？」

「そうだね」牧師は思い出をふりかえるような目つきをした。「きみの考えかた次第だよ。ひょっとしたら、トマシーナは用心ぶかくて、口に入れる前にまず匂いを嗅ぐことにしていたのかもしれない。もっとも、誰かとお茶を飲むときには、あまりお行儀のいい習慣じゃないけれどね。でなければ、逆にすごくお行儀がよくて、鼻でつっつくたびにこう言っているつもりだったのかな。『えっ、わたしに？——あら、かえって申しわけないわ！——そうね、そこまでおっしゃるなら……』」

「お行儀よかったんだ」メアリ・ルーは結論を下し、訳知り顔できっぱりとうなずいた。

「それに、身のこなしも本当に美しかったな。すらっと伸びたしなやかな身体の優美だったことといったら。きみが首に巻いてるときには、いかにもくつろいで、まるで眠っているみたいだったよ」

「トマシーナ、夜はあたしのベッドでいっしょに眠ってたの」メアリ・ルーの瞳は、いまや生き生きと輝きはじめていた——

「あと、きみを呼ぶためだけの特別な声があったよね、あれはどんなふうだったっけな？　前にここを通りかかったとき、きみたちがいっしょに家の前にいて、トマシーナがきみの注意を惹こうと呼びかけてたんだ」

メアリ・ルーは握りこぶしを小さな丸いあごに押しあててじっと考えこみ、やがて、いまは亡きトマシーナの、めったに聞かれることのなかった愛情こめた呼び声をかなり上手に真似してみせた。「プルルルルルルウ」

「そうだった。まさに『プルルルルルルウ』って言ってたね。ほら、わかるだろう、メアリ・ルー。トマシーナは本当に死んでしまったわけじゃないんだよ。ほら、こうやってトマシーナのことを思い出すことができるだろう、ふたりでいっしょにさ。そうすれば、生きていたころそのままの姿が、はっきりと目の前に浮かぶじゃないか」

少女はまた口をつぐみ、じっと牧師を見つめた。何を言われたのかよくわからないというように、赤褐色の巻き毛に隠れた幼い眉をひそめる。

「トマシーナは生きているんだよ。きみやわたしの思い出の中にね。いまみたいにトマシーナのことを思い、あの美しい姿を頭に描けるかぎり、トマシーナはけっして死なないんだ、わからないかな？　目を閉じて想像するだけでいいんだ。誰も思い出をきみから取りあげることはできないんだよ。ときには、ベッドで眠っているきみの夢の中に、トマシーナが遊びにきてくれることもあるかもしれない。生きているころより十倍も美しくなって、愛情にあふれてね。さあ、目をつぶってごらん。いま、ふたりで思い出したとおりのトマシーナが、目の前に見えるだろう？」

メアリ・ルーは必死の面持ちで目を閉じた。「うん」だが、やがて目を開けると、少女はペディ牧師の目をまっすぐにのぞきこみ、ぽつりと言った。「でも、あたし、トマシーナにここにいてほしい」

牧師はうなずいた。「そうだろうね。でも、もうどうしたらいいかわかっただろう。ただ目をつぶり、心の中で呼ぶだけで、トマシーナはそばに来てくれるよ。もう少し大きくなったら、メアリ・ルー、きみにもわかるようになる。愛には別の形があるんだってことも、誰かと死に別れる悲しみが、人生という困難な旅の一部分だってこともね。そのときには、きょうきみに伝えようとしたことを、いくらか思い出してくれるだろうな――どれほど悲しみや嘆きが深くても、愛情に満ちた思い出に癒せないものはないんだよ。わかってくれたかな、メアリ・ルー?」

少女はこの問いには何も答えずに、真剣な顔でじっとこちらを見つめている。ペディ牧師は問題の核心に踏みこむことにした。「きみやわたしと同じように、きみの父さんの心にも、やっぱりトマシーナは生きているんだよ。きみが父さんの首に腕を巻きつけ、『大好き』ってお決まりの文句をささやいてあげれば、今度はきみと父さんでトマシーナのことを思い出せるようになる。わたしたちが、いまここでやったみたいにね。父さんはもっと別のことを憶えていてくれて、さらにトマシーナの姿がはっきり浮かぶようになるかもしれないし――」

メアリ・ルーは一瞬、じっくりこの提案を考えてみたようだったが、やがてゆっくりと、しかしきっぱりとかぶりを振った。「無理よ。父さんは死んじゃったんだもん!」

今度は、度肝を抜かれたペディ牧師がまじまじと少女を見つめる番だった。これまでの知識と経験をもってしても、この会話の急展開ぶりにはとうていついていけなかったのだ。「そんな、メアリ・ルー、どうしてそんなことを言うんだ? きみの父さんは死んだりしていないじゃないか……」

「ううん、死んだの」幼い少女は感情をこめずに重々しく告げ、それからぶっきらぼうにつけくわえた。「あたしが殺したから」

「おやおや」牧師は穏やかに応じた——ようやく風向きを呑みこんだのだ——「それはまた、あまり思いやりのある行いとはいえないね。いったい、どうやって殺したんだい？」

楽しげな、かすかに悪意さえうかがえる表情を浮かべ、あらためて満足感を嚙みしめながら、メアリ・ルーはその様子を詳しく語った。父親であり、聖職者でもありながら、自分の理解していた子どもの心理というやつは、重要な部分が欠落した理想論にすぎなかったのかもしれないと、牧師は考えこまざるをえなかった。

「父さんを白くて長い台に寝かせてね、瓶の中身を布にしみこませて、それを鼻に押しつけてやったんだ。最初、父さんは必死でもがいてたけど、あたしは父さんの身体にまたがって、動かなくなるまで布をずっと押しつけてたの。それで、父さんは死んじゃった。父さんの身体はごみの山に乗せといたんだけど、後で絹張りのかごに入れて、あたしも喪服を着て、みんなで埋めにいったんだ。ジェイミー・ブレイドはお葬式の曲を吹いてくれたけど、あたしは父さんが死んだのが嬉しかったから、全然泣かなかったのよ」

ペディ牧師は、もう一度だけ別の方向から攻めこんでみた。「じゃ、夕方になると帰ってきて、きみの向かいの席に坐り、きみが挨拶もしてくれない、話しかけてもくれない、おやすみなさいのキスもしてくれないからって、傷ついている男の人はいったい誰なんだろう？」

メアリ・ルーはその質問をじっくり考えてみた。「知らない人よ」それから、きっぱりと言いはなった。「あの人、嫌い」

若いころからスポーツが大好きで、選手だった経験もあるアンガス・ペディ牧師は、負けを認め、潔く引きあげるすべを心得ていた。ため息をついて階段から立ちあがると、帽子と傘を手にとる。それから少女に歩みより、こう声をかけた。「そのうちまたゆっくり話をしよう、メアリ・ルー」蒼ざめた頬にキスをしても、少女はいやがらなかった。そして、牧師はマクデューイ家を後にした。

だが、ふたたび血の気の失せてしまった顔、輝きを失ってどんよりと曇った深い青の瞳、そして、ふりかえったときに目に映った、子どもというよりも腰の曲がった小柄な老婆のような姿が気にかかってならない。次にアンドリュー・マクデューイに会ったときには、ストロージー医師の家に寄って相談するか、いっそ娘を診てもらって、何か身体に悪いところがないかどうか調べてもらうべきだと、きちんと忠告しなくては。ペディ牧師は博学な人間だったから、実際に起きた事件ばかりでなく、想像によって作りあげられた悲劇からも、深刻な精神的外傷が残りかねないということを知っていた。七歳の少女が、目の前で母親の象徴ともいうべきものをクロロホルムで殺され、その同じ日に、心の中で父親を殺して復讐をとげたとなれば、これは痛手の深さを探るためだけであっても、家庭医の力を借りるべき事態だ。だが、ペディ牧師が話しあいの顚末を報告し、自分の失敗をうちあけようと診療所に寄ったとき、マクデューイ氏はあいにく遠く離れた農場へ往診に出ていたのだ。その後もさまざまな事情が重なり、ようやく老いたストロージー医師を呼んだときには、事態はもう手の施しようがなくなっていた。

13

まもなく、アンドリュー・マクデューイ氏と娘の飼い猫をめぐる噂は本人をよそにインヴァレノックじゅうに広まり、診療所への客足にまで影響をきたしはじめた。いまや、郵便局や薬屋にちょっと立ちよるだけでも、そこに集まってにぎやかなおしゃべりに興じていた人々が、さっと声をひそめるのがわかる。自分に向けられる非難のまなざしや、背中を向けたとたんに始まるひそひそ話を、さすがのマクデューイ氏も意識しないではいられなかった。

そうした噂のいくつかは、氏の耳にも届いてきた。自分の娘の飼い猫も治せない、いや、治さないとは、獣医が聞いてあきれるじゃないか。あんな医者のところに大切なペットを連れていっても、どうせあっけなく安楽死させられるだけさ。いや、それどころかあの家じゃ、もう娘は父親に口もきかないし、お互いに何のやりとりもないって話がそこらじゅうに伝わってるがね。だとすると、一見そうは見えなくても、あの男にはどこかよほど性根のねじ曲がったところがあるにちがいない。

心中のいらだち、怒り、恥ずかしさ、鬱屈がつのるあまり、飼い主や患畜に対するマクデューイ氏の態度はいっそう攻撃的で居丈高になり、すぐにかっと腹を立てては相手に議論をふっかけるようになった。いままでよりもさらに大きな、荒々しい声をはりあげ、相手が何の気なしに漏らしたひとことに対しても、どこかに侮辱やほのめかしが隠されていないかとあれこれ気を回す。やがて、夏休みにこの町を訪れている観光客たちでさえ、こんなに感じの悪い変わりものもめずらしいと思うようになったが、近場には他に獣医がいないので、夏につきものの疥癬《かいせん》や虫刺され、気の荒い地元の動物に嚙みつかれた傷などを治療してもらうには、おそるおそるマクデューイ氏の診療所へ飼い犬を連れてくるほかはなかった。

だが、《変人ローリ》《いかれたローリ》と呼ばれながら峡谷の奥で世捨て人のような生活を送り、小人や天使たちと語らい、翼あるもの、四つ足のものたちと不可思議な方法で交流する女の存在を知っている地元の住民たちにとっては、いささか事情がちがう。以前はマクデューイ氏の診療所へ通っていた飼い主たちも、《アードラス峡谷の赤毛の魔女》の住みかまではるばる巡礼に出るようになったため、小さな石造りの家の脇、《コヴンの木》であるオークの枝から吊るされた《慈悲の銀の鐘》が鳴らされる回数も、このところぐっと増えてきた。

そうした巡礼者たちの噂話から《いかれたローリ》の名を聞きつけたマクデューイ氏が、自分の競争相手、あるいはきちんと話をつけなくてはならない厄介ものとしてその女を意識するようになったのも、こうなったからには避けられない展開だったといっていい。

これまでにも、氏はその女の噂を聞いたことがなかったわけではない。とはいえ、酒をすごすたびにロバート・バーンズの詩の暗誦をえんえんと続けるという特技を、いつもお気に入りの酒場《女王陛下の紋章亭》の前で披露するラブ・マッケクニーや、紙やひもの切れっぱしを拾いながら町を歩きまわっているメアリばあさんのような、単なる地元の変人、町の名物くらいにしか思っていなかった。ローリは町の住民に、なかなか姿を見せない噂の人物として、かなり以前から受け入れられていたのだ。いまとなっては、誰もあらためて気にすることはない。せいぜい、荒涼とした峡谷のふところ深くに住み、精霊と語りあい、動物の言葉を理解する魔女の物語に、観光客は喜んで耳を傾け、幼い子どもたちは心底おびえて、魔女の家のあたりにはけっして近づかなくなるくらいのものだ。

たまに、そうした観光客のひとりが食料品店や薬局、衣料品店などで、赤い髪に大きな緑がかった瞳をした、もの静かな若い女性を見かけることもある。とりたてて美人ではないが、あらためて見かえすと、いかにも感じのいい表情を浮かべている女性。だが、これが噂の《赤毛の魔女》《変人ローリ・マグレガー》本人であり、たまたまめずらしく町に下り、自分や四つ足の仲間たち、患畜たちのために必要な日用品を買っているところだなどと、夢にも思ってみることはない。

だが、マクデューイ氏はローリを見かけたことはなかった。インヴァレノックはどちらかというと大きな町で、ふたりがたまたま出会うことはまずない。そもそも、氏はそんな女について、何の興味も持っていなかった。その地方の不思議や変人など、地元民にとってはどうでもいいことなのだから。

とはいえ、こうなっては、噂は広がるばかりだった。いまだ色あせることのない雇い主への忠誠を胸に、ウィリー・バノックは耳ざとくもいろいろな場所で人々の会話を盗み聞きしていた。「ああ、まちがいない、あの女は小さいけものの扱いかたを心得てるよ。ちょっと手を触れただけで、死にかけた老いぼれ犬も子犬みたいに飛びはねるんだから」「あの女はすごい魔力の持ち主らしい。怒らせると恐ろしいことになるかもな」——そして、何度もくりかえし耳に入ってくる話——「あの《慈悲の鐘》ってやつを鳴らしてごらん。あそこでは、病気の動物が追い返されることはけっしてないんだ。どれほど看病が大変でも、金はこれっぽっちも受けとらないんだよ。森のけものも、あの女の手から餌を食べるんだそうだ……」

衛生検査のため郊外の農場へ向かうべくジープを走らせ、アードラス峡谷のふもとの草地にいまだとどまっているジプシーの野営地の脇を通りすぎながら、マクデューイ氏はこうした噂を思い出し、またしてもむらむらと怒りがこみあげるのをおぼえた。

草地の隅にU字形に停めた幌馬車や荷馬車から、朝もやのかかる空に煙がたちのぼっている。ぴんと張られたロープには色鮮やかな洗濯ものがはためき、遠くからマクデューイ氏が聞きつけた金属音を響かせて、蹄鉄工が馬に蹄鉄を打ちつけていた。

野営地のはずれには、野生動物を入れておく檻に仕立てた荷馬車が一列に並んでいたが、まだ見世物を始めた様子はない。

ジプシーたちは警察の目を意識して行いを慎んでいるらしく、少なくとも、いまのところ苦情は出ていなかった。女たちは手あかでべとべとしたタロット・カードで運勢を占い、男たちはブリキや銅の料理器具を売って収入を得ている。古来から鋳掛け屋《カルデライ》を生業としてきたジプシーの末裔として、この仕事には精通しているのだ。町の住民たちは疑いぶかい視線を向け、ジプシーとは距離を置いていたが、夏の観光客たちは、荒涼としたハイランドを背景にした、野営地の華やかな彩りに目を奪われて、その背後の不潔さや野蛮な残酷さ、けものじみた貪欲さには気づかないまま、そのロマンティックな雰囲気にうっとりしていた。

内陸の丘陵に向かってジープを走らせながら、マクデューイ氏は不機嫌な目を野営地に向けた。外国人、しかも不潔な連中などに用はない。とはいえ、このあたりの農場主たちの噂話から、いつのまにか警察よりもジプシーたちの事情に詳しくなっていた。この集団をまとめているのは熊の調教師、酒好きで粗暴な大男だ。熊使いとして知られるバルカン半島のジプシーの子孫らしく、動物に対して残酷な祖先の血を受けついでいる。町から遠く、警察の目が行きとどかないのをいいことに、どうやらこれから見世物興行を打って、夏の観光客相手にひと儲けしようとたくらんでいるらしい。

だが、ジプシーどもが何をしようと、マクデューイ氏の知ったことではなかった。警察がもっと真剣に職務に取り組んでいたなら、こんな小悪党どものねぐらはとうにきれいさっぱりなくなっていただろう。そもそも、ここに野営する許可など出さずに、どこかよその町へ厄介払いしてしまっていただろうに。だが、そのときちょっとした事件が起きて、マクデューイ氏の頭からジプシーの件を追いはらってしまった。病に苦しむ動物の扱いに長け、苦労もいとわず看病するという、例の魔女の噂を裏づける決定的な証拠を、ついにこの目で確かめることになったのだ。

アードラス峡谷と、さらに丘陵を上っていった先にある、農場ばかりの小さな集落バノックスタイルを結ぶ岩だらけの道をやってくるのは、そこの農場で牛飼いとして働いている、亜麻色の髪を短く刈りこんだ少年だ。トネリコの若木を切った突き棒で、角の曲がった斑の牝牛を追いたてている。

マクデューイ氏はジープを停め、身を乗り出して、土地訛りでその少年に話しかけた。「おい、そこの若いの。キンカーリー農場のローゼルを、いったいどこへ連れていくつもりだ?」このあたりの農場で飼っている牝牛や牡牛、農耕馬なら、その名前、血統、毛皮の模様にいたるまで、氏はすべてを知りつくしている。

少年は足を止め、質問はすべて干渉とみなし、わが道を行きたがるハイランド人らしい、冷たくかたくなな視線をこちらに投げた。だが、しばし考えた後、少年は口を開いた。言いつけられた用向きにすっかり心細くなっていたので、誰かと話せるのが嬉しかったのだ。

甲高い声で答える。「牝牛の乳が出なくなっちまったんだ。昨夜っから元気がなかったんだけど、今朝になってみたら、ウイスキーの空瓶よろしく、どんなにしても一滴も出てこねえんだって、キンカーリーさんが言ってた」

マクデューイ氏は鼻を鳴らした。「キツネ狩りじゃあるまいし、そんなふうに追いまわしていれば病気が治るとでも思っているのか? ちょうどよかった、ぼくが診てやろう」

亜麻色の髪のひょろっとした少年は、マクデューイ氏がかばんを手にジープから降りようとするのを見て警戒するような顔つきになり、あわてて牝牛のそばに駆けもどった。「いいよ、いいったら! 先生に診てほしいわけじゃないんだ。おれ、こいつを峡谷の《赤毛の魔女》んとこに連れてけって言われてるんだよ。キンカーリーさんから、支払いの金も預かってる。まったく、おっかない使いを頼まれちまったよ。まじないとか魔法とか、そういうのは苦手だってのに。先生は《いかれたローリ》を知ってるかい？　おれも魔法かけられちまうかな？」

マクデューイ氏は怒りを爆発させた。「馬鹿馬鹿しい！　頭がいかれたのはおまえたちのほうじゃないのか？　キンカーリーも何を血迷ったんだか知らないが、峡谷のいかれた予言ばばあのまじないで牝牛の乳が出るもんなら、乳の代わりにビールが出てきたって驚かんな！」

少年は意固地な顔つきになった。「おれはただ、キンカーリーさんから言われたとおりにするだけさ。好き好んで自分から行くわけじゃねえんだ！　魔女を見ちまったら、ちゃんと魔除《まよ》けのまじないだってするさ。こんなふうに――」握った手の親指と小指を立ててみせる。

マクデューイ氏は叫んだ。「さっさと行けばいいさ。こっちはおまえの主人と話をつけるだけだ。家畜が病気になったら誰を呼ぶべきか、はっきりさせてやる――」

キンカーリーはいかつい顔にがっしりした体格の農場主で、ぼさぼさした髪のせいか、身体に比べて頭が妙に大きく見える。いつもパイプを口にくわえ、まずはじっくり考えてから、自分の考えや権利を踏まえてはっきりとものを言う男だ。マクデューイ氏が怒りにまかせて農場の前庭にジープを乗り入れたとき、キンカーリーはちょうどホースで牛舎をきれいに洗い流しているところで、いくら悪態をつこうと、どなろうと、脅そうと、どこ吹く風と聞きながされた。

「まあまあ」憤る獣医をなだめるように声をかける。「そう興奮しちゃあ、血管が切れちまいますよ」パイプからたちのぼる煙を頭の周りに漂わせながら、しばしマクデューイ氏を眺めた後、キンカーリーは先を続けた。「あの牝牛は、州の条例で報告が決まってる病気にかかってるわけじゃねえですからね。乳が出なくなったときにどこへ連れていこうと、そりゃあこっちの勝手じゃねえですか」

農場主の口調にいくらか冷静になり、マクデューイ氏は答えた。「ああ、たしかにな、キンカーリー――あんたに向かって声を荒らげたりする理由はなかった。だが、あんたたちがどうして急にこうも変わってしまったのか、ぼくにはとうてい理解できんのだが。これまでは、ぼくの診療にみんな満足していたじゃないか。中世に逆戻りしたような迷信に頼って、乳の出なくなった牝牛を魔女にまかせたりはしなかったはずだ」

農場主は、そんな言葉に心を開きはしなかった。パイプをじっくりふかし、答えるつもりがないのかとマクデューイ氏が思いはじめたころになって、ようやく口を開く。「そうさな、マクデューイ先生、時代が変わったってことですよ。ひょっとしたら、逆戻りしてるのかもしれねえ。ただ、これだけは言っておきますがね、どんな時代になろうと、わしの仕事には誰にもあれこれくちばしを入れさせるつもりはねえ。わしだって、先生の仕事にくちばしをはさみゃしねえんですからね。うちの農場に、衛生的に何かまずいことがあるんなら、はっきり言ってくれりゃいい。そうじゃねえんなら、さっさと引きあげてくれりゃありがたいんですがね、別に来てくれと頼んだわけじゃなし――」

マクデューイ氏は自分より小柄な農場主の前に立ちはだかり、がっしりした肩をいからせた。赤いあごひげをぐっと突き出し、革の上着のポケットに固めたこぶしを突っこむと、怒りに燃える目でにらみつける。だが、農場主は平然とこちらを見かえし、いまにもパイプの煙をこちらの顔に吹きかけんばかりの態度だったので、マクデューイ氏もすぐにわれに返り、さっさとジープに乗りこんで農場を後にした。スコットランドの高地っ子と喧嘩をしても仕方がない。いったんこうと決めたらがんとして動かない連中なのだから、むきになるだけ無駄というものだ。

だが、《いかれたローリ》として知られる例の女のことは、また別の問題だ。できるだけ早く手を打とうと、マクデューイ氏は心を決めた。

診療所に戻り、診察室に入っていくと、ウィリー・バノックはとくに報告することもないらしく、顕微鏡検査の標本作りに没頭している。マクデューイ氏は手を殺菌消毒し、白衣をはおると、待合室に頭を突き出したが、そこにはパグ犬のファンを連れたペディ牧師がいるだけだった。ファンはいつものように苦しげな呼吸をし、げっぷを漏らし、白目をむいて天井を見あげている。ずんぐりした小柄な牧師はいかにも居心地悪そうに、犬といっしょに奥で小さくなっていた。

マクデューイ氏は友人を診察室に手招きしながら、誰もいない待合室に顔をしかめた。満員のときも腹を立てておきながら、人が来なくなったといってむっとする、そんな自分の心の矛盾には気がつかないらしい。今回は友人と冗談のやりとりを楽しもうともせず、棚に並んだいつもの薬の瓶に、機械的に手を伸ばす。

実のところ、マクデューイ氏は友人に会えて嬉しかった。峡谷に住んでいる謎めいた女について、何か教えてくれそうな人間といえば、この牧師しかいなかったからだ。一週間前、ペディ牧師がメアリ・ルーの気持ちを動かそう、せめていくらか心を開かせようとして失敗した件について手短に報告し、しばらくは成り行きにまかせて様子を見るほかはないが、念のためにあの子を町の医師に見せたほうがいいと忠告してから、ふたりはずっと顔を合わせていなかった。忠告の前半はマクデューイ氏も聞きいれたものの、後半は聞きながしたままになっている。

その日明らかになった事実の核心に、マクデューイ氏はいきなり切りこんだ。「ちょっと訊きたいんだが、アンガス。峡谷のどこかに住んで魔女のふりをしている、ローリとかいう名の気がふれた女のことを、きみは何か知っているか？」

牧師は腰をおろした。いつかこの質問が出るだろうと、ずっと覚悟していたのだ。いざそのときが来たからには、友人がきちんと納得できる説明ができるといいのだが。友人の答えを待たずに、マクデューイ氏は瓶の蓋を開け、消化不良に効く液体をいくらか犬の口の端に流しこんだ。犬の背中と丸い腹を軽く叩くうち、大きなげっぷが出て、小柄な牧師の顔にも、しわくちゃな黒い犬の顔にも、ほっとしたような表情が浮かぶ。唇の端にその笑みの気配を残したまま、牧師は口を開いた。「気がふれているとは思わないがね、アンドリュー。言ってみれば、ここよりももっと住みやすい世界を見つけた、現代の世捨て人というやつかな。それに、魔女でないことも確かだよ」

「ほう！　じゃ、きみはその女を知っているわけだ。ふん、世間で《いかれたローリ》などと呼ばれるからには、それだけの理由があってのことだと思うがね。ともかく、その女は免許もないのに獣医の真似ごとをしているらしいんだが、それはやめさせなきゃいかんな。今朝、うちが診療していた飼い主が、乳の出なくなった牝牛をその女のところにやって、まじないをかけてもらおうとするところをたまたま見かけてね。ごらんのとおり、うちの待合室も、きょうはとうてい盛況とはいえん状態だ。そう、それもその女のせいにちがいないと、ぼくは見ているんだが」

こんなにもかたくなに自分の欠点や失敗を見まいとしている男を前にして、いったいどうしたら目をさまさせてやれるのか、さまざまな人間を相手に経験を積んできたペディ牧師も途方にくれるばかりだった。いま真実を突きつけたところで、友だちをひとり失うことになるだけだ。自分と友人の間に横たわるこの越えがたい溝は、必ずしも友人の性格の短所だとは思わない。むしろ、創造主たる神が教え導く世界ではなく、偶然に発生し、偶然にまかせて迷走する世界に生きようとする人間にとって、複雑にからみあってしまった問題が、古来からありがちな形で浮き彫りにされたにすぎないのだ。敬虔《けいけん》な神学者であり、同時にごく単純明快な人間でもあるペディ牧師にとって、無神論者には天罰が下ってあたりまえだし、神を信じないものは自ら災いを背負いこんで歩いているも同然だった。だが、いまさらそんなことを言っても始まらないことは、牧師にはよくわかっていたから、ただこう尋ねることにした。

「それで、いったいどうするつもりかね？」

「もっとも簡単なのは、警察に突き出すか、通報してやるかだな。医師免許なしの医療行為には厳罰が科せられることになっている。獣医だって同じことさ」

ペディ牧師の顔が、初めて曇った。「いやはや、そいつはまた。わたしには、どうしようもなく軽率な方法に思えるがね。ローリは誰かに力を貸してやっても、一度だってその見返りに金を要求したことはないんだ。わたしがきみなら、あの人を警察に通報したりはしないな」

マクデューイ氏は意固地にあごを突き出した。「ほう、なぜいけない？　偽医者を取り締まる法律は現に存在するんだ、そうじゃないか？　一生を研究と仕事に捧げてきた人間が、思いつきで動物を甘やかしたり、あやしげな薬草を煎じたりしているようなやからに、名誉を傷つけられてもいいものなのかね？　ぼくはそうは思わんのだが」

ペディ牧師はため息をついた。「ああ、たしかに、法律は法律さ。それが法律の困ったところなんだが。しかしだ、実は警察ではローリの評判はいいんだよ。なかなか、いや、本当によくできた女性だからね。仕事柄、警察官はあまり立派とはいえない人々を相手にすることが多いから、よけいそう感じられることだろうな。そうなると、訴えたとしても……」

「つまり、警察官としての当然の義務をはたさないだろうとでも言うのか？」

「いや、そういうことじゃない。うちの警察にかぎってそんなことはないよ。みなスコットランド人らしく、義務に忠実な人間ばかりだからな。ただ――」

「ただ、何なんだ？　あの女を訴えたら……」

「ああ、もちろん、きみの言いたいことはわかるよ。だが、こんなふうに考えてみてはどうかな」ペディ牧師は言葉を切り、まるで赤んぼうのように、というより黒い顔の子豚のようにファンをあお向けに抱きかかえ、そっと揺すってやった。牧師の黒い服を背にしてうっとりと白目をむき、四本の脚をだらしなく広げて優しくお腹を撫でてもらっているパグ犬を抱く姿ほど滑稽なものはそうそう想像できまい。だが、内面からにじみ出る優しさのせいか、こんなたとえ話を始めた牧師はさほど滑稽には見えなかった。

「クラハン夫人が隣に住むカルロス夫人にこう言ったとするよ。『今朝からずっと寒気がして、喉が痛くてねえ。つらくて家事をしようにも立っていられやしない——洗いものが山ほどたまってるのに』それを聞いて、カルロス夫人はこう答えた。『そうだわ、クラハンさん、エヴァンズの調合薬って服んだことある？ そういうときによく効くのよ。半年前、やっぱり寒気がしたときにもね、あれを服んだらしゃんと立てるようになったんだから。階段の下の棚に、まだ半分残った瓶があったはず。ちょっととってきてあげるわね』」

そこまで話したところで犬をうつぶせにし、背骨のいちばん下、くるりと巻いた尾のつけねのあたりをもんでやる。パグ犬はなんとも恍惚とした表情を浮かべた。「洗いものの山と同じく、さほど深刻ではない病状に苦しんでいたクラハン夫人のところに、カルロス夫人は薬を持ってきてやった。少し服んでみたところ、胃はぽかぽか温かくなってきたし、きついアルコール分のおかげで頭もぼわっとして、あっという間に治ってしまった。さて、ストロージー医師は、医師免許なしで医療行為を行ったとして、カルロス夫人を訴えるべきだろうか？」

ペディ牧師は言葉を切り、友人がこのたとえ話をじっくり考えてみたところを見はからって、こう締めくくった。「いや、アンドリュー、こんな話を法廷に持ちこんで、女性を相手にかんしゃくを起こしてどなったりしたら、みっともないのはきみのほうだよ。この女性のしたことは、傷ついた家畜を抱えてひとりで途方にくれていた羊飼いに手を貸したり、犬や猫に虫下しを服ませてやるよう、どこかの子どもや女性に教えてやったりといった、害のない手助けにすぎないと、警察も証言するだろうしね」

なかば相手の言い分を認め、なかば馬鹿にして、マクデューイ氏は鼻を鳴らした。「ああ、ああ、たしかにきみの言うとおりかもしれんな。女ってやつは、いつだって同情を集めて大目に見てもらえるんだ。だが、それほどその女をよく知っているなら、きみが話をつけに行ってくれればいいじゃないか」

「うーん、そう言われても——わたしはあの人のことを、ほとんど知らないんだよ。詳しい人間なんか、どこにもいないんじゃないかな」

「はあ？　そんな馬鹿な話はないだろう、アンガス。誰かは知っているはずだ。あそこにぽっと湧いて出たわけじゃあるまいし、当然それなりの事情があって——」

ペディ牧師はしばし考えこみ、なかば独り言のようにつぶやいた。「当然？　誰も知らない人間なんているわけがないって？」それから、質問に答える。「世の中とはそういうものなのかもしれないな、なんだか残念な気もするが。あの人の名は、ローリ・マグレガー。あそこの峡谷にある小作人用の家と納屋は、何年も無人のまま荒れはてていてね。そこへあの人が住みついたんだが、どこから来たのかは誰も知らない——訊いてみたことさえないだろう。機を織って生計を立てているそうだ。ひょっとしたら、姉妹と別れてこの地へやってきた、運命の女神の最後のひとりかも——」

マクデューイ氏はふたたび鼻を鳴らした。「なるほど、だとすると、説得にはますますきみが適任だな。気のふれた連中は、聖職者の言葉には耳を傾けるものだから――」

ペディ牧師はため息をつき、悲しげに頭を振った。「どうしてわたしが行こうとしないか、きみにわかってもらいたかったんだが。どんなやりかたであれ、わたしはローリの生きかたに干渉したくはないし、あの人の住んでいる世界を踏み荒らしたくもないんだ。あの人は、われわれの住む世界や生きかたを見て、それが好きになれなかったんだと思うよ。人とのつきあいかたも、われわれとはちがう。病み、傷ついて苦しむ無力なものたちのために尽くす、それだけのために生きているんだよ。フランス人の言う《真の修道女《ユヌ・ヴレ・ルリジユーズ》》というやつだな。現代ではもう、めったにお目にかかれない生きかただ」

マクデューイ氏はついにかんしゃくを起こし、荒々しく言いはなった。「修道女だかなんだか知らないが、みな少なからず気がふれた連中ばかりさ――わかった、それなら、ぼくが自分で出かけていって、うちにかぎらずこの界隈で仕事をしている人間の邪魔をしないよう、その女と話をつける分には、きみにも文句はあるまい」

椅子の端にちょこんと腰をおろし、抱いた犬のそこここを掻いてやりながら、アンガス・ペディ牧師はマクデューイ氏の宣言に胸騒ぎをおぼえていた。いかにもありそうな展開が目に浮かび、というよりも虫の知らせを感じて、あらかじめ忠告しておくのが友人としての務めだと心を決める。牧師は立ちあがり、犬を床に下ろすと、帽子を頭の後ろに載せながら、マクデューイ氏に真剣なまなざしを向けた。「そうだな。ああ、文句を言うつもりはないよ。だが、アンドリュー、わたしがきみなら用心するね。恐ろしい危険に踏みこむことにならないともかぎらないからな！」

マクデューイ氏はかっとした。「危険だって！　どんな危険だ？　頭がどうかしたんじゃないのか、アンガス？　どういうことなのか、説明してくれ――」

そう詰めよられて初めて、牧師は当惑したような表情を浮かべた。「わたしは――」言いかけてためらう牧師にいらだって、マクデューイ氏はさらに追いうちをかけた。「さあ、早く」

「わたしが神さまを持ち出しても、腹を立てたりしないでほしいな。神さまはわたしの仕事であり、使命なんだから。気腫疽のワクチンを打つだの、子羊に赤痢の予防接種をするだのって話をきみから聞かされるたびに、わたしがかんしゃくを起こしたら、きみだって困るだろう」

マクデューイ氏は何も言わず、続きを待った。

「ローリという人は、神さまのすぐおそばで生きているんだと思うね。あの生きかたは、神さまを崇め、愛しているからこそだろう――わたしの言いたいのはそれだけだ……」

「じゃ、このぼくにどんな危険があるというのか、そこを聞かせてもらおうか」

小柄な牧師は犬を抱き、薬を手にとった。「神さまを愛するようになることかな」フィンを小脇に抱え、早足で診察室を出ていく。だが、ドアを閉めたかと思うと、もう一度頭を突き出した。「あえて危険を冒そうというのなら、ローリの家のドアを叩いたりはしないことだ。誰が来ても、あの人はドアを開けないからね。だが、家の前に立つ大きなオークの枝に鐘が吊るしてある。人間だけではなく、ときには動物も、ローリに用があるときにはその鐘を鳴らすんだ。《慈悲の鐘》と呼ばれているよ」

マクデューイ氏は牧師をにらみつけた。「ふん、そんな馬鹿馬鹿しいことにつきあっていられるものか。慈悲だかなんだか知らないが、ぼくには関係のないことだ――」

これを聞き、小柄な牧師の目が奇妙にきらりと輝いた。今度は婉曲な言いまわしをせず、はっきりと伝える。「慈悲を必要とするものがいるとしたら、それはきみだよ、アンドリュー・マクデューイ」そう言うと牧師は部屋を出て、ドアをそっと後ろ手に閉めた。

14

わが名はバスト・ラー、ブバスティスの猫の女神、いまはタリタと呼ばれる身。赤きあごひげの男が現れた日のことを、わらわは憶えている。

最初は幻影として、予知夢の中を、炎のごとき髪をして大股に歩んでいた。セクメト・バスト・ラー、《七つ星の貴婦人》たるわらわは、目の前の光景だけでなく、時空を超えたあれこれを見とおすことができるのだ。

真夜中、わらわはその凶夢に悲鳴をあげた。「死を！　死を！　猫の殺戮者に死と破滅を！　そはドゥアムテフ、ホルスの息子、死を司るジャッカルたるアヌビスの兄弟なり。赤きものはひげとなりてあごを覆い、髪となりて頭を覆い、炎となりて瞳のうちに燃え、血となりてかぎ爪と牙よりしたたり落ちる。赤こそは、犯しし罪の報いとしてその魂を包む破滅。その破滅から逃れられぬよう、バスト・ラーたるわらわが封印を施そう。われら神々の生命を奪いしものには必ずその報いあるべしと、『死者の書』にあるとおり」

夢の中、男は荒々しい足どりで近づいてきた。背後から血のごとく赤き陽光が差し、その手に握られた赤銅の斧の刃には、赤きしみがこびりついている。その姿は強大にして恐るべきソプドゥにも似て、バスト・ラーたるわらわも恐怖におののき、自らの悲鳴で目ざめることとなった。

そこは小さな家の神殿の炉辺で、消えかけた炎が血のごとく赤く輝いていた。隣室からはローリの甘き歌声と、機織りを終えて片づける音が聞こえてくる。ローリは歌をやめ、わらわに声をかけた。「タリタ！　かわいそうな猫ちゃん！　きっと悪い夢を見たのね。でも、ここでは何も怖がらなくていいのよ――」近づいてきてわらわを抱きあげ、揺すり、撫でる。

しかし、運命がすでに動きはじめたことをわらわは知っていた――おそらくは、ローリ自身がその糸を織り機にかけたにちがいない――いったん動きはじめたら、運命はその定められた結末に行きつくのみ。赤きあごひげの男がわらわの前に現れる日は、さほど遠くない。わが巫女の清らかな愛に包まれていてさえ、わが身はおののき、安らぐことはなかった。女神であること、知りすぎることは重荷でもある。

翌日、《コヴンの木》のすぐ脇ですべてが始まった。

時代が変わればならわしも変わるもの。《コヴンの木》、あるいは《コグランの木》という呼び名を耳にしたことがあろうか。わらわに説明してくれたウリーは、こう言ったものだ。「ああ、スコットランドの人間なら、いや、猫だって、そんなことは誰でも知っとるさ。あんたはスコットランドの生まれじゃないらしいな、タリタ」《コヴンの木》とは、屋敷や城の正面に立つ巨大なオークやブナのこと。大きく枝を広げて日差しや雨をさえぎり、安らぎの天蓋となる木をそう呼ぶ。

ウリーはさらに説明を重ねた。入口にそんな木を植えておくからといって、スコットランド人に客を中へ招き入れる優しさがないわけではない。それどころか、いったん知り合いになってしまえば、こんなにもてなし好きの人々もいないくらいだ。ただ、最初だけは――かつて、したたか痛い目にあったものがいたのだろう――中へ招き入れる前に、身分と用向きを確かめなければならない。だからこそコヴンの木陰のベンチで、見知らぬ訪問者と、旅人と、探求者と言葉を交わし、目的や素性を聞き出した後、屋敷の扉を開いたのだ。

わが小さな家の神殿の前にも、二歩走り、さらにひと跳びしたところに、そんなオークの木が立っていた。わがいにしえの住みかに生えていたシュロの二倍も背が高く、百倍も厚く生い茂っている。枝は石造りの家の屋根に覆いかぶさり、風に揺れる葉が葺き石を撫でる。先端は屋根の倍ほども高く、木に上れば、峡谷の下に広がる野原や、町に並ぶ煙突からたちのぼる煙が見えた。

以前に触れた《慈悲の鐘》は、もっとも低き枝に吊るしてある。鐘の舌には紐が結びつけられ、地面にだらりと垂れさがっていた。ときには苦しむけものを連れた人間が、わが巫女の癒しを求めてこの鐘を鳴らす。ローリこそは、養い育てる女神レネヌテトの化身なのだから。また、けもの自身がこの鐘を鳴らし、ローリが機織りの手を止めて助けに出てくるのを待つこともある。

自らの属する世界に通じ、賢さを誇りながらも、われら神々の王土についてはほとんど何も知らぬものなら、森の奥深くで傷ついたけものがローリの癒しを求めようと心を決めるなどという話を、さぞかし滑稽だと鼻で笑うことであろう。そんなけものが何キロものかなたから傷ついた身を引きずり、凍える流れを渡って家の前に立つ《コヴンの木》にたどりつき、《慈悲の鐘》を鳴らすなど、とうてい信じられぬことにちがいない。

しかし、わらわが神であったころには、こんなことに驚くものはいなかった。野のけものも、空飛ぶ鳥も、神々も、そして人々も、すべてはともに生きる兄弟、おのおのの魔力や知恵を分けあう仲間であったのだから。

翼を持つ鳥、四つ足で駆けるけものに、同じ大地にともに住まいながらも、自らにない力が備わっているのを見た人間は、それらを崇めた。魔法も、それが及ぼす力も、ごくありふれた生活の一部にすぎなかった。何が起きようと、驚くものはいない。生きとし生けるものすべて、そして生命を持たぬものすべてに、神はあまねく宿っていた。しかし、わらわが天よりこの地に戻ったいま、神はどこにも宿っておらず、魔法は時代遅れとされているらしい。

そのうららかな夏の朝、われらがみなそれぞれの仕事にかかっていたときのこと、《慈悲の鐘》が澄んだ空気を二度震わせ、そしてまた静かになった。コクマルガラスが叫びながら飛んでくる。「危険だ！　とんでもない危険だよ！　気をつけて！」わらわ、マック、ウリー、ドーカス、スコッチ・テリアのピーターと牧羊犬のシェップはみな、好奇心に駆られて集まってきたものだ。コクマルガラスのジャッキーは賢き鳥なので、われらもその警告を心にとめて用心おこたりなく、じわじわと《コヴンの木》に近づいた。ローリも家の中から姿を現し、手をかざして日よけにしながら目をこらす。鐘を鳴らしたのは、一匹のアナグマだった。

その脚には罠が食いこみ、アナグマの引きちぎった鎖がまだぶらさがっている。その鎖が地面に垂れさがった紐にからまり、鐘を鳴らしたのだ。これは魔法のしわざではない。それよりも、罠に捕らわれたまま犬に襲われ、肩と前足に白い骨がのぞくほどの傷を負った瀕死のアナグマが、おそらくは二キロを超える距離のかなたから、自らの行くべき場所を知り、この神殿に住まうわが巫女の癒しを求めて、その身を引きずってきたことにこそ、魔法は確かにひそんでいる。

われら猫族は距離をおいて腰をおろし、様子を見まもった。そのけものは膿《う》んだ傷の痛みになかば正気を失って、口からは白くよだれを垂らし、黄色き牙をひらめかせては、あたりかまわず嚙みつこうとしていたから。だが、犬たちはいつものごとく興奮し、アナグマに襲いかかって殺そうとした。どちらにせよ、すでに死にかかっていたのだから、いっそそのほうがよかったのかもしれない。

しかし、ローリはこう命じた。「坐りなさい。その子にかまわないで」犬たちは、言われたとおりにした。ローリはアナグマに歩みより、しきりに牙をひらめかせるそのけものを、しばし立ったまま見おろしていた。その牙がローリの手に食いこむ光景を、時を超えて見とおしたわらわは、ローリがアナグマのかたわらに膝をついた瞬間、すばやくアナグマに魔法をかけ、加護によりローリを守ったのだ。

ローリはかがみこみ、つぶれた後ろ足から罠を外してやった。それから、優しくアナグマを抱えあげると、腕の中でそっと揺すり、何ごとかをささやきかける。わが魔法と祝福により、ローリに害が及ぶことはなかった。その指に触れられ、苦しげに上下する脇腹を撫でられるやいなや、アナグマもおとなしくなった。ぐったりと頭を垂れたまま抱きあげられ、犬のごとくきょろきょろと動く目でローリを見あげると、クリーム色をした白目がのぞく。ローリは立ちあがり、苦しむけものたちを寝かせている納屋に、アナグマを運んでいった。われらのほとんどが、厳粛な足どりでその後に続く。

年寄りのウリーが、われらがみな感じていた安堵を口にした。「ふう！　まったく、肝を冷やしたな！　ローリの手や腕が嚙みちぎられなかったのは、まさに奇跡ってもんさね」わらわは何も言わなかった。この前の経験から学んでいたから。先ほど述べたとおり、時代が変わればならわしも変わる。わらわの起こした奇跡だと口にしたところで、それがいったい何になろうか。ナイルのふたつの流れに囲まれた島ブバスティスで、クフの神殿に女神として君臨していたあのころ、わらわを敬虔に崇めていた川の人足たちが船を転覆させたり、水に落ちたりしたときに、怒ったカバや腹を空かせたワニの牙にかからぬよう、わらわはこうして守っていたのだ。

そんなことを説明する代わりに、わらわは優美に尾を立てて、施療所とされる石造りの納屋へ、ローリに続いて足を踏み入れた。戸口に腰をおろし、アナグマが優しく台に寝かされるのを見まもる。棚には包帯や軟膏、薬の瓶が並んでいた。アナグマの下に清潔な白き布を敷いてやり、かたわらに洗面器とスポンジを置くと、ローリは湯の入ったやかんをとりに家のキッチンへ向かった。

やがて納屋に戻ってくると、やかんを床に置き、アナグマの頭の下に手を差し入れて、もう片方の手で優しく撫でる。愛と憐れみを、その瞳にたたえて。

そのとき、わらわがこれまで聞いたこともないほど悲しげな声が、アナグマの喉から漏れた。きいきいという、悲鳴のごとき声。うなり、すごむ力など、もはやどこにも残っていないのであろう。くんくんと鼻を鳴らすようにも聞こえたが、それよりも悲鳴に近い。憎しみや怖れは、なぜこんなにも早く愛に変わるのであろうか。荒々しく危険な、まさに怖るるに足る相手が、傷ついてその力を失い、ネズミのごとく悲鳴をあげる姿は、見るものの心を揺さぶらずにおかない。

わらわは顔をそむけ、わが背中をひとしきり舐めに舐めた。視線を戻すと、ローリは涙をこぼしながら、つぶれた後ろ足や、白き骨がむき出しになり、ひどく膿んだ肩の傷、そして噛み裂かれた前足をスポンジで洗っているところだった。肩の骨は折れ、前足はぼろきれのような肉でつながっているだけに見える。そして、つぶれた後ろ足――ローリはわらわにこう語りかけた。「見える、タリタ？　このかわいそうな子はひどいけがを負っているけれど、いったいどうしたらいいのか、わたしにはわからないの。何があったのか、想像してもみて。この罠にかかっていたときに、犬に襲われて、ここの骨がむき出しになるほど嚙みつかれたのよ。それでも、必死に戦って犬を追いはらったんだわ。そんなにも勇敢で雄々しい生きものを、このまま死なせていいはずがないのに」

ローリは細心の注意を払いながら、白き布の上に寝かされたアナグマの毛皮を、皮膚を、肉を、骨を、爪を調べ、優しく湯で洗い流した。アナグマは片目しか見えぬようだったけれど、信頼のこもった、すがるがごときまなざしで、ローリをじっと見あげている。

その恐ろしき傷に視線を落とし、ローリは悲しげに首を振った。「どうしたらいいのかわからないわ、タリタ。ああ、どうしよう、見当もつかないの。どこからとりかかったらいいのかさえわからない。このままにしておいたら、すぐに死んでしまうでしょうに。この子がどんなに美しいか、見てごらんなさい。この姿、この模様。神さまがこの子をわたしのもとに送りとどけてくださったのは、みすみす死なせてしまうためなんかじゃないはずなのに」

絶望したかのごとく、ローリは両の手をだらりと下ろした。しかし、すぐにきっぱりと頭をもたげる。その目には、勇気が輝いていた。わらわのほうを向き、こう声をかけてくる。「神さまのお助けを願いましょう、タリタ、わたしといっしょに」

ああ、ローリがわらわを神と認め、わらわに助けを求めてくれていたら、あの力がよみがえり、奇跡を起こせたかもしれぬのに。

ローリはこちらに歩みよると、戸口に腰をおろし、わらわの頭を、背中を撫で、あごの下を優しくくすぐってくれた。それから膝の上で指を組みあわせ、視線を天に向ける。唇を声もなく動かして祈りすすめるうち、その目に自信がみなぎり、口もとに信頼のこもった笑みが浮かびはじめた。

わらわもまた祈りを捧げた。その昔に教わったとおり、父たるラーに、母たるハトホルに、偉大なるホルス、イシス、オシリスに、プタハ、ムート、ヌーに、そして恐ろしきアヌビスにまで、その顔をわれらが敷居に向けぬよう祈る。もっとも古き神々、コンスと造物主アメン・

ラーにも。

ややあって、《慈悲の鐘》の鳴る音が聞こえてきた。

われに返ったわらわは、この朝、二度めに銀の鐘を鳴らしたものが誰なのかを確かめようと二歩走り、三歩めは跳躍して家の正面に出た。

しかし、あまりの恐怖と戦慄に、そこで足を止めて凍りつく。全身の毛が逆立ち、尾から頭にかけて、背骨が黒い尾根となって浮きあがった。耳がぺたりと頭に張りつく。怒りをこめて喉から漏れる低きうなり声は、やがて嫌悪のしるしのシャーッという叫びに変わった。

《コヴンの木》の向こう側、鐘のかたわらに立っていたのは見知らぬ男であった。その男の姿を見るやいなや、胸に憎しみが、吐き気が、恐怖がこみあげてくる。わらわはその場にうずくまり、そんなにも嫌悪をもよおさせる怪物を、この目でじっくりと確かめようとした。大柄な男だ。いかにも恐ろしき顔つき。赤褐色の髪に赤褐色のあごひげ、荒々しくあたりをねめつける目。男はそこに立ったまま、まるで《慈悲の鐘》を枝から引きちぎろうとでもしているがごとく、何度となくくりかえし紐を引いていた。

そのとき、わらわは悟った。今生でこそ、いままでこの男に会ったことはないけれど、これはわが運命の夢の男、あの赤き怪物だ。猫の殺戮者、ブバスティスの呪いをその身に受けし男。額には破滅のしるしが刻まれている。それなのに、骨の髄まで恐怖におののいているのは、このわらわのほうだった。

家の陰からひと跳びで木の下に躍り出たわらわに、男はまだ気づいていない。次の瞬間、わらわは木の幹に爪を立て、ひたすら上りはじめていた。ついにてっぺんに上りつめ、下で何が起きているのか、見ることも聞くこともできなくなるまで。やがて日が落ち、闇があたりを包むまで、わらわはそこから動かなかった。

そう、バスト・ラー、女神たるわらわは定命の人間に震えあがり、その前からあわてて逃げ出したのだ。どうしてそんなことになったのか、それすらうまく説明できない。

15

ようやく目的の場所にたどりついたいまになって、マクデューイ氏はいささか馬鹿馬鹿しくなりはじめていた。仕方なく途中でジープを停め、そこから細い山道をたどり、峡谷を上ってくるうちに、友人たるペディ牧師の描いてみせた法廷での自分の姿が、あらためてくっきりと頭に浮かびあがってきたのだ。そうなると、ここ森の奥で、いささか気がふれているらしい、責任能力もおぼつかないような相手を責めたてるのも、われながらあまり芳《かんば》しい所業とは思えない。

とはいえ、自分の仕事に関わる問題をこのままにしておくわけにはいかなかった。農場主たちが病気の牛や羊をこの気のふれた女にまかせるようになってしまったら、これまで自分がこの峡谷一帯に住む人々を啓蒙してきたことは、いったい何だったのだろう。

だが、ローリの家や納屋が視界に入ったところで、足を止めてあたりの様子をうかがいながら、マクデューイ氏はまたしても怒りが新たにこみあげるのをおぼえていた。このあたりに漂うどこか気味の悪い雰囲気に、守勢に立たされたような気がしたからかもしれない。

オークやマツ、カラマツ、すべすべしたブナの老木の茂る森のひんやりとした木陰に立ち、ブラインドやカーテンで窓を閉ざして静まりかえっている家を見つめる。目には見えなくとも、あたりには野生動物たちのはりつめた気配が満ち満ちているのが感じられ、こちらも息を詰めずにはいられない。森に棲むさまざまな生きものたちがうごめくかすかな音に包まれて、家はじっとまどろんでいた。

そのとき、綿毛のような尻尾がちらりと視界をよぎったかと思うと、つがいの野ウサギが家の前の空き地を横切って森に飛びこんだ。頭上の枝葉に身を隠しているらしいリスが、何ごとかがみがみと文句を言っている。侵入者におびえた鳥たちは、さえずりながらあたりを飛びまわっているらしく、時おり煙突やひさしに羽の色がちらりとひらめく。何やら大きなものが力強い翼をはためかせ、ひとり笑いのような声をあげながら、森の小道を飛び去っていった。

マクデューイ氏は巨大なオークの前で立ちどまった。いちばん低い枝には銀の鐘が吊るしてあり、舌に結びつけた紐が垂れている。ずかずかと家に歩みより、こぶしでドアを叩いたり、文明社会らしく備えつけられた呼鈴を鳴らしたりできない自分が腹立たしかった。だが、この家も、周囲のたたずまいも、そんな恥知らずな蹂躙を許しそうにない。静かに、だが着実に、この家の呪縛にかかりつつあったマクデューイ氏は、上着のポケットに手を深く突っこんだまま、腹を立てながらも途方にくれて、ただその場に立ちつくしているしかなかった。

だが、しばしの後に思い出す。魔女こそ信じてはいないものの、目に見えぬ全能の造物主にして世界を統べる神を信じるアンガス・ペディ牧師が、この小さな不思議の森の中心人物たる女をどう呼び出すか、その方法を教えてくれていたではないか。マクデューイ氏はさっきまでの勢いをいくらかとりもどし、肩をいからせてあごを突き出すと、乱暴に紐を引いて鐘を鳴らした。

金属の震える、透きとおって明るい冴えた音があたりに響き、氏ははっと息を呑んだ。驚いた鳥たちが、さらにせわしなく羽音をたてて飛びまわる。牝のノロジカが一頭、森のはずれに姿を現し、うるんだ目でじっとこちらの目をのぞきこんだかと思うと、身をひるがえして走り去った。だが、他に鐘に応えるものはない。

マクデューイ氏は何度も何度もくりかえし紐を引き、鐘をにぎやかに躍りあがらせた。何か小さなけものが稲妻のように木に飛びついたのが、見えたというより気配で感じられる。鐘の響きの一瞬の合間に、幹に爪を立てるかさかさ乾いた音がしたかと思うと、それは頭上の生い茂った枝葉の中に姿を消した。やがて、ふいに家の裏手から姿を現したのは、意外にも赤い髪をした平凡な見かけの若い女だった。

ペディ牧師との会話から、ローリが昔ながらの老いぼれたかぎ鼻の魔女ではなく、ごく普通の女だろうとはマクデューイ氏も予想していた。だが、こんなにも若く、こんなにも素朴な娘だとは——一見したところ、二十六か、せいぜい二十七歳だろう——しかも、何より驚かされたことに、緑の仕事着や手にはおびただしい血がこびりついているにもかかわらず、その顔にはいかにも優しさあふれる表情が浮かんでいるではないか。

そう、優しさ。他のどんな言葉も適当ではないと、一目見てマクデューイ氏は感じた。というよりも、最初に浮かんだ言葉がそれだけだったのだ。とりたてて美しいわけではない、目を見はるようなところは何もなかったが、その物腰、歩きかた、頭をもたげた角度、すんなりした脚と白い腕、すべてから穏やかさと優しさがにじみ出している。

どこにも奇矯なところのない、ごくあたりまえの人間をつかまえて、《アードラス峡谷の赤毛の魔女》などと呼び、子どもたちをおびえさせてこのあたりに近づけない、インヴァレノックの町に住む人々の頭の固さには、いまさらながら驚かずにはいられない。

また、この女が現れたとたん、内気でいて好奇心旺盛な無数の動物たちの、目には見えないながら伝わってくる気配、あたりを飛びまわる鳥たちのさざめきや羽音、そして、さっき笑い声をあげながら森の小道へ飛び去っていったものにいたるまで、すべてのものがあるべき位置に納まり、一幅の絵として焦点がきちんと合ったように感じられる。これがお伽噺のひとこまだとしたら、この女がいい魔女か悪い魔女かはまだわからない、そんな奇妙な思いが頭をよぎる。黄土色の猫と黒い猫、年老いた牧羊犬、ひどくはしゃいでいる黒いスコッチ・テリアを連れて、女はこちらに近づいてきた。これが取り巻き連中というわけか、とマクデューイ氏はつい真面目に考えた。赤いリスが尻尾をふわふわ振りたてながら、木の幹を駆けおりてくる。

だが、仕事着や手にこびりついた血がまだ生々しい色をしているのに気づき、氏は呪縛が解けるのをおぼえた。他のことに気をとられている場合ではない、この女がきちんとした権威の裏づけなしに獣医の仕事に手を染めているという証拠が、こうして目の前にあるではないか。

どうやら、銀の鐘に応えて出てきたとき、この女は手術の真っ最中だったらしい。

この訪問に備えて心に温めてきた怒りや憤りを、あらためて呼びおこすまでもなかった。無言のまま近づいてきた女に、声を荒らげて尋ねる。「あんたがローリか?」

「ええ。わたしがローリです」

優しい声。優しくて穏やかな声。その柔らかい声が心の壁を打ち崩し、中にどっと流れこんでくる。だが、あまりに長いこと温め育んできた怒りは、柔らかなもの言いなどに押し流されはしなかった。しわがれた声をはりあげて、マクデューイ氏は詰問した。「ぼくが誰だか知っているかね？」

「いいえ、知りません」

それを聞き、雷鳴と稲妻を従え、地響きとともに姿を現すジュピターもかくやと思われる声をはりあげ、肩をいからせて、氏はついに名乗りをあげた。「獣医のアンドリュー・マクデューイだ。インヴァレノックとその周辺を管轄する衛生官も務めている！」

これを聞いた女が恥じ入り、無念を嚙みしめるか、それともめんくらってたじろぐことを期待していたのだとしたら、マクデューイ氏はまたしても驚かされることとなった。まるで、自分の耳にしたことが信じられないとでもいうように、その顔にはみるみる喜びがあふれたのだ。表情の豊かな目には安堵と感謝の念がたたえられ、さっきまでは平凡に見えていた顔立ちが、まるで内側から輝きはじめたかのように見える。

「ああ」感謝の笑みを浮かべて女は叫んだ。「じゃ、わたしの祈りを聞きとどけて、神さまはあなたを遣わしてくださったのね。あなたの力がどうしても必要なんです、心から歓迎するわ、マクデューイ先生。手遅れにならないうちに、早く――」

この奇妙な歓迎ぶりに、マクデューイ氏はすっかり毒気を抜かれてしまった。自分はこの女のけしからぬ行いを糾弾しにきたはずではないか。祈りを聞きとどけて遣わしたとは、いったい何の話だろう？　この女は何のつもりでこんなことを言い、こんな態度をとっているのだろうか？　そのとき、心に答えがひらめいた。この女のもうひとつの呼び名のこと、人々の噂のことを、すっかり忘れてしまっていたのだ。

気がふれているんだ、とマクデューイ氏は思った。満月に照らされた猫のようなものさ。かわいそうな女だ。《腹黒い女》《狡猾な女》ではなく、《かわいそうな女》という表現を自分が選んだことを、氏は自覚していなかった。

女はさっき見かけたノロジカのような優美な足どりで先に立ち、気がつくと、マクデューイ氏もその後に続いていた。取り巻きの動物たちに足もとをうろちょろされながら、自分もお供の一員となり、真面目な顔で後を追う。家の裏手に回り、案内に従って石造りの納屋へ。入口のドアは開けはなしてあり、中の小さい部屋が見える。血や体液の飛び散った白い布に覆われた台には、いまだ苦しげにあえいでいるアナグマが寝かされていた。

マクデューイ氏は熟練した目を走らせ、すぐに傷の状態と程度を見てとった。後ろ足がつぶれ、肩の骨にひびが入り、前足が嚙み裂かれている。化膿した傷のいやな臭いが鼻をついた。

嫌悪に顔をしかめる。「うーむ！　これはひどいな」それから、手短に尋ねた。「罠か？」

「ええ。動けずにいるところに、さらに犬に襲われたんでしょうね。それから鎖を切って、ここまで……わたしの力では、これ以上どうすることもできなくて。それほど経験があるわけじゃないんです。だから、助けをお願いしたの」

お願いした相手がいったい誰なのかについても、免許を持たない商売敵にとどめを刺すつもりではるばる来たにもかかわらず、皮肉なことに、なぜか往診を頼まれただけのような結果になりつつある不思議についてもよくわからないままに、マクデューイ氏は上の空でうなずいた。だが、こんなことにのんびり時間を割いている場合ではない。さっさと核心に踏みこむ。「エーテルかクロロホルムと、布きれか何かを用意できるかね？　こいつを苦しみから救ってやろう、それが最善の道だよ」

ローリは穏やかに、こちらを信頼しきった口調で答えた。「そのまま死なせるために、神さまはこの子をここへお連れになったはずはないわ。あなただって、この子を死なせるために遣わされたのではないはずよ、マクデューイ先生」

マクデューイ氏はたじろぎ、まじまじとローリを見つめた。「ええ？　どうしてそんなことがわかる？」それから、そっけなくつけくわえた。「ぼくは神など信じてはいない」

「そんなこと、どっちでもいいわ。神さまはあなたを信じていらっしゃるもの。そうでなかったら、あなたをここへお遣わしにはならなかったはず」ローリは信頼のこもった目でこちらの目をのぞきこみ、穏やかながら謎めいた、いたずらっぽくさえある笑みを口もとにひらめかせる。その笑みにまっすぐ胸をつらぬかれたマクデューイ氏は、奇妙にも心をひどく揺すぶられ、どうにもわけがわからないまま涙までこぼしそうになって、動転しながらも呆然とローリを見つめた……自分の名を呼ぶこの女の声、忘れかけていた響きが、頭の中によみがえる。この澄んだまなざし、奇妙に人を惹きつけてやまない純粋で飾り気のない顔立ちに、氏はそのとき初めて気づいたのだった。

動揺のあまり、滑稽なまでに大げさな身ぶりで傷ついたアナグマを示し、自分の診察室で頭の回転がとりわけ鈍い飼い主を相手にしているときのように、声をはりあげて言ってきかせる。「だが、助けられるわけがないのはわかるだろう、お嬢さん?」言葉を切って、さらにつけくわえた。「それに、かばんも持ってきていないんだ――別の用事のつもりだったから」

ローリは叫んだ。「だめよ、そんなの、だめ。すばらしい腕だからこそ、あなたはここに遣わされたのよ」

マクデューイ氏は、苦しむアナグマを見おろした。肉が裂け、腱が切れた前足。折れて三日は経つ鎖骨。つぶれて化膿した後ろ足。ふいに、この不思議な女の前で自分の腕前を披露し、その瞳を輝かせてやりたい、さっきの笑みをよみがえらせたいという、奇妙に大人らしからぬ、少年っぽいとさえいえる望みが胸にあふれる。赤銅色の髪を肩にふんわりと垂らした、この田舎娘の横顔をそっと盗み見ると、優しさと真の賢さをたたえた広い額と、そこからすらりと伸びる鼻筋が目にとまった。世俗とは無縁の、賢さと知恵。この女の頭がどうかしていることなど、マクデューイ氏はすっかり忘れてしまっていた。

「うーむ、厄介な仕事になりそうだな――だが、ここの太い腱は切れていないようだ――そうなると、神経の損傷具合を調べてみないと――こいつを固定しておく道具か、眠らせておく薬はないだろうね――」

ローリは迷いなく答えた。「わたしが押さえています。この子はわたしを信頼しているの」

傷ついたアナグマの頭の下に片手を差し入れ、もう片方の手を脇腹に置くと、けものの口もとに頬を寄せ、喉から優しく穏やかな声を漏らす。アナグマは鼻にかかった声で鳴き、ため息をつきながら目をきょろきょろさせた。

マクデューイ氏は、額に汗が浮かぶのをおぼえた。「そんな危険なことはやめてくれ、頼む。頭がいかれてるとしか思えんよ」

顔を上げたローリの口もとには、悲しげな笑みが浮かんでいた。「《いかれたローリ》、それがわたしの呼び名なの」言葉を切り、やがてつけくわえる。「わたしがおとなしくさせておくわ。だいじょうぶ、動かないから――」

マクデューイ氏は無言のまま、もう一度ちらりとローリを見やると、そこにあったいくつかの単純な器具を使い、手術にとりかかった。添え木を当て、縫合し、骨を接ぎながら、まるで大学の教授が学生に講義するように、詳しく説明していく。

「ふーむ――よし、と。この筋肉はきれいにつながったから、また血が通うようになるよ――わかるね、損傷されていない部分につないだんだ――もちろん、経過を見なくちゃならんが――こいつらは頑丈で、すばらしい生命力の持ち主だからね。ああ、あった！　神経がどんなふうにつぶれてしまっているか、見ておきなさい。だが、神経鞘《しんけいしょう》は破れていないから、どうにか血が通うようにしてやれば――」マクデューイ氏はふいに言葉を切り、問いかけた。「いったい、きみはどんな手を使ってこいつを押さえつけているんだ？　うなったり、嚙みついたりして当然なんだが」

「わたしを信じているのよ」そう答えながらも、ローリは氏の熟練した指が生み出す奇跡をうっとりと見まもっていた。

折れた鎖骨を固定する銀の板が手元にないという問題も、代わりに六ペンス銀貨にふたつ穴をあけるという、すばらしい思いつきで切り抜ける。「うまくいったら、こいつはバス代を持ち歩く、世にもめずらしいアナグマになれるよ」手を動かしながら、マクデューイ氏はまたしてもローリに尋ねた。「この哀れな動物を、いったいどこで見つけてきた？」

「自分からここに来たの」

「なるほど。ここに来ればいいと、どうしてこいつは知っていたんだ？」

「天使のお導きよ」

「きみは天使を見たことがあるのか、ローリ？」

「声も、羽ばたく音も聞いたことがあるわ」

マクデューイ氏は、ふと説明しようのない悲しみが胸に広がるのを感じた。もう思い出すこともなくなっていた夢や、魂のどこかに隠れていた傷が、何気ない日々のちょっとした出来事や、思いがけない偶然によってふいによみがえったときの、あの悲しみ。かたわらに立ち、尊敬のまなざしで自分の仕事ぶりを見まもっている娘を、答えを求めるようにじっと見つめても、悲しみが和らぐことはなかった。氏は肩をすくめると、傷に包帯を巻いた。すべてが終わったところで一歩後ろに下がり、手品を成功させた奇術師のように、大きく両手を広げてみせる。

「そーら、できあがり！」

思いもかけないやりかたで、ローリは感謝を表した。マクデューイ氏の手をとって両手で包むと、その上に顔をかがめたのだ。手に涙がぽとりと落ち、続いて柔らかい唇が触れるのがわかる。心に広がった悲しみは、いまや百倍にもふくれあがっていた。氏はぶっきらぼうに告げた。「この環境で、できるかぎりのことはしたよ。後は、静かに寝かせておくことだ。明日また来て、肩と前足にギプスをはめてやろう。そうすれば、もうだいじょうぶだ。こいつを寝かせておける場所はあるかね?」

「ええ。こっちよ」

ローリは細心の注意を払ってアナグマを抱きあげると、開けはなしてあったドアからもうひとつの部屋へ、マクデューイ氏を案内した。そこは細かく仕切られていて、中を区切った檻がいくつか置かれている。

そこはたしかに動物のための小さな病院ではあったが、かつて自分が診た患畜がいるものと氏が予期していたとしたら、それはまったくの思いちがいだった。収容されているのは、すべて野生の動物ばかりだったのだ。折れた脚の骨を接ぎ、添え木を当ててもらった子ジカ。片目のつぶれたキタリス。見たところどこにも傷がない、身体を丸めたハリネズミ。イタチに噛まれた野ウサギ。母親とはぐれたらしい子ギツネ。野ネズミの一家が入った箱もある。

マクデューイ氏は重荷を下ろした気分になり、ふいに冗談を言いたくなった。「このハリネズミはどうやら、ず・る・や・す・み――」

言ってよかった。ローリの口もとに憂いを含んだ優しい笑みが浮かび、氏は胸が温かくなるのを感じた。「しーっ。わかっているんだけれど、気がつかないふりをしてあげてるの。いかにも幸せそうだから」

「こういうのがきみの治療なのかな？」

大柄なマクデューイ氏に見おろされて、ローリはふと困ったような顔になった。「暖かいところに寝かせて、居心地よくさせてやっているだけ。ゆっくり休ませて、食べものと水をやって」——ささやき声でつけくわえる——「それから、愛してやって——」

マクデューイ氏はほほえんだ。自分も他の獣医たちもいざというときに頼りにしてきた、昔ながらのお定まりの処方だ——もっとも、最後の項目だけはウィリー・バノックにまかせきりだけれど。氏はただこう締めくくった。「——そして、自然に治るにまかせる、と」さらに尋ねる。「じゃ、誰かがペットを連れてきたらどうする？」

「ペットには、ちゃんと世話をしてくれる人がいるでしょう。ここにいるのは、途方にくれた野のけものたちだけ。森の中で傷つき、わたしを頼ってきた孤独な生きものだけなの」

ふと、あることが頭によみがえる。「キンカーリー農場の牝牛はどうした？」

こんなことまで知られているからといって、ローリは驚きも怒りもしなかった。またしてもいたずらっぽい笑みが口もとに浮かぶ。「もう少し優しくしてやれば、またミルクが出るようになります、って言伝《ことづて》をして帰したわ」

マクデューイ氏は頭をのけぞらせ、大きな声で笑った。その言伝を受けとったキンカーリーの顔が、目に浮かぶようだったのだ。

ふたりは納屋を出た。家の前に戻ったところで、ローリが声をかけてきた。「よかったら、ちょっと寄っていきません？」

好奇心をそそられて、マクデューイ氏は誘われるままに中へ入った。質素な家具や大きな手織り機に、すばやく目を走らせる。開いたままのドアから、隣の部屋も見えた。テーブルに置かれたガラスの鉢が、ふと目にとまる。中には石がいくつか、木でできた小さな梯子、水、そして小さな緑色のカエルが入れられていた。ふとあることに思いあたり、顔を鉢に近づけて、カエルの脚をじっと見る。やがて、赤いごわごわしたあごひげから頑丈な白い歯をのぞかせ、マクデューイ氏はいかにもおかしそうににやりとした。そう、たしかにカエルの片脚には、骨が折れて治ったことを示す小さなこぶがあったのだ。

「このカエルも？」

「ええ。ある日のお昼前に、この子の入った箱が戸口に置かれていたの。脚が折れていたのよ」

「どんな天使が送りとどけてきたか、当ててみせよう。八歳の男の子で、丸い頭にそばかす顔。洟《はな》を垂らしていて、カブ・スカウトの制服を着ていたんじゃないかな」

女は困った顔をした。「何も見ていないの。鐘の音を聞いただけで――」

こんな冗談を言わなければよかったと、マクデューイ氏は後悔した。

ローリは切り出した。「お支払いできるお金がなくて――」

「そんな必要はないよ。お代は充分にいただいた」

ふとあることを思いつき、ローリはマクデューイ氏の脇をすり抜けて、隣の機織り部屋に駆けこんだ。このうえなく柔らかく軽い生成りの羊毛のスカーフを手に、氏のもとに戻ってくる。

「これを受けとってくださいな。きっと――きっと暖かいと思うの――風の強い日に」

「ああ、ありがとう、ローリ。使わせてもらうよ」どれほど心を動かされたか、この女に伝えることはできただろうか。戸口で氏は立ちどまり、もう一度くりかえした。「ありがとう、ローリ。きっと助かるよ――風の強い日にね。明日か明後日にもう一度、ギプスをはめにくるから」

マクデューイ氏はきびすを返し、家を出た。ローリは部屋の真ん中にたたずんだまま、こちらを見おくっている。だが、本当はこちらを見ているのではなく、その視線はローリ自身の心の内側に向けられているのではないかという思いが、ふと氏の心に浮かんだ。女の口もとに、心痛と悲しみのこもったしわが、ふと刻まれたように見えたから。峡谷の山道を下りながら、マクデューイ氏はあの女の呼び名を思い出していた――《いかれたローリ》。

停めてあったジープに乗りこむと、隣の席にスカーフを置く。それから、ふともう一度手にとって、それを首に巻いてみた。優しくそっと触れられているような、柔らかで温かい肌ざわり。またしても、耐えられないほどの悲しみが胸のうちにこみあげてくる。家めざして車を走らせながらも、マクデューイ氏はその悲しみを振りはらうことはできなかった。

16

　峡谷ですごした数時間のうちに、まるで別の宇宙に存在する別世界のように思えてきたインヴァレノックの町に向かって車を走らせながら、アンドリュー・マクデューイ氏はローリについて、あの女の信じる神について思いをめぐらしていた。

　正気の沙汰を超えてまで信仰に身を捧げている、あんな人間までを苦しめるとは、それも神の狂気の一端なのだろうか。自ら創造した生きものの一匹を鋼鉄の罠に追いこみ、半死半生になるまで獰猛な犬になぶらせておいてから、助けてくれる人間のもとへ優しく導くという、神の残酷な気まぐれに対して、あの女は疑問すら抱いていないのだ。

　ローリの力ではあのアナグマは救えないとわかったところで、エディンバラで教育を受けた獣医が思いがけなくも姿を現し、まさにこのときしかないというタイミングでしかるべき手術を施すとは、これもジュピターの仕組んだ遠大な人形劇の一幕なのだろうか。しかも、獣医がそこを訪れたのは、頭の足りないお節介焼きにいらない干渉をやめさせるべく、きついひとことを食らわせてやるためだったとは、これもまた神のちょっとした冗談だとでもいうのだろうか。あの純朴なローリは、そんなことにまったく気づいていない。あの女の言葉によると、自分の祈りに応えて獣医が遣わされたというだけのことなのだ。

友人のアンガス・ペディと、この件についてじっくり話しあってみたいという考えが頭に浮かんだが、ある奇妙な理由から、すぐにまた思いなおす。あの小柄な牧師のことが、マクデューイ氏は心から好きだった。あの男と議論するのも楽しいが、言い負かされて当惑したり、立場を失ったりする姿は見たくない、それほど友人を愛していたのだ。

それに、どうもペディは窮地に追いこまれるとあっさり神学の壁の後ろに引っこみ、神のみわざは謎に満ちていて、その遠大な計画や意図は人間が目の前の出来事からおしはかることはできないし、そもそも神は人間に対して直接に答えを返しはしないものだと、それだけで片づけてしまう気がしてならない。何百万人の中国人が飢えに苦しもうと、ロシア人が近隣諸国の愛国者を虐殺しようと、森に棲む一匹のけものをなぶり苦しめようと、それは後に明らかになる遠大な目的のためにすぎないというわけだ。いや、神はどこまでも神であり、ついにその目的を明らかにせずに終わろうと不思議はない。偶然という腕を長く伸ばし、往々にして人間を苦しめる神と、生贄《いけにえ》を求める古代神モレクの間には、どこか不愉快な類似点があるのではないかと、マクデューイ氏は思わずにいられなかった。

それにしても――ローリ。

あの女は正気ではない――それは疑う余地がなかった。暮らしぶりも、あのふるまいも尋常とはいえない。たしかに、あの女の性格、生きかたすべてを説明する言葉があるとすれば、それは慈悲かもしれないが。ローリが世間と乖離《かいり》した穏やかで清らかな生きかたをつらぬき、あんなにも奇妙ながら誠実な信仰を捧げている神に、またしてもマクデューイ氏は思いをはせた。

神とローリを結ぶものも、やはり慈悲なのだろうか？

　神は人間を自らの外見に似せたのではなく、愛と精神の幾分かを投影するものとして創造し、それぞれの運命を自力で切りひらくべく地上に放ったのだと仮定してみよう。だとしたら、神の心、偉大な創造主としてすべてを見とおす心は、自らの子たちのこんな体《てい》たらくを目のあたりにして、その慈悲ゆえに苦しまないはずがあろうか。また、苦々しい思いも味わっているにちがいない。この地球が宇宙の試験管であり、もともと死の星だったところに生命の種子を蒔いて、その繁茂する姿を観察するつもりだったのだとしたら、実験が途方もない失敗に終わったことは、すでに明らかなのだから。だが、そうだとしても、実験の犠牲となった情けなくもみじめな創造物たちの運命に、神が心を痛めないはずはない。

　ペディのように信仰に生きるか、ローリのように正気を失うか。神が救済とみなす道はそれしかないのだろうか？　少なくとも、どれほど神意の目録のページを繰ろうと、神の名だたる失敗作のひとり、獣医のマクデューイが載る余地はないだろう。自分はそういう人間なのだし、それはそれでいい。インヴァレノックの町に車を乗り入れながら、マクデューイ氏はいつもの尊大で挑戦的な自分をとりもどすべく、肩をいからせてあごを突き出した――

　だが、アーガイル・レーンの突きあたりの家へまっすぐ帰ろうとはせず、大通りの裏へ回って、スターリング家の屋敷に続くみずみずしい森の小道へ向かう。ジープを停めたマクデューイ氏は、まだ終わらない考えごとの続きにかかろうと、青く輝く入江を望むブナの木陰に腰をおろした。

だが、こうして静かな時間をすごせる静かな場所に来てみると、ありがちなことではあるが、逆になかなか考えがまとまらない。頭に浮かぶのは、過去や現在の切れ切れな一場面や未来の予感が入り交じった、不安をかきたてる万華鏡のような光景だけ。

ポケットからパイプを取り出し、たばこを詰めて火を点ける。これほどの自己中心主義者でなかったら、アードラス峡谷に出かけた自分は別人となって帰ってきて、二度と昔の自分に戻ることはないのだと、うすうす気づいたかもしれない。だが、困難に直面し、うろたえ混乱したときに、じっくり自分を見つめなおすことで解決の糸口を探すなど、マクデューイ氏はこれまでやりつけていなかったのだ。自分の内側を見つめる作業は初めてで、どこからとりかかっていいのかわからない。そのうえ、この先直面することになる、一見解決できそうにない恐ろしいジレンマも、降りかかってくる数々の試練も、氏はいまだ予想できていなかった。罠に捕らわれたけものが、鎖を切り、傷ついた身体を引きずって助けを求めるより早く、襲ってきた犬にいたぶられることを知らなかったように。

頭上で何やら聞きおぼえのある、がみがみと叱りつけるような声がしたと思うと、すぐそばの傾斜した幹を伝ってキタリスが駆けおりてきた。時おり不安げに足を止めて様子をうかがいはするものの、腹もすいているし、以前は人間から餌をもらっていたこともある。地面に下りたリスは、白い斑のある茶色の胸の前で黒い前足を組みあわせ、ふさふさした尻尾を立てて可愛らしく坐った。

マクデューイ氏は上着の左のポケットに手を伸ばした。臆病な動物をなだめ、手なずけるためにいつも持ち歩いているちょっとしたおやつの中から、ニンジンのかけらを取り出す。リスは近づいてきて、上品な手つきでおずおずと受けとると、赤い稲妻のようにさっと五歩ほど離れると、そこに坐りこんで食べはじめた。

マクデューイ氏はパイプをふかし、口を開いた。「どうだい、気に入ったか？」つきつめて考えるより、リスを眺め、話しかけているほうが気が楽だ。「そんなにあわてて食べるんじゃない。消化不良を起こしても知らんからな。おまえみたいなちびは、腹に虫や何かが湧きやすいんだ。あれは気分が悪いものだぞ」

リスは二度、三度と前足でニンジンを回しては、もぐもぐとかぶりついていたが、話しかけてくる男からは油断なく目を離さなかった。

「まず、自己紹介といこうか。ぼくはアンドリュー・マクデューイ、職業は獣医だ。おまえもまんざら興味がなくはないだろう、人間に飼われている動物が病気になったとき、手当てをする医者なんだからな。このあたりの住人には、あまり好かれてはいないがね。神だの、人間には計り知れぬ御力だのというものは信じていない。うちには娘がいてね、血肉を分けたわが子なのに、ぼくに口をきこうとしないんだ。あの子の猫が髄膜炎による麻痺を起こし、苦しみから救ってやろうと安楽死させたばっかりにな」

リスはニンジンをかじるのをやめ、ふと目を上げて、頬袋に入っている分を噛みながらこちらを見た。ニンジンは、もうほとんど残っていない。

「ああ、本当にそんな理由だったのかと言いたいんだろう？　いいさ、そう言いたくなるのももっともだ。ここ幾日か、ぼくは同じ問いを何度もくりかえし自分に投げかけているんだよ。ぼくはあの猫を救ってやれたんだろうか？　それなのに、メアリ・ルーの気持ちに嫉妬して殺してしまったんだろうか？　そもそも、あの診断は正しかったのか？　メアリ・ルーというのは、うちの娘の名前でね。この上着とおまえの毛皮の色を混ぜたような髪をしているせいで、ルーと呼ばれているんだ。あのいまいましい猫を、メアリ・ルーはどこへ行くにも連れてあるき、夜はいっしょに寝ていたんだよ。猫の脇腹に顔を埋めたり、生きたぬいぐるみのように抱きしめたりしていたものだが、ぼくにはそれが我慢ならなかったのかもしれんな。あの子には母親がいないから、ぼくが両方の役を務めなくてはと思ってきた。それなのに、あの子は死んだ猫を思って泣き、父親であるぼくには口をきいてくれないというわけだ」

リスはニンジンを食べおわり、さっと尾を振って四つんばいになった。しきりに話しかけてくる人間の声におびえ、とっととここを離れようと心を決めたのだ。

「待ってくれ」マクデューイ氏は懇願した。「まだひとりにしないでくれ。誰かに話を聞いていてほしいんだ。ほら、賄賂をやるから、もうちょっとだけここにいてくれよ」ポケットからニンジンのかけらをもうひとつ取り出し、舌を鳴らしてみせる。「もう愚痴はこぼさんよ。今度はおまえの話をしよう」

リスはちょっと考えこみ、ニンジンを受けとると、人間への慣れに加えてこの気前のよさに気分をよくし、すぐそばまで近づいてきて腰をおろした。

「病気になったら、おまえはどうする？」おかしなことに、いままで考えてみたこともなかった疑問が、ふいにマクデューイ氏の頭に浮かんだのだ。「誰に助けてもらうんだ？　病気に効く薬草や木の根を教えてくれる、賢い年寄りが仲間にいるのか、それとも本能で悟るのかい？　でなければ、ただ藪の中を這いまわり、看病してくれるものもないまま、誰にも知られずひとり死んでいくしかないのか？　うちの近所のアンガス・ペディ牧師によると、たとえスズメ一羽といえども、神の思《おぼ》し召しなくして死ぬことはないそうだがね。だが、いったい神はどんなふうに死を与えているんだろう。考えてみれば妙な話だが、いままで死んだリスも、ハリネズミも、シカも目にしたことはなかったな。いったい、おまえはどうやって死ぬんだ？　みんながみんな、鳥や肉食獣に食われてしまうのか？　墓はどこにある？」

マクデューイ氏は問いかけつづけた。「友だちはいるのか？　寂しい思いをしたことは？　子どもたちはどうしてる？　子どもの気持ちを理解し、共感しているかい？　子どもとの溝が深くなりすぎて、もう心が通いあわない、もう子どもに見かぎられてしまったことがたまらなく悲しくて、顔を見るのも耐えられんことはないのか？　子どもを愛しているのに、あまりに早く背を向けられてしまう悲しみを、おまえもまた味わっているのかい？」

そして、最後にこう尋ねる。「おまえは愛や幸せを嚙みしめ、それとも不安や悲しみにおののきながら、与えられた生をとことん味わっているのか？　それとも、食い、走り、巣を作り、つがい、やがて死んでいくだけの一生なのかい？　そんな魂のない森の小さなけものに生まれたほうが、これだけの知性を備えた人間として生きるよりも幸せなんだろうか？　この問いに、いったい誰が答えてくれるんだろう？」

リスはニンジンを食べおわり、そろそろ立ち去るかまえに入った。「ああ、おまえが答えてくれるとは思っちゃいないよ」そう締めくくり、立ちあがる。リスは走り出したが、数メートル先で立ちどまり、身体を起こしてこちらにウインクしてよこすと、木の裏側を駆けのぼっていった。氏はパイプをくわえ、奇妙に心の荷が軽くなったのを感じながら、ジープに乗りこんで家に向かった。そろそろメアリ・ルーを風呂に入れ、夕食をとる時間も近い。

マクデューイ氏は仕事を終えて帰宅するたび、きょうこそは門まで出迎えてくれる娘の姿がないかと目で探しては、そのたびにがっかりさせられていた。怒りは、とうの昔に困惑と心痛に変わりはてている。

ペディ牧師の忠告に従い、マクデューイ氏は娘が黙りこくっていても、ことさら意識はしないように心がけていた。たとえ答えがなくても普通に話しかけ、何も起きていないようにふるまう。以前のように風呂に入れ、いっしょに夕食をとり、ベッドに寝かせる——ただ、ひとつだけちがいがあった。父親が部屋にいる間は、メアリ・ルーはけっして祈りの言葉を口にしなかったのだ。氏は仕方なく譲歩し、代わりにマッケンジー夫人が祈りを聞くことになった。

とはいえ、祈りが終わると、氏は必ず娘の部屋に戻り、ベッドにかがみこんでおやすみのキスをすることにしていた。メアリ・ルーは抗うこともなく、じっと天井を見つめながら、されるがままになっている。そのまなざしも、思いも、自分の心の奥底に向けられているのか、それとも父親からはるか離れた遠くで遊んでいるのだろうか。娘からキスが返ってくることはなかった。

帰ってみると、入口にも廊下にも人影はなかった。キッチンからは、マッケンジー夫人が料理をしている音が聞こえてくる。一階の廊下をはさんで氏の部屋の向かいにある、娘の部屋へ行ってみると、メアリ・ルーは子ども用の椅子のひとつにかけていた。お気に入りの人形たちは、部屋の隅に並んだまま。とくに何をしていた様子もない。

マクデューイ氏は娘を抱きあげた。「やあ、ちびさん。父さんが帰ってきたよ。何か言うことはないかな?」

ふたりの姿を見れば、親子であることを疑うものはいないだろう――赤い髪に青い瞳、相手に向かって挑むように突き出している、意固地でかたくななあご。

黙りこくったまま心を開かない娘を腕に抱いてみて、マクデューイ氏はその肌がじっとりと冷たいことに気づいた。「おやおや、これはよくないな。明日の朝、ストロージー先生にちょっと往診してもらおう。具合が悪いんじゃないのか、メアリ・ルー?」

娘はあいかわらず口を開こうとしない。「よし。じゃ、お風呂と夕食がすんだら、早くベッドに入ろう。ぬくぬくと暖かくしてね。お風呂のときは、アードラス峡谷の上の森で暮らす、勇敢なアナグマの話をしてあげよう。石の家に森や野原や小川の友だちと住む赤毛の妖精が、どんなふうにその生命を救ったかをね」

裸になって浴槽の中に坐るメアリ・ルーを見たマクデューイ氏は、娘がずいぶん痩せてしまい、肌もくすんで不健康に見えることに気がついた。もう、かつてのようにおもちゃで湯をはねちらかしたり、手から石鹸の泡を飛ばしたり、大騒ぎしてはしゃぐちびの桃色カエルさんではない。身体を洗われていながら、いやそうに顔をそむけることさえしないのだ。

とはいえ、今夜の物語には静かに耳を傾けてくれているのがわかる。

物語がどんどんふくらんでいくことに、マクデューイ氏は語りながら驚いていた。娘のために生き生きと描き出していくうちに、あのアナグマが奇妙に愛おしく感じられてくる。

主人公のアナグマは擬人化され、英雄的で気高く、勇敢で、感情や魂を持っていた。森を縄張りとし、自分の生きる世界を、日々の生活を愛しているけもの。罠に捕らえられたくだりを語りながら、マクデューイ氏は胸がつんと痛むのを感じたし、メアリ・ルーはつらそうな叫び声を漏らした。自分の前で、娘が初めて漏らした声だ。もっとも、それは不幸なけもののための叫びで、父親に向けられたものではなかったが。

襲われながらも勇敢に戦った場面では、氏の語り口はさらに迫力を増した。それから、必死に罠の鎖を切り、赤毛の妖精が住む家へ身体を引きずっていく様子を描き出す。哀れな傷ついたけものをローリが胸に抱き、優しく揺すって慰める情景を語ってきかせたとき、メアリ・ルーの目から涙がこぼれ落ちるのが見えた。猫の生命を助けてと泣いて懇願したあの日以来、娘の涙を見たのもこれが初めてだった。

その夜、寝る前の儀式の締めくくりとして、一方的なおやすみのキスをしに娘の部屋に入ったマクデューイ氏は、ベッドにかがみこんでこう言った。「勇敢なアナグマさんは、きっと元気になるよ――おまえも、いつか会えるかもしれないね――」

娘を抱きあげ、キスをする。おそらくは重力にまかせただけのことだろうが、娘の腕が自分の肩に落ちかかるのを感じながら、氏はこうささやいた。「父さんはおまえが大好きだよ、メアリ・ルー――」

その言葉に応えるように、ほんのわずかながら娘の細い腕に力がこもったような気がしたのは思いすごしだろうか？　それとも、本当に？　気のせいなどではないと、高鳴る心臓が告げてくれる。ほんの一瞬、娘はたしかに自分を抱きしめ、しがみついてきたのだ。

元どおり、メアリ・ルーをベッドに寝かせる。口こそきいてもらっていなくても、胸の奥では歓喜の歌が鳴りひびいていた。娘の目にふたたび浮かんだ涙を見て、ようやく突破口が見つかったような気がしたのだ。

もう一度キスをすると、マクデューイ氏は部屋を出た。娘が寝つけずに、自分を呼んだりしたら聞こえるように、今夜ばかりはドアを開けっぱなしにして。自分の部屋に戻り、数時間かけて州や郡に提出する報告書を作成する。ようやくベッドに入ったとき、氏はここしばらく憶えがないほど晴れやかな気分だった。

17

女神たるわらわ、バスト・ラーは、これより神なればこそのわざをなす。

偉大なる太陽神ラー、そして月の女神ハトホルに授けられし力を頼みにして。

いざ、天罰を下さん。

いざ、破滅をもたらさん。

神なるはたやすきことにあらず。かつて神であり、いまも神なる身のわらわはよく知っている。

人は神の力をうらやむ。わらわは人をうらやむ。人には、善悪のはざまで選ぶ力が与えられているゆえに。

神には善も悪もない――ただ、神の意志がそこにあるのみ。

今宵、わらわは自らの意志により、赤きあごひげの男に災いと破滅をもたらす。

かの男を待ちうけるのは、死よりも恐るべき破滅。

わらわがセクメト・バスト・ラー、引き裂くものにして報いをもたらすものと呼ばれるのも、それなりにいわれあってのこと。

18

夏には時おり、南から流れてきた暖かい空気が北の冷たい海にぶつかり、ファイン湾を生暖かい風が激しく吹きぬけることがある。海と陸とが複雑に入り組んだ地形を走ってクライド川やキルブレナン海峡へ、はけ口を求めて荒れ狂い、しだいに風圧を増しながら。

さらにまれなことではあるが、スイスやオーストリアのアルプス山脈に吹くフェーン、あるいは南フランスに吹くミストラルのように、通りすぎてしまうまでの短い間、住人たちに不安で居心地の悪い思いを味わわせるときもある。ドアや窓を揺すぶり、まっすぐな冬の疾風とは似ても似つかない不気味な音をたてて煙突を吹きぬけ、ゆるんだよろい戸をがたつかせ、入江の水面に見なれない水しぶきや不規則な流れ、渦を起こすのだ。風が吹き荒れている間、犬たちは気を昂ぶらせて鼻を鳴らすし、人間ならなおのこと平静でいられるはずもない。たいていは風も二十四時間で収まり、空に上って高積雲を形づくると、やがてはハイランド特有の、まれではあるが激しい雷雨となって、またしても地上に叩きつけられることになる。

娘が突きつけてきた絶交もようやく終わりを迎えようとしていることを確信しつつ、マクデューイ氏がそろそろ寝ようと書斎で作成していた書類を片づけはじめるころには、そんな風の吹き荒れる前触れがはっきりと感じとれた。

まず、二階のよろい戸が風に激しく揺さぶられる音がして、マクデューイ氏は戸締まりのためにあわてて階段を駆けあがった。窓から身を乗り出すと、袖や髪がめくれあがり、まぶたや頬が震えるほどの突風が、不気味な歓喜の声をあげて襲いかかってくる。氏は頭を引っこめ、ほっとしながら窓をきっちりと閉めた。

こんなスコットランドの突風は、以前にも経験したことがある。マクデューイ氏は家の中を見まわり、よろい戸や窓、裏口の戸締まりを確かめた。ゆるんだよろい戸のがたつく音におびえていないかと、メアリ・ルーの部屋をのぞいてみると、娘はすやすやと眠っている。さらに風が激しさを増し、家の中に押し入ろうとぶつかってくるときに窓が割れないよう、氏はほんのわずか隙間を残して窓を閉めた。戸締まりを点検し、家族が安らかに眠っていることに安心すると、向かいの部屋に戻り、服を脱いでベッドに入る。

腕時計の針は十時半を指していた。明かりを消し、闇の中に横たわったまま、じっと電話線や電線の震える音、荒れはじめた入江のさざなみが岸辺の砂利に叩きつけられる音に耳を傾ける。娘とのつらく心乱れるいさかいに、ようやく解決のきざしが見えたことに安堵していたマクデューイ氏は、そんな不穏な気配にも心乱されることなく、数分のうちに眠りに落ちていた。

何時ごろのことだろうか、氏ははっと目をさました。どこかすぐ近くから、こんなにも荒れ狂う夜の闇に歌いかけているかのように、悲しげに尾を引く猫の鳴き声が聞こえる。いまや激しさの頂点を迎えた突風は、枝々をたわませ、葉をざわめかせながら、容赦なく木々の間を吹きぬけていく。入江は風圧にとどろいて水面を波立たせ、吹き飛ばされたものが街路を転がり、どこかの屋根板ががたがたと震える音が聞こえてきた。

すっかり眠気のさめたマクデューイ氏は、たけり狂う自然を前にして人間がふとおぼえずにいられない畏怖に襲われ、ぞっと身ぶるいした。戸外で風に耐えている電線のように、神経がはりつめているのがわかる。音や振動のひとつひとつに、緊張は高まるばかりだった。

さっきの猫が、またしても声をはりあげる。「むるぅ――むるぅ――むるるるるるるるぅぅ」今度は、すぐそこの窓の下からだ。マクデューイ氏は首の後ろの毛が逆立つのを感じながら、片方のひじをついてベッドから身体を起こすと、じっと耳をすませた。

トマシーナが復讐のためによみがえってきた、そんな思いがちらりと頭をよぎったのは、マクデューイ氏もまた人間だったということだろう。闇の中で身ぶるいした氏は、やがて腹立たしげにそんな考えを笑いとばした。この近所では猫などけっしてめずらしくない――小路を見わたせば、窓や戸口に猫のいない家を探すほうが難しいくらいだ。

だが、そのとき窓枠に何かがぶつかる音、そしてひっかく音が聞こえ、マクデューイ氏はあわてて明かりを点けた。ほんの一瞬、青く燃える瞳とピンクの鼻面、白い牙がひらめいたかと思うと、また何も見えなくなる。

いまの光景とたけり狂う風に胸をおののかせ、氏はひじをついて身体を起こしたまま、じっと耳をすまし、真っ暗な窓ガラスを見つめた。視界の隅に時計が映る。ちょうど真夜中を数分過ぎたところだ。

またしても猫の鳴き声が長く尾を引いたが、今度はそれに応える叫びがあがり、マクデューーイ氏は頭を殴られたような衝撃をおぼえた。

「トマシーナ！」

その声は、メアリ・ルーの部屋からだった。氏の背骨を、冷たいものが走りぬける。次の瞬間、ぱたぱたという娘の足音がした。白いパジャマの人影がさっと寝室の前をよぎったかと思うと、玄関のドアを大きく開けはなつ音が響く。たちまち夏の突風が家になだれこんで廊下を吹きぬけ、けたたましい音とともに傘立てを倒し、紙を舞いあがらせ、壁にかけられていた絵をむしりとった。

真夜中ならではの狼狽と恐怖につきうごかされて、マクデューイ氏はベッドから跳ねおき、とりあえずズボンを身につけると、ナイト・テーブルの懐中電灯を引っつかんだ。スイッチを入れて目の前を照らし、さまざまな怖れと不安を胸に、家の外へ走り出る。

懐中電灯の明かりは、すぐに娘を照らし出した。白く細っこい人影が髪をなびかせ、砂利道をはだしで走りながら猫を追いかけている。風はたちまちマクデューイ氏にも襲いかかると、右も左もわからなくなるほどもみくちゃにし、四方八方から揺さぶりをかけて、昂ぶった神経をさらに逆撫でした。

「メアリ・ルー！」耳をつんざくような轟音に負けじと声をはりあげる。「メアリ・ルー、戻ってくるんだ！」

聞こえないのか、聞く気がないのか、娘は反応を示さない。だが、追われていた猫のほうはふいに直角に向きを変え、道路を横切った。マクデューイ氏は怒りに大声でわめき、ずっしりと重い懐中電灯を猫めがけて投げつけた。

ねらいが外れ、小石で舗装された道に叩きつけられた懐中電灯は、けたたましい音をたててボウリングのピンのように転がっていく。猫は苦しげな叫びをあげ、目にもとまらぬ速さで夜の闇にまぎれ、塀の向こうへ姿を消した。ようやくこちらを振りむいたメアリ・ルーの目に映ったのは、いまだ懐中電灯を投げた姿勢のまま腕を伸ばし、シャツをはためかせ、髪を荒々しく逆立てた父親の輪郭が、玄関から漏れる光を背に浮かびあがった光景だった。

メアリ・ルーはその場に立ちつくし、風にそよぐ葦のように身体を震わせていた。その顔には、マクデューイ氏が二度と見たくないと願っていた激しい憎しみの色が浮かんでいる。何かを叫ぼうとするように、叫びたいと願っているように唇が開いたが、声はついに出てこなかった。父親は娘に歩みより、どうしようもなくがたがたと震えているその身体を胸に抱きよせた。

ありとあらゆる災いから守ろうとするように、マクデューイ氏はメアリ・ルーをしっかりと抱きしめて叫んだ。「もうだいじょうぶだ、メアリ・ルー。もうだいじょうぶだよ、父さんがここにいるからな。ただの怖い夢さ、それだけのことだ」疾風に煽られながら家に戻り、肩でドアを閉めると、震える娘を抱きしめたまま床に膝をつく。

「ほら、メアリ・ルー。みんな、ただの夢だったんだ。怖いものなんて、どこにもいないよ。さっきおまえを起こしたのは、クーロス夫人のところの年寄り猫じゃないのかな？　父さんがもっと早く追いはらってやればよかった――うちの可愛いちびさんを、こんなに怖がらせて――」

娘の沈黙が恐ろしくなって、マクデューイ氏は口をつぐんだ。唇からはすすり泣きの声すら漏れてこない。その目に浮かんでいるのは、まぎれもなく新たに燃えあがった憎しみと恐怖だった。小さな身体は、氏の腕の中で抑えきれないようにがたがたと震えつづけている。

「かわいそうに、よっぽど怖い思いをしたんだね。だが、おまえにひどいことをするものなんて、どこにもいないよ。さあ、父さんといっしょに眠らないか?」

みじめに震える子どもをほんのしばらく胸から離し、何か反応がないかとうかがう。せめて、泣いてくれたなら。こちらの首に腕を巻きつけ、頰に顔を押しつけて思いきり泣きじゃくってくれたなら、慰めてやることもできるのに。だが、娘は泣いていなかった。

「あれはトマシーナなんかじゃないんだ!」必死の思いで、マクデューイ氏は言ってきかせた。娘を抱きあげ、自分の寝室へ連れていってベッドに寝かせ、枕を整えてやる。「朝になったら、ストロージー先生に診てもらおう。さあ、父さんが抱っこしてやるから、いっしょにひと眠りしようか」

だが、ふたりにようやく眠りが訪れるまでには長い時間が必要だった。娘が黙りこくったまま、つらそうに身体を震わせているのが伝わってくる。まるで、すすり泣きを懸命にこらえているのか、あるいは泣きたくても泣けずに苦しんでいるかのように。

マクデューイ氏の診察室で、ストロージー医師は椅子にかけ、懐中時計のずっしりした鎖にぶらさげた印章をもてあそんでいた。いかめしいながら感じのいい老人で、鉄色の髪には白いものが交じり、垂れさがった頬と悲しげな目はどこかブラッドハウンドに似ている。医師として長年の経験を積むうちに思慮ぶかくなり、頑固そうな見かけと、この職業ならではの悲観主義とでもいうものの後ろに、温和さを増すばかりの心根は隠しておかざるをえないこともわきまえていた。

ずんぐりした石の印章をつまんだ手に目を落とし、言いにくそうに言葉を選びながら、マクデューイ氏にこう告げる。「お子さんは口がきけなくなっているようだが。ご存じだったかね？」

マクデューイ氏は、みぞおちにこみあげてきた吐き気をこらえた。「あの子はもう一ヵ月近く、ぼくに口をきこうとしないんですよ。飼っていた猫のトマシーナをここへ連れてきたとき以来のことです。そいつは髄膜炎による神経麻痺を起こしてましてね。もう脚も動かなくなっていたんで、安楽死させるしかなくて。だが、ぼく以外の相手とはしゃべっていたはずですがね」

ストロージー医師はうなずいた。「なるほど。だが、いまはもうまったく声が出ないようだ」

昨夜の恐ろしい沈黙の意味を、マクデューイ氏はようやく悟った。「何か、身体の機能に問題でも――」

「それはわからん――まだ、いまのところはな」ストロージー医師はうちあけた。「声帯には何の問題もないようだ。もちろん、そうなると別の部分に――えへん」――こんな会話を続けるのは気が重く、いたたまれずに咳ばらいをはさむ――「たとえば脳の言語領域に異状があるのかもしれん。あー、他に原因がある場合もあるし、もっとわかりにくい要因がからんでいるのかもしれんが。何か、ひどいショックでも受けたのかね？」

「ええ」マクデューイ氏は認めた。「おそらく。昨夜、強風が吹きすさんでいる最中に、窓の外で猫がぎゃーぎゃーと鳴きたてましてね。ぼくもそれで目がさめたんだが、娘は『トマシーナ！』と叫んで、家の外に飛び出したんです。ぼくも後を追ったんですが」

「それで、本当にトマシーナだったのかね？」ストロージー医師が重々しく尋ねた。

「まさか。トマシーナは死んだんですよ。ちらりと見たかぎりでは、近所の飼い猫のようでしたがね。だが、眠っていたメアリ・ルーはその声を――自分の飼っていた猫の声だと思いこんだんです。やっと追いついて連れもどしたときには、娘はひどく震えていて――そのまま、ぼくのベッドに入れてやったんですが――」

医師はうなずいた。「いつからこんな病気に？」

「病気？」マクデューイ氏はくりかえし、不安げに老いた医師を見つめた。「うちの娘は、病気になど――」そのとき、ふいに友人の言葉が脳裏によみがえる。「そういえば、ペディ牧師がそんなことを――それから、昨夜あの子に触れたとき、妙に肌が冷たくじっとりしていたんですが」

「医者というものは、往々にして身近な人間の病を見おとしがちでね――どうやら、お子さんの病気はかなり重いようだ」

マクデューイ氏は長いため息を漏らした。「どういう病気なのか、先生のお考えは？」

「それはまだ、なんとも言えんな。実際のところ、懸念すべき本当の原因も、まだ明らかになっておらんわけだから。ともかく、もっとじっくり診察し、血や尿を採取してひととおりの検査をしてみんとな。はっきりしたことがわかるのは、それからの話だ。とりあえずは静かに寝かせておいて、愛情と思いやりをたっぷり注いでやることだ。お子さんはひどくおびえておる。わしやきみだって、いきなり口がきけなくなったら、さぞかし恐ろしい思いをするだろうさ。なかば遊びのつもりで始めたことが、恐ろしくも重大な結果を招いてしまったということだ。そうさな――期待はできんだろうが、ひょっとして別の猫を飼ってやるとか、それともいっそ子犬を――」

マクデューイ氏はまたしても耐えきれなくなり、椅子から飛びあがると、デスクをこぶしで殴りつけた。医師はそんな氏をなだめるように、その手に自分の手を重ねた。「すまん！　それくらいのことは、きみもとっくに試してみたんだろうにな――」のろのろと立ちあがる。「そうさな、わしらでできるかぎりのことをしよう。いまは鎮静剤を与えてある。ひょっとしたら、よくある子どもの病気の潜伏期に、ヒステリーが重なっただけかもしれんしな。ともかく、しばらく様子を見んことには。今夜、また診察に寄るよ」

マクデューイ氏は医師を見おくった。多くの言葉を費やさなくても、いまの状態がけっして楽観できないことを、ストロージー医師は家族に伝えたわけだ。医師という職業をうらやましいと思えなかったのは、マクデューイ氏にとって初めての経験だった。そう、たしかに医師は家族の友人であり、癒し手であり、人間のために尽くすことのできる仕事かもしれないが、打つ手がなくなり、その家族に向かって「覚悟してください。望みはありません」と告げるときには、いったいどんな気分を味わわされるのだろう？

マクデューイ氏は身ぶるいし、それから気を確かに持とうと勇気を奮いおこす。誰もが知っていることだが、ストロージー医師は、楽観しすぎて後に落胆させるより、最初から厳しい予測を告げておこうと考えるタイプなのだ。最初の診察では、どこの器官にも具体的な異状は見つかっていないのだし――

だが、そんな空元気も長続きはしなかった。娘を失うことにでもなれば、自分はとうてい耐えられそうにない。すべての原因となったあの猫を、マクデューイ氏はくりかえし呪った。そのうえ、ようやく娘との苦しい戦いが終わろうとしていたときに、まるで地獄からよみがえった幽霊のように、またしても姿を現すとは。あの猫のことを思い出し、名前を大きな声で叫んだ、それだけで娘はあんなふうに病に伏し、自分もまた娘とともに破滅への道をたどりつつあるような気さえする。

マクデューイ氏は立ちあがり、診療所を出て家に戻ると、メアリ・ルーの部屋へ足を踏み入れた。娘はすやすやと眠っている。こうして娘を見ていると、目の下の青いくまや、蒼ざめて透きとおった肌、血の気の失せた幼い唇など、どうしてもっと早く気づかなかったのだろうと思われるところばかりが目についた。

マッケンジー夫人は隣の部屋でそわそわと、もう十回も掃除したところを、また意味もなく掃除しなおしながら、目も耳もじっとメアリ・ルーの部屋のドアに向けている。

家政婦もまた蒼ざめ、心を痛めているのを見てとって、マクデューイ氏はいつにない優しさをこめて声をかけた。「そこはいいよ、マッケンジーさん。娘が目をさましたときのために、そばにいてやってくれ。台所仕事も、しばらくは放っておいてかまわん。あの子はきっと、信頼できる人にそばにいてもらって、慰めてほしいにちがいない。どうやら、ショックのあまり一時的に口がきけなくなってしまったようだからな。ぼくがいないときに何か心配なことがあったら、すぐにストロージー先生を呼んでもらってかまわんよ」

だが、驚いたことに、痩せぎすの家政婦は敵意のこもった視線を返してきた。「そりゃあショックでしょうともね」鼻を鳴らし、先を続ける。「それも当然でしょうよ。先生がトマシーナを殺しなすったやりかたにゃ、血を分けた娘への思いやりなんぞこれっぽっちもありゃしなかったんだもの、嬢ちゃんが悲しむのもあたりまえじゃないですかね。あんなに可愛がってた猫ちゃんの隣に、たとえ嬢ちゃんが葬られることになったって、そりゃあ他の誰でもない、マクデューイ先生のせいですよ。そろそろ、誰かが先生に面と向かって言ってやらにゃあならないころだと思ってね。後は先生の好きなようになすったらいいでしょうよ」

マクデューイ氏はただうなずき、こう答えただけだった。「娘から離れないでいてやってくれ、マッケンジーさん。夜になったら、またストロージー先生が診察にきて、もっと詳しい説明をしてくれるだろう。ひょっとしたら、それほど深刻な病気ではないかもしれんしな」

家を出て診療所に戻り、農場を回る準備にかかる。だが、あの猫のことが頭から離れない。あれほどせっかちに片づけず、治療をして檻に入れ、ウィリー・バノックに世話をさせていたら――結局は死んでしまったとしても、メアリ・ルーもこれほどまでに恨みには思わなかったことだろう。マッケンジー夫人の言葉が胸によみがえった――「血を分けた娘への思いやりなんぞこれっぽっちもありゃしなかった――」本当に、自分はそんな人間なのだろうか？　町で口さがない人々が噂しているとおり？

苦しむうちに、マクデューイ氏の心はふと、はるか遠くの別世界に逃げこんだ。魔法のかかったガラスの扉の向こうにしか存在しない世界。妖精の女王が従者たちとともに住む、目に見えないかなたの魔法の国。その国のどこかには、森の中の空き地に石造りの家があり、正面に立つ《コウンの木》からは銀の鐘が吊るされている。そこには世俗を離れた赤毛の女が住んでいて、傷つき病に苦しむ野のけもののために尽くしているのだ。夢想の中で、マクデューイ氏は《慈愛の鐘》の紐を引いていた。出てきた女に「わたしの助けを求めているのは誰？」と問われ、こう答える。「ぼくだ、ローリ」

ふと気がつくと、氏はいつのまにか粉末石膏の包みを手にしていた。峡谷に戻り、アナグマの肩にギプスをはめてやると、あの気のふれた女に約束していたことを思い出す。マクデューイ氏はその包みをかばんに入れ、診療所を出た。

19

ふふっ、あの朝のわらわの踊りを見せたかったものよ！　跳ね、走り、宙に身を躍らせる。身をねじって脇に飛び、四肢を突っぱって八度跳ね、何度も何度も《コヴンの木》を駆けのぼっては駆けおりる。

耳を倒し、わらわは走った。走りに走り、ローリのそばで急停止すると、勢いにまかせて芝生の上を滑る。それから自らの影を飛びこえるかのごとく高く跳ねあがり、着地して身づくろいを始めると、ローリは声をあげて笑ったものだ。「タリタったら！　おかしな、おかしな子！」

おお、これほど陽気に浮かれ、神らしき気分にひたれたことがあったろうか。その昔、サハラ砂漠からエジプトへ吹いていた熱風《カムシン》のごとき風の翼に乗って、昨夜、人の運命を左右する力がわらわに戻ってきたのだ。わらわはその力を存分にふるい、恐るべき災いをもたらして、えもいわれぬ喜びを噛みしめていた。

秘密を嬉しく胸に抱き、この身を軽やかに躍らせる。わらわがここを出、また戻ってきたことを、誰ひとりとして知るものはない。愚かな犬どもの目をあざむいて鼻先をすり抜け、朝、ローリが起きたときにはいつものごとくかごの中で眠っていたのだから。だが、おお、昨夜だけは、わらわはいにしえの神に戻っていたのだ。

ウリーとマクマードック、ドーカスとその子猫たちは、わらわが走りに走るところを見に出てきた。最初は円を描いて走り、その輪をしだいに大きく広げていく。それから今度はまっすぐに、地面をとらえては蹴り、やがてつま先が土に触れずに空を舞うほどに、力のかぎり疾走する。やがて、もう一度身づくろいしてローリのかたわらへ戻ると、足もとに身を投げ出してあお向けになり、ごろごろと転げまわった。ローリは声をあげて笑い、かがみこんでわらわのお腹を撫で、あごの下を掻いてくれた。「タリタったら、今朝は本当にどうかしちゃったみたいね」

やがて、犬どももわらわの踊りを見ているうちに晴れやかな気分が伝わったらしく、あたりを飛びはねたり吠えたりしはじめ、鳥どもはいっせいに飛びたった。カササギは翼をばたつかせ、しわがれた声で鳴きたてる。「タリタがおかしくなった!」子猫たちは尻尾を追いかけてぐるぐる回りはじめ、リスは《コヴンの木》の枝から枝へ飛びうつる。だが、かつて全知全能であったいにしえの日々のごとく、死すべき定めの人間に恐るべき天罰を下してやったことをわらわが寿《ことほ》いでいるとは、誰ひとりとして知るよしもなかった。

とはいえ、どれほど踊り、寿ごうとも、その喜びや満足にかげりひとつなかったわけではない。わらわが女神であると信じるものがひとりとして存在せぬとは、なんとも嘆かわしい話ではないか。ローリはうすうす気づいているのかもしれない。古代エジプトでわらわに仕えていた巫女と同じ目をした、飛びぬけて賢き娘なのだから。しかし、かつて崇められた身にとって、もはやどこにもわらわを崇める民がおらぬと思い知らされるほど、途方にくれてしまうこともない。

その日は、ローリもいつになく浮き浮きとしていた。鳥やけものに餌をやりながら、歌詞のない歌、この世界がまだ若々しかったころに人の心から湧きあがった歌をうたう。その清らかさはクフ王の神殿で奏でられていた笛を思わせた。それでいて、ときどき歌をやめては耳をすましたり、峡谷からこの家に続く小道を見おろしたり、まるで誰かを待っているかのごときそぶりを見せる。

日もかなり高くなったころ、《慈愛の鐘》が鳴った。わらわは危ういところで納屋のそばの木に駆けのぼった。鐘を鳴らしたのは、あの赤きあごひげの男であったのだ。

神にして天国の守護者、運命の糸の紡ぎ手でありながら、わらわはあの男が憎く恐ろしい。ローリに警告を送る。「心せよ！　心せよ！　その男をここに寄せつけてはならぬ。わらわに破滅を宣告された、呪われし身の男なれば、関わるものもまたその呪いを受けるであろう。悪事に手を染めし男なれば、この地に寄せつけてはならぬ。心せよ！」

しかし、ローリはその警告に気づかず、わらわの心は通じなかった。ブバスティスのわが神殿なら、こんなことはありえない。わらわが何ごとかを思い、あるいはまれにして警告や予言を胸に感じるやいなや、わが女司祭ネフェルト＝アメンは立ちあがり、ヴェールをかなぐり捨ててこう叫んだものだ。「聞け、おお、聞け――バスト・ラーのお告げが下った」その言葉を耳にした信者たちは、神殿の庭に面《おもて》を伏して目をそむけ、わが叡智を乞うてわらわを称えたものを。

ローリと男は、ともに納屋へ入っていった。

その朝だけではない。翌日も、その翌日も、男は姿を現した。

わらわは納屋の屋根に上り、そこから様子をうかがって、男の名と正体を知った。アンドリュー・マクデューイという名の獣医で、ローリが時おり日用品の買いものに下りる、ふもとの町に住むという。先日、半死半生でローリのもとにたどりついた手負いのアナグマを癒したのも、この男だったとのこと。わらわがなぜこの男を怖れねばならぬのか、考えてみれば奇妙なことだ。わらわは女神バスト・ラーであり、そもそもその前に、地上の支配者たる猫だというのに。だが、あの男を目にするたび、わらわは血の気が引くのをおぼえる。思わずがたがたと震えだし、誰よりもちっぽけで、誰よりも臆病、おびえたネズミも同然のありさまで、その場から逃げ出さずにいられない。

なぜ？　あの男は何ものなのであろう？　あの凶夢をのぞき、わらわはこれまであの男に会ったことはないはず。しかし、神ならではの霊感が、あれは猫の殺戮者、呪われし男だと告げている。だからこそ、わらわはあの男に天罰を下したのだ。

マクデューイという男は、ローリにあれこれと教えながら、巧みにあの娘にとりいりつつあった。ローリの目の前で、アナグマの肩と足にギプスをはめてみせる。肩を並べて作業しながら、ローリの熟練した手さばきを、野生のこのうえなく荒々しきけものをもおとなしくさせる手並みを誉めそやす。ギプスをはめてしまうと、マクデューイはアナグマの顔を上げさせ、耳を引っぱり、その毛皮を撫でた。「やあ、ぼうず。どうやらおまえも生きのびて、次の一戦に臨めそうだな。次はどんな動物を叩きのめすつもりか知らんが、肩の傷がくっついたら、前よりもきつい一発をお見舞いできるようになるよ。だが、もう罠には踏みこむんじゃないぞ」アナグマは忠実な犬よろしく、上目づかいに男を見あげた。ローリが男に向けたほほえみを目にしたときには、わらわは憎しみと妬みに耐えかねて、危うく憤死するところだった。かくもあの男を怖れていなければ、屋根の穴から身を躍らせて、その喉頸《のどくび》を噛み切ってやるものを。

別の日には、翼の折れたカラスの骨を接ぎ、添え木を当てる方法をローリに教えていたこともある。ふたりが赤毛の頭を寄せあい、黒き鳥の上にかがみこむのを、その翼を治そうと指が触れあうのを、わらわは憎しみと妬みに震えて見まもっていた。

とはいえ、森で、あるいは峡谷の岩場にうがたれた小さな洞穴でローリが言葉を交わす、目に見えぬ友たちの話となると、男はどうにも我慢がならぬらしい。ある日、男はごわごわした赤きあごひげを突き出して軟膏の並べられた棚を見わたし、やがて当然のごとくひとつひとつに指を突っこみ、鼻を近づけ、匂いを嗅ぎ、味を見ていった。それから、ローリにこう尋ねる。

「どこで薬草のことを学んだんだね、ローリ？　なかなか充実した薬局じゃないか」

「小人たちに教わったの」という答えを聞いて、男は怒れる牡牛のごときまなざしでローリをにらみつけた。「なんだって？　馬鹿馬鹿しい！　もっと分別のある返事をしてもらえると思っていたんだがね」

いつもの観察場所、屋根に開いた穴から一部始終を見まもっていたわらわは、男に唾を吐きかけ、あらためて呪いをかけてやった。男の言葉に、ローリが涙を浮かべたからだ。まるで、叱られた幼子のように。「ワラビの下に、本当にいるのよ。なかなか見ることはできないけれど、静かに近づくと、ささやき声が聞こえてくることがあるの――」

「すまなかった、ローリ――そんなつもりでは――」だが、いったいどんなつもりであったのか、男はついに口にしなかった。

また、こんなふうに尋ねたこともある。「いったいきみは何ものなんだ、ローリ？」

「わたしは――ローリよ。他に何の肩書もないわ」

「故郷は？」

「スカイ島のスリガハン。クーフリン丘陵の近くよ」

「ずいぶん遠くから来たものだな」

「ええ」

「ご両親か親戚はいないのかい？　きみは天涯孤独なのか？」

「そうよ」

「どうしてこんなところに来たんだ？」

「天使たちに導かれて」

その答えを聞き、男はまたしてもローリをにらみつけた。

とはいえ、そうこうするうちに、ローリはしだいに傷の手当てに熟練し、知識を増やしていった。男の治療法を呑みこんだおかげで、いまはさほど言葉も交わさず、互いに助けあって手早く作業を進めることが多い。ローリは男が何を使うかを先んじて悟り、指示される前にすっと必要なものを差し出す。

ある日、男は小さな犬をかごに入れて連れてきた。篤《あつ》き病に苦しんでいるようだ。犬を台の上に寝かせ、持参した刃物や器具をかばんから出して並べる。男とローリは、時間をかけてともに犬の治療にかかった。男はあれこれと説明し、ローリは男が次に使うものを用意しながら。

やがて治療が終わると、男は言った。「この犬をきみのところに残していってもいいかい、ローリ？　ぼくもできるかぎりのことはしたが、いまこいつに必要なものを与えてやれるのは、きみしかいないんでね――治ったら、迎えに来るよ」

男が帰るときになると、ローリは納屋を出て、その後を見おくった。曲がりくねった小道のかなたに男の姿が消え、足音が聞こえなくなるまで。わらわはブナの木づたいに屋根から下り、ローリの足もとにまとわりついた。あの娘のささやきが聞こえる。「わたしは誰？」それから、「わたしは何ものなの？」と。やがて、最後にこうつぶやく。「この胸に響く歌は何なのかしら？」

懸命にこの身を足首にこすりつけているというのに、ローリはわらわの存在に気づきすらしない。

20

ストロージー医師とアンドリュー・マクデューイ氏は、鉛色の水面を眺め、どんよりとした空の下、潮の引いた砂地を歩くカモメを見やりながら、重い足どりで入江の岸辺を歩いていた。細長く横たわる塩からい水面に、みるみる流されていく雲から落ちる雨の幕は、向こう岸に沿って北の峡谷へ向かいつつある。

この灰色の空のおかげで、マクデューイ氏の髪やあごひげも、すっかり色があせてしまったように見えた。重苦しい色はストロージー医師の垂れさがった頰のひだの間にも入りこみ、くたびれた帽子とレインコートを包みこんでいる。だが、その瞳は聡明さと思いやりに生き生きと輝いていた。これからマクデューイ氏に伝える知らせは、おそらく喜んでもらえるだろうが、ひとことひとことにすがりたい気持ちに配慮して、注意ぶかく話を進めなくてはならない。

「エディンバラから検査結果が届いたがね、わしの診断のとおりだったよ。あの子の身体には、どこも悪いところはない。喉にも声帯周辺にも、腫瘍は見あたらなかった。細胞診の結果は異状なし。血液検査も、何も問題はなかった。いまだから言うがね、白血病を疑ったこともあったよ——声が出ないことは別としてな。さて、これでわしらも、もうそんな心配をせずにすむわけだ。あの子の身体は健康だよ」

マクデューイ氏は長い吐息をついた。「ああ！　よかった」

「まったくだ。本当にいい知らせで、わしも心から安心したよ。腎臓も、心臓も、肺も、きわめて健康な状態にある。後は脳造影もやっておくべきかもしれん。もっとも、わしの見るところ、脳には何の問題もないがね」

マクデューイ氏はもう一度、大きく息を吐いた。「先生がそうお考えなら、本当にありがたいですよ。身体に何も異状がないのなら、さほど――」

ストロージー医師はうなずき、先端に鋼鉄をかぶせた杖で、岸辺の小石をつついた。「とはいっても、あの子は重篤な状態にある」

本当に医師がそう言ったのか確認したいとでもいうように、マクデューイ氏はその言葉をくりかえした。「重篤な状態に」平静をよそおってはいても、危うくとりみだしてしまいそうなほどの衝撃だった。医師の口からは、けっして聞きたくない恐ろしい言葉。けたたましい音をたてて、その言葉が頭の中をぐるぐる回る。マクデューイ氏はそれをつかまえ、暴れるのを押さえこんで心の顕微鏡とでもいったものの下に据え、どういうつもりなのか、どんな意味が隠れているのか、どれほど恐ろしい事態で、どれほど希望が残されているのか、じっくりと観察してみようとした。《重篤《グレイヴ》》というのはたしかに深刻だが、かといって回復が期待できないわけではない。重篤《グレイヴ》な状態から回復した人間はいくらでもいる――墓《グレイヴ》からは戻ってこられないとしても。自分の声が、こう答えるのが聞こえた。「そうは言っても、先生もさっきおっしゃったとおり、検査しても原因は何も見あたらなかったわけですし――」

「そうなると、検査に現れない原因を探すべきではないのかな」ストロージー医師は後を引きとった。「わしの祖父さんの時代には、現代の医学じゃ認められんような原因で病気になるものがめずらしくなかったよ。求婚をはねつけられて世をはかなみ、げっそりと目がくぼんで痩せほそった男も、片想いに胸を焦がすあまり、やつれて寝ついてしまった娘もな。亭主に裏切られた女房も、男が逃げるんじゃないかと気をもむ年増も、身体をこわしたり、下手をすると寝たきりになってしまったりしたものだ。こんな症状は、みんな立派な病気として扱われておった。いや、実際のところ、そのとおりなんだがね。歩けなくなったり、失神をくりかえしたりする女性は、たしかに病気なのだよ——ふいに口がきけなくなった子どもと同じにな」

マクデューイ氏は真剣に耳を傾けながらも、《重篤》という言葉の意味を頭の中で必死に考えてみずにいられなかった。ストロージー医師はこの言葉を通して、あるいは言外に、自分に何を伝えようとしているのだろうか。

ああ、あれほど憧れた医学も人間相手の仕事も、いまとなってはおぞましいだけだ!《重篤》という言葉に、ほんのわずかでもいい、希望は残されていないのだろうか? だが、これまで自分がどれほど頻繁にそんな希望を摘みとってきたか、ふと思いあたってマクデューイ氏は呆然とした。ほんの一瞬、自分が神を信じていないことに、狂おしいほどの安堵をおぼえる。神の統べたもう世界では、罪を犯したものは必ずその報いを受けるのだから。邪悪で神を信じないものたちが繁栄をむさぼっているという事実に、いまだけはすがりついていたい。もし神を信じていたら、メアリ・ルーが自分の手から奪われる、牧師に言わせると《神に召される》

のは、自分があの子の父親にふさわしい人間ではないからだということになってしまうではないか。マクデューイ氏が答えなかったので、医師はしばらく岸に打ちあげられた紫の海草や軟泥を杖でつついていたが、やがて先を続けた。

「医者だった祖父さんのアレグザンダー・ストロージーがこの世によみがえり、メアリ・ルーを診察したとしたら、きっとこんな具合だったろうな。まず部屋に入るなり空気の匂いを嗅ぎ、それからベッドに歩みよって、患者のあごに手を当て、じっとその目をのぞきこむ。これでなかば診断がつくのだよ。身体には何の異状もないことを確かめて納得すると、部屋を出て後ろ手にドアを閉め、曖昧な言葉でごまかすことなく、きちんと近親者に告げるのだ。『お子さんは絶望のあまり死にかけている』とな」

マクデューイ氏はやはり無言のままだったが、今度は衝撃のあまりすべてが麻痺してしまっていたからだ。結局のところ、やはり自分は罰せられるらしい。治安判事や裁判官が定め、法典から読みあげられる刑罰ではないものの、やはり有効であり、実行に移され、罪人をさいなむ罰。だが、いったい誰が、どこから命じた罰なのだろう？　この宇宙のどこかに、罪がどれほど深く、どれほど重いかを量る天秤があり、どれほどの償いが必要か定めているのだろうか？　病気の猫を殺した償いとして、一生涯にわたって罪悪感と悲嘆と後悔にさいなまれなくてはならないとは、いったい誰が定めた、どんな基準の正義なのだろう？　これは星々のかなたで何ものかが定めた懲罰なのか、それとも何にも縛られることなく軌道をめぐりながら自転を続ける地球が、たまたま生み出してしまった運命なのだろうか？　人生の小さな玉がルーレットの上を転がり、やがて何らかの苦境の溝に落ちるように？

「わしが現代の医者ではなく、心電図を読むといった新技術にも通じていなかったとしたら、やはり祖父さんと同じように、『お子さんは絶望のあまり病に伏している』と言いたくなったかもしれんな。だが、こうした心の病には、エディンバラの病院で手術中に使うような最新鋭の人工心肺も役には立たんし、いくら心電計で測ってみても、じわじわと衰弱していく原因を探ることはできんのだよ――」

ずっと歩いてきた散歩道が、私有地の塀にぶつかってとぎれる。向こう岸の丘陵を包んでいた灰色の雨の幕が、じわじわと細い入江を横切りつつあるのを見て、ふたりはきびすを返した。

「どうやら、わしらも追いつかれてしまいそうだな」ストロージー医師はあやしげな雲行きを見てこう漏らし、それからつけくわえた。「再婚を考えてみたことはないのかね、アンドリュー？」

マクデューイ氏は足を止め、まじまじと連れを眺めた。これが一ヵ月前なら、何の迷いもなくきっぱりと「いや、そんなつもりはさらさらありませんね」と答えていたことだろう。だが、ストロージー医師は名医としての単純明快な直感に助けられ、娘の病の本質をついただけでなく、マクデューイ氏が初めてローリに出会った日からずっと苦しんできたジレンマをも、ぴたりと言いあてていたのだ。

「いや、いや」老医師はマクデューイ氏を安心させるように言葉を継いだ。「きみの個人的な事柄に首を突っこむつもりではないよ、そう聞こえたかもしれんがね。わしが言いたかったのは、あの子は愛情を必要としておるということなのだ」

「ぼくの愛情では足りないとでも言うんですか――こんなにも必死に愛しているのに」マクデューイ氏はうめいた。ほんの一瞬、自分がメアリ・ルーのことを言っているのか、それともローリのことなのかわからなくなる。どちらも愛している、それは確かなことなのだが、ひとりは自分の手から滑り落ちつつあり、もうひとりは手に入れることのできない存在だった。

「わかるさ、わかるとも」ブラッドハウンドのような悲しげな目に思いやりをこめて、ストロージー医師は連れを見やった。「わしら父親はみんな同じさ。必死に、狂おしいくらいに、力の及ぶかぎり子どもを愛する。子どもが自分の投影であるかぎりはな。男の愛情の力強さを初めて子どもに味わわせる、それがわしら父親の役目なんだよ。だが、それは穏やかに守り慈しむ、もっと安らかで優しい母親の、女の愛情とはちがうのだ」

「ぼくだって、できるかぎりのことは――」マクデューイ氏は言いかけたが、ストロージー医師はそれをさえぎった。

「いや、そんなつもりではないのだ、アンドリュー。あの子の人生にこんな深刻な事件さえ起きなければ、きみのやりかたでうまくいっていたのだろうな。何があったのか詳しくは知らんのだが、実際にあの子の具合がおかしくなりはじめたのは、死んだ飼い猫のような声が聞こえた夜よりも前のことではないのかね？」

「あの猫を、ぼくがクロロホルムで殺した日からです」

「そうではないかと思っとったよ。そういう際立った悲しみや苦難を乗りこえなければならんときこそ、父親と母親のどちらもが必要となるのだ。父親の強さ、母親の優しさと女らしい思いやり。その両方がなくてはならない助けとなり、みごとに結びついて防波堤となってやってこそ、子どもを襲う嵐を撃退できるのだよ」

「それが先生の処方箋というわけですか?」マクデューイ氏は沈んだ口調で尋ねた。いつもは生気にあふれ、攻撃的なその顔に、いかにもしょんぼりした表情が浮かんでいるのを見て、ストロージー医師は思わず穏やかな笑い声を漏らさずにいられなかった。

「ほら、元気を出しなさい。断頭台に引かれていくわけではないのだからな。そんな、死刑執行人に手招きされているような顔をして」

「しかし、メアリ・ルーが——重篤な——」そのおぞましい言葉にマクデューイ氏が口ごもったところで、ストロージー医師が後を引きとった。「重篤な状態にある、となああ、わしはわざとそんな言葉を使ったのだよ。あの子の容態はしだいに悪化しつつある——そう、どこかで引きもどしてやらねばならんのだ。だが、一刻を争う危険な状態というわけではない。あの子は生きる力も病気と闘う力もある、健康な子どもだったのだからな。いまは、その病気と闘う力が衰えないように、わしらで支えてやることだ」

町のはずれ、マクデューイ氏の家のある岸辺の小路は、もう目の前だった。医師はマクデューイ氏の腕をぽんと叩いた。「ほら、元気を出して、そんなに暗い顔をするんじゃない。いつもはつんつん突っ立っとる、その赤いひげもしおたれとるぞ。諦めるには早すぎる。わしらはできるかぎりのことをしなきゃならんのだ——あの子を元気にしてやるためにな。愛情、愛情、愛情だよ！　あの子に山ほど、たっぷり、あふれるほどの愛情を服ませてやる、それが何よりの薬なのだ。ベン・ローモンド山やコブラー山ほどの大きな倉庫にいっぱいの愛情があったとしても、わしはそれが空っぽになるくらいの処方箋を書く。男だろうと、女だろうと、子どもだろうと、こうした病にそれ以上の薬はないのだからな——動物だって同じことだろうよ、きみも職業柄よくわかっているだろうが。それじゃ、わしはこれで」医師は重い足どりで去っていった。

マクデューイ氏は引きとめたいのをこらえ、その姿が視界から消えるまでじっと見おくった。病に襲われ、死におびやかされたとき、誰しも感じる医者にすがりつきたい思いや、医者が帰っていくときの心細い気持ちを、氏はいま初めて味わっていた。そんな気持ちを向けられる相手は、マクデューイ氏にとって他に誰も、何も存在しなかったのだ。

家に入り、帽子とレインコートを脱ぐと、メアリ・ルーの部屋へ向かう。かつては幼い子どものはしゃぐ声でにぎやかだった家が、いまは静寂に支配されていることにも、マクデューイ氏は慣れはじめていた。

枕に身体をもたせかけるようにして、メアリ・ルーはベッドに寝ていた。寒くないようにと身体を包みこんでいる緑色の上掛けのせいで、赤い髪と血の気のない顔がくっきりと浮かびあがって見えた。娘は横たわったまま、天井をじっと見あげている。枕もとで縫いものをしていたマッケンジー夫人は目ざとく機転を働かせ、コンロに鍋がかけてあるからとつぶやきながら部屋を出ていった。

ベッドの脇にひざまずくと、娘の頭を喉もとにもたれさせ、その身体を胸に抱きよせる。胸にあふれるメアリ・ルーへの愛情がその心臓に流れこむよう、しっかりと優しく。娘の心臓のゆっくりした鼓動が伝わってくる。あの老医師の言葉を借りれば、絶望に破れ、癒しを必要としている心臓の。

娘を癒そうと懸命に愛情を送りこみながらも、マクデューイ氏は娘に何も言ってやれない自分に気がついていた。愛情のこもった言葉が唇から出てこないのは、自分が男だからなのだろうか。ストロージー医師の言っていたことに、いま初めてはっきりと思いあたる。こんなとき、女なら優しく愛情のこもった言葉をかけて、子どもを慰めてやれるのだろう。「大事な大事な可愛い子、ちっちゃいお人形さん、いい子ね、ほら、母さんよ。怖がらなくていいのよ、母さんがここにいるじゃないの。だいじょうぶ、何も怖くないように、ぎゅっと抱っこしてあげるから。ほらね、大事なわたしのおちびさん――」

男にとってこんなにも口にしにくい言葉が、どうして女の口からはなめらかに流れ出すのだろう？　娘に伝えられない思いが胸に重くのしかかり、マクデューイ氏はうめいた。ややあって、抱いていた娘を胸から離し、優しく枕にもたれさせてやる。メアリ・ルーの目はじっと父親の顔に注がれていた。その目に浮かぶ表情が何を語っているのか、読みとれない自分の無力さが身にしみる。

ここにいるのが自分ではなく、ローリだったとしたらどうだろう。たちまち、ベッドに横たわる娘にかがみこんで顔を寄せる、いかにも愛情ぶかいローリの姿が目に浮かんでくる。その口もとにたたえられた、悲しげでもあり、優しげでもある表情があまりにくっきりと脳裏によみがえり、本当に隣に並んで立っているような気さえしてきた。肩に垂らした赤銅色の髪が、メアリ・ルーの金色がかった赤い髪に交じりあう。傷ついたアナグマを抱いたローリの姿を思い出したマクデューイ氏は、代わりに自分の娘がその胸に抱かれ、愛情のこもった言葉で語りかけられている光景を想像せずにいられなかった。

苦々しいジレンマに絶望し、氏はベッドの脇の椅子に腰をおろしてため息をついた。これまでも同じ夢を何度となく見ては、そのたびに現実の残酷さに打ち負かされてきたのだ。ローリは魔女だ。ローリは気がふれている。ローリはこの世に生きる人ではない。その目は外の世界ではなく、自らの内側に向けられている。科学万能の、この小利口な世の中では、ローリのような人間の心にさまざまな病名を当てているのだ。天からの声を聞き、目に見えないものと心を通わせるローリ。神話の中に住むために、現実を捨ててしまったローリ。いわば、修道院に入ったようなものだ。人間ではなく、動物の王国に身を捧げた修道女。母のない子に愛情と思いやりを与え、みじめで孤独な男の愛に応えてくれる、ストロージー医師が描いたような女性になど、なってくれようはずもない。まったく、なんという皮肉なのだろう。マクデューイ氏は両手に顔を埋め、どうにか答えを見出そうとするかのように、額を指で強く押しつづけた。やがて手を離してみると、メアリ・ルーは安らかに眠りこんでいた。

ストロージー医師の言っていたことが、こうしてみるとよくわかる。血の気が失せて蒼ざめた肌、目の下のくまやこけた頬。中でももっともマクデューイ氏の心を悲しみで揺すぶったのは、その口もとだった。普通なら、眠っているときの子どもの口もとほど愛らしいものはないのに。いまやメアリ・ルーの口もとは、絶望に屈してしまったかのように見えた。

マクデューイ氏はのろのろと立ちあがり、部屋を出た。友人のアンガス・ペディ牧師と話がしたい。友人のいるインヴァレノックの改革長老派教会には、いまだに足を踏み入れたことはなかった。だが、いまは、ひとつ尋ねたいことがある。

21

長老派教会の建物に付属する牧師の書斎はどうにも居心地が悪く、アンドリュー・マクデューイ氏は中学生に戻ったような気分を味わっていた。

隣には牧師が住む家がある。これまでよくしていたように、夕方まで待ってそこへ寄り、たばこやパイプを吸いながら議論を楽しんだり、ビールを一、二杯ひっかけたりしながら心の重荷を下ろすことができたなら、こんなに簡単なことはなかっただろうに。

だが、いまの心境では、この板ばさみの苦しみを、そんなにも気楽にあらいざらいうちあける気にはなれなかった。だからこそ友人の職場のほうへ、いわゆる午後の公式訪問を行うことにしたのだ。僻地からはるばる出かけてきたものの、着なれない服に身を包み、見なれないものにとりかこまれて硬くなり、山高帽を握りしめて椅子の端にちょこんと腰かけ、牧師が口を開くのを待つ教区民のような気分を、マクデューイ氏はたっぷりと味わわされていた。

実際のところ、普段とちがった格好をしていたわけではない。革のひじ当てのついた古いツイードの上着をはおり、いつものように帽子はかぶらず、燃えるような赤い髪は乱れたまま。だが、ここに来てすっかり気勢をそがれてしまった氏は、深々と椅子に沈みこむ気にもなれず、端にちょこんと腰をおろしたまま、周囲のさまざまなものを眺めていた。本や書類がどっさり積まれたデスクの後ろに、さながらディケンズの小説の、文学熱に浮かされたピクウィック老人のような風情で納まっている牧師。部屋の隅に置かれた、マホガニーの台座の上の鉢植え。背の高い本棚に、炎を模した電熱線が赤々と輝いている茶色のマントルピース。駒を並べたまま、小さなテーブルに置いてあるチェス盤。壁に飾られた銅版画と、その後ろの黒ずんだ壁板。

ペディ牧師は、こんなところへ友人が訪ねてきたことに驚きつつも、顔には出さずに中に招き入れていた。「さあ、入ってくれ、アンドリュー。そこにかけて。いや、とんでもない、邪魔なもんか。そろそろ休憩したかったところだよ。きみが来てくれたおかげで、十五分は長くなりそうだった今度の説教の草稿も、ちょうどいいところで締めくくれそうだ」

だが、背のまっすぐな椅子に緊張した面持ちのマクデューイ氏が腰をおろすと、ふたりの間には沈黙が横たわった。その気まずさを和らげてくれたのは、慢性消化不良に苦しむパグ犬のファンだった。主人のデスクの脇に置かれたかごから立ちあがり、息を切らしてぜいぜいあえぎながら駆けよってくると、マクデューイ氏の前にちょこんと坐りこみ、おねだりするように両方の前足を上げてひょこひょこと動かしたのだ。

マクデューイ氏のひじのあたりに、ボンボンを載せた皿があった。上の空のまま、ひとつつまんで犬の口に入れてやる。犬は嬉しそうに白目をむき、うっとりと食べはじめた。

ペディ牧師は友人に勝ち誇った笑みを向けた。「ほら、やっぱり、そうせずにいられないだろう?」

これにはマクデューイ氏も声をあげて笑わずにはいられなかった。いくらか緊張がほどけたところで、ゆっくりとパイプにたばこを詰めこみ、相談を切り出す勇気を奮いおこす。ようやく最初の一服を吸いこむと、氏は口を開いた。「話があるんだ、アンガス」

友人を助けたい一心で、ペディ牧師は先回りして重荷をとりのぞいてやろうとした。「メアリ・ルーの回復がはかばかしくないのかい？　あの子のために、これからも祈るよ」

「ありがとう。ご親切に感謝するよ」どこか他人行儀な口ぶりが、ペディ牧師の耳にひっかかる。何も言わずに友人が切り出すのを待っていればよかったと、牧師は悔やんだ。

マクデューイ氏のほうは、誠実で信心ぶかい人間の胸に湧きあがる祈りの価値など、もともと知るよしもない。だからこそ、牧師の言葉には奇妙な腹立たしさを感じずにはいられなかったのだ。まるで、自分にとってもっとも大切な娘の生命が、口先だけの懇願やまじない、神へのお追従で、どうとでも動かせるような口ぶりではないか。自分にはない天上とのコネを牧師が持っていて、その間をとりもってやろうと申し出るなんて、あまりに失礼で出すぎたふるまいに思えてならなかった。いくら仕事場に訪問したとはいえ、牧師という職業上の壁の向こうに引っこんでしまう友人がうらめしい。いっそ来なければよかった。全力を振りしぼってでも、自分で答えをつかむべきだったのかもしれない。

だが、しばしの後、来てしまったからには話もせずに帰るのもつまらないと思いなおし、口を開く。「医者の診断は変わらない。どこにも異状は見つからんが――どこもかしこも悪いんだ。だが、きょう来たのはその話じゃない。ローリのことだ」

今度はペディ牧師も表情を変えることなく、どこまでも穏やかに答えた。「ああ、なるほど。

そういえば、ローリのところを訪ねるかもしれないと言っていたね。どうやら行ってきたらしいな」

マクデューイ氏の脳裏に、ふとペディ牧師の警告がよみがえる。「恐ろしい危険に踏みこむことにならないともかぎらない――神さまを愛するようになることかな」自分、このマクデューイが神ではなく、ローリを愛するようになったと知ったら、友人はなんと言うだろうか。声に出して、こう答える。「ああ。実のところ、もう何度も足を運んでいるんだ」

ペディ牧師は進むべき道を慎重に探った。「それで、例の用件は片づいたのかい?」

「そんな必要はなかったよ。あの人が――あの人が何をしているのか――ぼくが耳にしていたのはまちがった噂だったらしい。あんなに純粋な人が、法律を破ったりするはずはないよ」

ペディ牧師はその先を促すような笑みを浮かべた。「本当によかった。自分の目で確かめれば、きっときみもわかってくれると思っていたんだ」

「ぼくがまちがっていたよ。それは認める。ぼく――ぼくは」――マクデューイ氏は言いよんだ――「あの人の力になれればと思った」

《力になれれば》という言葉を聞いて、ペディ牧師はすべてを察し、金縁眼鏡の後ろの瞳をきらめかせた。デスクに身を乗り出し、新たな興味のこもった目で友人をしげしげと観察する。人生のちょっとした皮肉を目にしたおかしさと、そんな罠に落ちこんで苦しむ友人への同情は、どちらもほとんど顔に表さずに。とりあえず「それはいいことだね」とだけ答え、「《力になれれば》たあ《惚れた》ってことさ」などという軽口は叩かずに、そっと胸に納めておいた。

「純粋で善良な人なんだ」マクデューイ氏はくりかえした。「だが、ひどく気がふれて――いや、妄想にとりつかれている、というべきかな。そうだ、気がふれているわけじゃない、妄想にとりつかれているんだ。なにしろ、動物と話ができると思いこんでいるくらいだからな。たしかに、言うことをきかせる手並みがみごとなのは認めるが、動物と意思を通じるなど、科学的に説明できることじゃない。そのうえ、天使と話すだの、羽音や声が聞こえるだのとさえ口走るんだ」

ペディ牧師はじっと考え、やがて口を開いた。「かつて、アッシジにフランチェスコという人物がいたのを知っているだろう。町はずれの路傍に立ち、さえずるのをやめて話を聞けと命じてから、鳥たちに向かって神の道を説いた人物だよ。そのときも、現在にいたるまでも、それをおかしいと思うものはいない。フランチェスコは、野のけものも、水に棲む魚も、空を飛ぶ鳥も、すべては人間の兄弟であり、姉妹だと思っていたんだ。偉大なる科学者たちだって同じことを主張しているじゃないか、否定すべくもない身体構造上の類似点や――」

マクデューイ氏がいきなり爆発したのを見て、ペディ牧師はほっとした。いつになく元気のない、打ち沈んだ友人の姿に気をもんでいたのだ。「黙れ、アンガス。きみたち神学者ときたら、何ひとつ明確に答えようとはしないんだな。いつだってぬらりくらりと、アナゴもいいところだ。ローリが正常とはいえん暮らしをしているのは、きみだって知っているじゃないか。どんな理由があろうと、あの人は現実に背を向けて、自分の作りあげた世界に逃げこんでいるんだ――」

「ああ、そうだろうな、アンドリュー」ペディ牧師はさえぎった。「きみのような人種は、自分が《正常》とする定義に当てはまらないものには、すべて都合のいいレッテルを貼って片づける――神経衰弱だの、分裂病だの、精神異常だの、躁鬱病だのとね――どんな人間も、どこかに分類しなければ気がすまないんだろう。たとえ、その人が本当に神さまの声を聞いていたとしてもね。きみにかかったら、神さまを信じるわたしたちのような人間はみんな最寄りの精神病院行きだな」

いったん爆発してしまうと、マクデューイ氏の感情は荒れ狂うばかりだった。「じゃ、きみはローリが正気だとでも言うつもりか?」だが、ペディ牧師にとっては、いつもの辛辣さをいくらかとりもどした友人のほうがやりやすかった。

デスクから立ちあがり、窓に歩みよると、こぎれいな白い教会とその裏の墓地、林立する灰色の墓石の向こうにきらめく青い入江を眺めながら、どう答えるべきかじっくりと考える。やがて友人を振りむくと、牧師は口を開いた。「人それぞれのやりかたで至高の存在を愛し、心を通わせる、あるいは通わせようと試みることを正気でないと呼ぶのなら、地球上の人類の九割は気がふれていることになるよ。こんなふうに考えてみたらどうかな――イエスさまがもっとも訴えたかったことは、憐れみの心だった。二千年前、この残忍で理性のない世界に、イエスさまが愛と憐れみと優しさをもたらしてくださったんだ。だが、それ以来というもの、イエスさまのお考えになったまともな状態から、世界は離れていくいっぽうなんだがね。五百年前なら、ローリは聖女と呼ばれたかもしれないのに」

「魔女とされていたかもな」マクデューイ氏はむっつりとつけくわえた。「いまだって、そう呼ぶ連中もいるんだ」そして、そもそも相談したかった問題に戻る。「ともかく、もしローリの気がふれて――いや、ちょっとばかり常軌を逸しているとしたら――ほら、精神に異常をきたした人間は、現実に背を向けて想像の世界に逃げこむものだろう？　そもそも狂気というものは、才能ではなく病であって――」

「ああ、それで、ローリが正気でないとしたら――？」

「そのことだが」マクデューイ氏は必死に続けた。「もし、あの人が――気がふれているというか、うん、きみの言葉を借りれば聖女であり、ひたむきに身を捧げているのだとしたら、こんなことを考えるのは罪だろうか、ぼくが――」

だが、氏はここで口をつぐんだ。自分がこんなにもローリを愛し、だからこそ現実との板ばさみとなって出口が見つからずにいることを、どうしてもペディ牧師にうちあけられなかったのだ。まさか、気のふれた女と結婚したいだなどと――

背が低く恰幅のいい牧師は窓辺から戻ってくると、丸くぽっちゃりした指をマクデューイ氏の胸骨に突きつけた。「きみと罪に何の関係がある、アンドリュー・マクデューイ？　神さまを信じてもいないのに、どうしてそんなことを気にかけるんだ？　罪というやつは、信心ぶかいものだけに許された奇妙な特権でね。罪を享受することができないのは、無神論者に下される罰のひとつなんだよ、知らなかったのか？」

マクデューイ氏はおずおずと尋ねた。「ぼくをからかっているのか、アンガス？」

「まさか！　よく考えてみてくれ、筋の通らない理屈を振りまわし、自分で自分をがんじがらめにしていることが、きみにはわからないのかい？　きみが訊きたいのはこういうことだろう。気がふれているときみが勝手に思いこんでいる女性を愛し、結婚して子どもを持ちたいと思うのは罪かどうか、ってね。だが、きみがもし神さまを信じていたら、ローリの頭がおかしいなどとは思わないだろうよ。それどころか、善良で思いやりにあふれ、こんなにも非情で鈍感な時代に生まれてきたのが痛ましいほど愛らしい女性だとわかるだろうに」

マクデューイ氏はうなるように答えた。「神！　神！　いつだって神だ！　神から逃れる道はないのか？」

ペディ牧師はきっぱりと言いきった。「ああ、ないね！」それから、穏やかな口調に戻って続ける。「わたしが神さまを引き合いに出したからって、何も驚くことはないよ。精神科医のところへ行けばノイローゼやリビドーの話を聞かされるだろうし、内科医なら分泌腺や内臓の話になるだろう。配管工なら、吸引カップや洗浄器かな。だとしたら、牧師が神さまの話をしたからって、何をあわてることがある？」

怒るわけでもなく、ひたすら苦しげな口調でマクデューイ氏は答えた。「ぼくには無理だよ、アンガス」

「そうかな？　わたしはそうは思わないが。きみとローリは、それぞれが属する世界の中でも、いちばん外側の端っこに住んでいるんだ。ほんのわずかでいい、お互いが少し位置をずらしたら――」

「だから、それが無理だと言っているんだ。なにしろ——声が聞こえる、などと信じているんだからな」《神の声》とまでは口にできなかったものの、マクデューイ氏は思わず天を見あげた。

ペディ牧師は金縁眼鏡の奥で、いかにも無邪気に目を見はってみせた。「ジャンヌ・ダルクもそうだったな！」

マクデューイ氏が目を怒らせるのにもかまわず、さらにたたみかける。「本当にそういう声が聞こえているのかもしれないと、きみは考えてみたことはないのかい？」

マクデューイ氏は立ちあがり、チェス盤に歩みよると、意味もなく駒をいくつか動かした。「気まぐれか、それとも人知の及ぶところではないルールにのっとってかは知らないが、誰かがこんなふうにわれわれをあやつっているということか？　いや、だめだ、アンガス。ぼくには信じられん。とうてい信じられんよ」ドアへ向かい、部屋を出るまぎわにひとこと、心からの悲しみと落胆がこもった言葉を残す。「きみに救ってはもらえなかったな」

小柄な牧師は椅子にかけたまま、友人の非難を嚙みしめ、心の中を見つめなおした。自分には他にできること、言ってやれることがあっただろうか？　いま、この機会に？　ペディ牧師にとって、苦難に際して人間が頼れるのは信仰しかなかった。いくら奥深くまでのぞいたところで、闇と絶望しかないこの世界に、いったい他に何があるというのだろう？　無神論者が引きずる鎖の救いのない音は、長いこと耳に響きつづけている。論理的、哲学的な人間として、神とその聖霊が人間の前に自らをお示しになられた五千年にわたる歴史と記録は、とうてい否定できるものではない。だが、牧師はそんなことを友人に言ってきかせはしなかった。代わりに、こんな言葉をかける。「すまない、アンドリュー。だが、結局のところ、きみを救うのはきみ自身だよ。きみが答えを見つけられなくても、答えがきみのところにやってくる。きみもいつか体験するだろうが、信仰というのは、特定の、あるいは一連の神話を漠然と信じる、信じこむといったことじゃない。原子ひとつ分の疑問の余地すら残さずに、魂のすみずみまで確信で満たされるような、深いところから湧きあがる感情なんだ。こういう確信に到達するには、他人の助けは役に立たない、自分の力に頼るしかない。神さまの啓示がどんなものかは他人に説明できるようなものじゃないし、いつ訪れるかも、誰にも予測できないんだからね」

「きみが何を言っているのか、ぼくにはわからんな」

ペディ牧師はため息をつき、穏やかに続けた。「そうだな、わかろうとしなくてもいいよ。だが、相手のやりかたを否定するのはやめにしよう。わたしがメアリ・ルーのために祈ると言ったとたん、きみは腹を立てたけれど、ストロージー先生が新しい抗生物質を投与してみようと言っても、同じように腹を立てたかな。これまでの経験則や実験結果に基づいて確信にいたるのは、神学も医学も同じなんだが」

マクデューイ氏は小さくうなずき、無言のまま部屋を出ると、後ろ手にそっとドアを閉めた。友人が立ち去ってからも、小柄な牧師は長いことデスクに向かったまま、身じろぎもせず静かに考えこんでいた。自分のしたことは、あれでよかったのだろうか、それともまちがっていたのだろうか。どちらにせよ、簡単に結論の出ることではないが。

教会が改宗を喜ぶことも、入信者を増やしたがっていることも、けっして知らないわけではない。だが、自分の信じる神をどう敬うか、牧師には牧師なりの考えかたがあり、神に関わることは神の思し召しのままにまかせるべきだと思っていたのだ。そんな方針を声高に主張こそしないものの、現代のこの世の中、無神論者をなだめたりすかしたりして、いやいやながら改宗させるようなことをするつもりはなかった。

また、マクデューイ氏がなぜ無神論者となったか、その理由だけでなく、いまはもう無神論に背を向けていながら、自分でそうと認められずにいるだけだということも、ペディ牧師は見てとっていた。イタリアのロマーニャあたりの農民たちは、穀物が不作だったり、収穫が嵐にやられてしまったりすると、お仕置きとして教会の壁龕《へきがん》から聖者の像を倉庫へ追放し、埋め合わせにそれなりのご利益があるまでは元の場所に戻してやらないという。ペディ牧師は友人に、それと同じような子どもじみた激しさがあることに気づいていたのだ。

友人が獣医となった背景や、若いころのつらい思い出を知っているペディ牧師は、少年だったマクデューイ氏がこう祈ったであろうことを確信していた。「ああ、神さま、ぼくを助けてください！　どうか医者になれますように」そう、神の意志はマクデューイ氏の意志をしりぞけたが、氏のほうもまた、おとなしくしりぞけられたままでいるような人間ではなかった。神に呼びかけ、心を委ねることで得られる慰めをどれほど欲していたとしても、あれだけ頑固で片意地、攻撃的で辛辣な男がそんなことを簡単に認められるはずもない。

床につくかつかないかの短い足を椅子から垂らし、唇を引っぱりながら考えていたペディ牧師は、それが友人の性格を理解する鍵だと確信した。いま恐ろしいのは、マクデューイ氏が神に対して心を閉ざしてしまうことではなく、むしろ自分自身に対して心を閉ざしてしまうことだ。あの男はいま、とてつもない危機に直面している。もしメアリ・ルーがもう一度口がきけるようにならなかったら、もしこのまま死んでしまうようなことになったら、あの男は自分の犯した罪と向きあうほかはなく、救いの手が差し伸べられでもしないかぎり、その重さに押しつぶされてしまうにちがいない。

自分自身の無力さを、ペディ牧師はじっと嚙みしめた。この件についても、神がその思し召しどおりに御手を下したもうことを疑ったことはない。それを疑わずにいることだけが、心を痛めずにいられないこの奇妙な一幕において、自分が演じるべき役割なのだろう。

22

その朝、ペットを連れた数人の飼い主に交じって、三人の少年が居心地悪そうに背を伸ばし、待合室の椅子に並んで腰かけていた。以前の荒々しさがめっきり和らいだしぐさで診察室のドアから顔を突き出したマクデューイ氏は、その三人が誰なのか、一目で見てとった。もじもじとおちつかないのはカブ・スカウトのジョーディ・マクナブ、背が高くひょろっとしていて、悲しげながら不安そうなのはバグパイプ吹きの軍曹の息子、ジェイミー・ブレイド。ただひとり、整った顔立ちをして、いかにも冷静沈着そうなヒューイ・スターリングだけは、こんなときにもどこか楽しげに見える。

三人には、何かしめしあわせていることがあるらしい。獣医が顔を突き出したのを見て、ちびのジョーディとのっぽのジェイミーはあわててヒューイ・スターリングのほうに目を走らせ、首謀者がうろたえたり、逃げ出そうとしている気配はないかと探ったのがわかった。だが、そんな心配は無用だった。整った顔立ちの少年は、依然として冷静なまま、ぐらつく様子はない。

いったい少年たちが何のためにやってきたのか、マクデューイ氏は好奇心をそそられた。最後の患畜を診察して飼い主を送り出し、ウィリー・バノックに入院動物の世話を命じると、待合室のドアを開け、少年たちに声をかける。「いいぞ、ぼうずたち。入ってきなさい」

少年たちはヒューイ・スターリングを先頭に立て、まじめくさった顔で一列に並んで診察室に入ってきた。心にあまりに重い荷を抱え、すぐにでもすべてをぶちまけてしまいたそうな少年たちを見て、窓ぎわの片隅に置かれた古風な巻きあげ蓋付きデスクの前に坐ったマクデューイ氏は、誘いの水を向けてやった。「さてと。よし、話を聞こうじゃないか。ぼくに何をしてほしいんだ?」

少年たちはオルガンのパイプのように背の順に並び、交渉役のヒューイ・スターリングが口を開いた。「メアリ・ルーの具合はどうですか? よくなったんでしょうか。ぼくたち、お見舞いに行ってもいいですか?」

マクデューイ氏はふいに、この三人の少年が可愛くてたまらなくなるのを感じた。ほんの数秒のうちに相手を見る目が根底から変わってしまうとは、なんと不思議なものなのだろう。これまで、町なかでこの少年たちを見かけても、どこの子かくらいはぼんやりと知っていたとはいえ、とりたてて意識したことは一度もなかったというのに。だが、いま目の前の少年たちは、いつのまにか三人の友人に姿を変えていた。

「メアリ・ルーの病気はひどく重くてね」氏は沈んだ口調で答えた。「ああ、ぜひ見舞いに行ってやってくれ。きみたちに会えば、あの子も元気が出るかもしれん。あの子のことを考えてくれて、しかもまずここへ様子を尋ねにきてくれて嬉しいよ」

「そんなに病気が重いだなんて、おれたち全然知らなくって」ジェイミー・ブレイドが悲しげにつぶやいた。「あれ以来会ってなかったもんな、あの葬式の日——」ヒューイに思いきりひじで突かれ、言葉を呑みこんで口をつぐむ。

「新しい猫、飼った？」ジョーディが尋ねた。

いちばん年下の子にはヒューイももっと優しく、ただ肩に手を置いてこう声をかけた。「しーっ、ジョーディ。すぐにわかることだろう」それから、マクデューイ氏に向きなおる。「メアリ・ルーは誰ともしゃべれなくなったって聞いたんですけど——その——えーと、ぼくたちとも。それって、本当なんですか？」

自分とこの少年との間に強い共感の絆が生まれるのを、マクデューイ氏は感じていた。これは、自分がいまからでもこうした少年たちのひとりに戻り、子どもの心理を理解できればと、必死なまでに願っていることの表れなのだろうか。いまや、もう手遅れなのに。氏にはとうてい理解できなかった問題に対して、本質に関わらない部分を切り捨て、回り道はせずにまっすぐ飛びこんでくる、それが子どもたちのやりかたなのだ。

とはいえ、こちらの気持ちの傷つきやすい部分を気づかってくれる、年齢に似合わないこの少年の思いやりもありがたかった。哀れにも退化してしまった大人に向けられる子どもの同情というものを、いま初めてかいま見たような気がする。新しい世界に通じる窓が、目の前に開いたようなものだ。大人について子どもたちが話しあい、計略を練っている世界。そこでは、大人たちのおかしな、往々にして自分勝手でさえある行動にもかかわらず、どうにかうまくやっていこうと子どもたちが頭をひねり、できることなら相手の感情を傷つけることなく、もめごとを起こしたりもしないように、大人のあさましい本性とぶつからずにすむ対策を立てているのだ。

「メアリ・ルーは口がきけなくなってしまったんだ。一時的なもので、そのうち回復してくれればいいと願っているんだがね。ぜひあの子に会いにいってやってくれ。きみたちが何をして遊んだかとか、何かあの子の興味を惹きそうな話をしてやってほしいんだ。そして、もし――万が一にもメアリ・ルーが返事をしたり、何かしゃべったりしたら、きみたちの誰でもいい、ぜひすぐにここに来て、ぼくに知らせてほしいんだ。そうしてくれたら、心から感謝するよ」

「わかりました」ヒューイ・スターリングが答えた。「そうします。この間、父さまとヨットに乗っていたら、ヨットが引っくりかえっちゃったんですよ。その話をしようかな。メアリ・ルーが笑ってくれるかもしれないし」

だが、それでも帰ろうとしない三人を見て、マクデューイ氏はいままでうすうす疑っていたとおりなのだと悟った。この訪問の本当の目的は、どこか別のところにあるのだ。

娘を口実に使われたことにむらむらと怒りがこみあげ、さっさと本当のことを話せと、思わずどなりつけそうになる。だが、氏は思いとどまった。ジェイミー・ブレイドの悲しげな顔を見ていると、頭ごなしに叱りつけることなどできそうにない。そのうえ、以前のような短気さをちらりとでものぞかせようものなら、少年たちは三人とも、いや、少なくともジェイミーとジョーディは一目散に逃げ出してしまうにちがいない。マクデューイ氏は怒りをこらえ、パイプにたばこを詰めながら、整った顔立ちにすらりとした身体つきの首謀者をじっと見つめた。

「先生」ヒューイ・スターリングが呼びかける。「他のことで、ちょっと相談があるんですが」

マクデューイ氏はわざとゆっくりパイプをふかし、やがてたちのぼる煙ごしに答えた。「ああ、いいよ、話してくれ」

「あの、ぼくたち、いけないことをしてしまったんです」ヒューイ・スターリングは話しはじめた。「ぼくが悪かったんです」居心地の悪そうなふたりの仲間をちらりと見やり、あわててつけくわえる。「ぼくがふたりを連れていったんですから。お金はちゃんと持っていたんです」

「なるほど。何か他に話があるんじゃないかとは思っていたんだ。きみたちときたら、ひどくそわそわしていたからね。何かいたずらでもしたのかね、ええ？　何か壊してしまったんだろう。そう、それなら、正直に話してすっきり――」

「いいえ、ちがいます。そんな話じゃないんです」ヒューイがさえぎった。「そういうことじゃなくって――ぼくたち、昨夜、ジプシーのところへ見物に行ったんです」

ジェイミー・ブレイドが喉ぼとけをごくりと上下させ、口を開いた。「ヒューイだけのせいじゃないんだ。おれたちみんな、行きたかったんだよ」

「あいつら、熊を殴ってるんだ」そう言いはなったとたん、ジョーディ・マクナブの目には自分でも説明できない涙があふれ、ぼろぼろと頬を伝いはじめた。

「ほう」マクデューイ氏は先を促そうと相づちを打った。「なるほどね」だが、依然として何の話なのかさっぱり呑みこめない。

「あそこへは行くなと言われてたんです」ヒューイが説明した。「行きたいって頼んだんですけど、どこの家でも許してくれなくて。ばれたら、みんな叱られるでしょうね」

「それは当然のことだよ。あんな場所は、子どもの行くところじゃない」マクデューイ氏は、またしてもパイプをふかした。

「でも、あそこで見世物をやってたから。警察の目が怖くて、こっそりやってるみたいですけど。サーカスみたいなやつです。裸馬に乗って、地面からハンカチを拾ったり、馬の背中に立ちあがったり。芸のできる犬やサルが何匹か、それから熊もいるんです。もちろん、ぼくは動物園で熊を何頭も見てるし、エディンバラでほんもののサーカスも見にいったけど、ジェイミーとジョーディは生きてる熊を見たことがなくて」

話はさらに続いたが、この告白が何のためなのか、依然としてマクデューイ氏にはわからなかった。氏が黙っているのを見て、ヒューイは先を続けた。「それで、スチュワート大伯母さまが来たときに、ぼくに半クラウンくれたんです。前から六ペンス持ってて、木戸銭はひとり一シリングだったから、やっと三人分のお金がたまって。それで、みんなで出かけていったんです」

「そしたら、ほんとにひどかったんだ」ジェイミーが言った。「おれ、行かなきゃよかったと思ったよ」

「あいつら、かわいそうな熊を殴ってたんだ。鼻がすごい血だらけになってさあ、地面に這いつくばって泣いてたんだよ」ジョーディはついに激しく泣きじゃくりはじめた。ヒューイがポケットからハンカチを取り出す。「ほら、泣くなよ、ジョーディ。男だろ。あれはもうすんだことだし、ぼくたちで何とかしようと、いまここに来てるんじゃないか」丸い頰を拭い、洟《はな》をかませてやると、ヒューイはマクデューイ氏に向きなおった。

「そういうことなんです、先生！　きょうはそのことで来たんです。あいつら、ぞっとするほど残酷なんですよ。熊も、馬も、犬も、サルも殴るんだもの。昨夜は他にほんの少ししか客がいなくて、しかも町の人間は誰もいなかったんです。だから、ジプシーたちも機嫌が悪かったのかな。その熊はまだほんの子どもなのに、踊らないからって鎖で殴りつけるんですよ」

マクデューイ氏は、パイプを口から離した。「ジプシーなどという連中は、そんなものだよ」

ヒューイはうなずいた。「聞いてます。でも、それだけじゃないんです。他の動物が入れられてる檻が、暗がりに並んでたんですよ。木戸銭を払ったんだから、そっちも見せてもらえるはずだったのに、十人かそこらしか客がいないからって、ジプシーたちがへそを曲げちゃって。だから、ぼくたち、出しものが終わってからこっそり裏に見にいってみたんです。ひとり一シリングも払ったんだから、当然その権利はありますよね？」

マクデューイ氏は答えなかった。

「どんな動物がいるのか、暗くてよく見えなかったけど、何匹かは暗がりにうずくまって、苦しそうにうなったり鼻を鳴らしたりしてました。それに、あの臭いのひどかったことったら」

「まちがいないよ、あいつら、かわいそうな動物たちにさんざんひどい仕打ちをしてるんだ」

ジェイミー・ブレイドのほっそりした顔が悲しそうにゆがんだ。

「そこへジプシーたちが来て、ぼくたちを棒で追いはらったんです」ヒューイ・スターリングは話を締めくくりにかかった。「で、ぼくたちは走って家に帰ったんですけど。それが昨夜の話です。だから今朝、三人で相談して……」

マクデューイ氏はパイプをふかし、厚い煙幕を張った。「なるほど。その相談で、何を決めたんだ?」

「ぼくたち、警察にあそこへ行ってもらいたいんです。動物を殴るのをやめさせて、あいつらにちゃんと罰を与えてくれないかと思って」

「それはすばらしい思いつきだな。だが、だったらマッコーリー巡査のところへ行けばいいだろう? 巡査のする仕事じゃないか」

三人は目を見交わした。いつかは答えなければならないとわかっていた質問が、ついに出たのだ。ヒューイ・スターリングさえもきまり悪そうな顔をしていたが、やがて答える。「最初にジプシーたちがやってきたとき、警察は、おとなしくして面倒を起こさないなら、そこにいてもいいと許可したんです――」

「だが、きみたちの話だと、おとなしくはしていないようじゃないか――」

「そうなんです。でも、マッコーリー巡査はこうも言ったんですよ。もし、ぼくたち子どもの誰かがジプシーの野営地に行ったりしたら、こっぴどくお仕置きしてやるって――」

「なるほどな!」マクデューイ氏はうなった。

「だから、マッコーリー巡査にこのことを知らせるとなると、まずはぼくたちがあそこへ行ったことを話さなきゃならないし――」

「きっと、おれたちのしたことが書類に残っちゃうよ」ジェイミー・ブレイドが口をはさんだ。

「そこに署名させられて、巡査がうちの周りを嗅ぎまわるようになって――」

「それで、ぼくに何をしてほしいと言うのかね？」

ようやく言いにくいところを突破して、ヒューイは安堵のため息をつくと、そもそもの計画の説明にかかった。「だから、ぼくたち、先生ならどうかと思ったんです。こういう仕事だし、動物のこともよく知っているでしょう。あいつらは先生のこと怖がってるから、先生なら、あんなひどいことをやめさせられるんじゃないかって。でなければ、警察に行って、このことを知らせてやってください。先生の話なら、巡査もちゃんと聞いて――」

「やれやれ！　まったくありがたい申し出だな。警察のために、そんな面倒なことをするつもりはないね。ジプシーのことも、動物虐待についての訴えも、そもそも警察の仕事じゃないか――」

「そんな、先生」ヒューイ・スターリングが懇願する。その幼い声に、マクデューイ氏はなぜか心が揺さぶられるのを感じた。「警察のためなんかじゃない――ぼくたちのためなんです！」

氏は身体を起こし、パイプをくゆらせながら、三人の少年を新たな興味の目でしげしげと見つめた。「そうだな、少なくともきみたちは正直ではあるな。だが、そんな時間があるかどうか。メアリ・ルーの具合も悪いし――」

「ああ、だったらぼくたちの誰かがメアリ・ルーについてますよ。マッケンジーさんもいることだし。考えてもみてください、ぼくたちが匿名の手紙を送ったとしたって、それを読んで警察が動き出す前に、ジョーディの熊は死んじゃうかもしれないんです」

自分の熊と名指しされたのを聞いて、ジョーディはまたわっと泣き出し、抜け目のないヒューイの作戦どおり、涙ながらに訴えた。「鎖でぶたれて、血だらけになってたんだよ！」

長年の慣れで熱さを感じなくなっている人差し指でパイプの灰をならしながら、マクデューイ氏はため息をついた。ジョーディはやにわにこぶしで涙を拭って、懸命に嗚咽《おえつ》を呑みこみ、ようやく口がきけるようになるとこうつけくわえた。「あの熊、片脚が動かないんじゃないかな。だから踊れないんだ。後ろ足にひどいけがをしてたもん」

ジェイミー・ブレイドも口を添えた。「馬もおもりを仕込んだムチで引っぱたかれてた。痛そうに膝をついてたよ――」

マクデューイ氏はふたたびため息をついた。「たしかに、あまり芳しい光景とは言えんな」

　ヒューイ・スターリングは熱っぽく迫った。「じゃ、行ってもらえますね、先生？」

　どうしようか迷っている自分に、マクデューイ氏は驚かされた。ジプシー相手にもめごとを起こすまでもなく、いまの自分は充分にいろいろな問題を抱えこんでいるというのに。あの連中は、結局のところいつかは警察に命じられてあそこを立ち退き、どこか別のところで動物虐待を続けるにちがいない。目撃者が現れて、有罪が立証されるまでは。

それに、少年たちが話をふくらましているにすぎない可能性もある。薄暗い、煙ばかり立つ石油ランプや角灯の明かりでは、すべてが実際より恐ろしげに見えていてもおかしくない。たしかに、ウルサリと呼ばれるジプシーの熊使いはけっして動物に優しくはないが、逆に調教しているけものに襲われて、ひどいけがをすることも多いのだ。

だが、ちびのジョーディ・マクナブとのっぽのジェイミー・ブレイドの簡明な描写は、手ひどい虐待を受けている無力な動物たちの姿を氏の脳裏にまざまざと描き出していた。また、かつて脚の折れた小さなカエルをこの診療所に持ちこみ、追いはらわれたのがこのジョーディ・マクナブだということも、あらためて脳裏によみがえる。この俗世から離れた峡谷の、俗世から離れた家で、すっかり傷が癒え、幸せに暮らしていたカエル。あの件では、ローリとジョーディふたりに借りを作ってしまった。やがて、マクデューイ氏はこう答えた。「考えておくよ」ヒューイのように大人との交渉に慣れた子どもにとって、その答えはまちがいなく「わかった、そうしよう」を意味していた。実際のところ、マクデューイ氏はまだどちらとも決心がついておらず、これは文字どおりの意味にすぎなかったのだが。

少年たちはお礼を言い、さっさと引きあげにかかった。だが、ヒューイ・スターリングだけは、他のふたりが出ていった後もその場にとどまっていた。「ぼくたち、メアリ・ルーを元気づけられるようにがんばってみます。ここに来たのも、本当はそのためだったんです。ただ、せっかくだからお願いしてみようと——ここに来るついでに——なにしろ、ジョーディがあんなに思いつめてたから」

マクデューイ氏は、自分でも驚くほどの優しさをこめて、少年の肩に手を置いた。「話してくれてありがとう、ヒューイ。さあ、行くといい」

少年が出ていった後、氏はじっとパイプをふかし、自分の心にあふれるこの感情はいったい何なのか、あれこれと思いをめぐらしていた。

思いをめぐらしていたのは、ジョーディ・マクナブも同じだった。ジョーディにとって、大人の「考えておくよ」は放っておくことを意味していたのだ。この前マクデューイ先生に頼みごとをしにいって、すげなく断られたときの記憶は、幼くも回転の速い頭にいまもまざまざと刻みつけられている。つまり、その朝、脚の折れた緑のカエルのこと、病み傷ついたけものを癒すもうひとつの場所のことを思い浮かべていたのは、マクデューイ氏ただひとりではなかったということだ――

23

近ごろは、すべてが以前と変わってしまった。もはや、誰もわらわに気を配るものはない。わが巫女、ローリでさえも。

わらわはセクメト・バスト・ラー、夜に君臨する猫の女王、太陽を守り月を欠けさせ、天球を器に星のミルクを舐めるものではなかったか？

しかし、いまやわらわを崇めるものはない。祈りを捧げるものも。貢物やぶどう酒を運んでくるものもなければ、わらわの前に頭《こうべ》を垂れるものもない。

かつては喜びに満ち、誇り高く全能であったわらわが、なんと悲しむべき体たらくであろうか。もはや身体を躍らせ飛びはねることもなく、《コヴンの木》を駆けあがり、また駆けおりることもない。わらわははたしていまもって神なのか、そもそもわらわは何ものなのか、わからなくなることすらある。ウリーやマクマードックにさえ話していない、さらに別の生涯についての、奇妙に心乱される夢を何度も見たから。たしかに、人間の運命を司るため、わが魂が天上から遣わされてこのかた、わらわは千をも超える生を生きてきた。だとすれば、いまのわらわは何ものであろう？　ここはどういう場所であり、何ゆえここに遣わされたのか？

どうしてこんなことに耐えられよう——ひとたび神としてありながら、その地位を奪われるなどということに？

もう一度「神聖なるバスト、夜の支配者、愛の女神にして永遠なるものよ、叡智にあふれすべてを知りたもう神よ、わが願いを聞きとどけたまえ！」と祈るものが現れようとも、いまとなってはわらわにどんな奇跡が起こせようか。

いまのわらわはタリタとしか呼ばれぬ身。その由来は知らぬものの、ローリにとってはひそかな笑いを誘う名らしく、わらわを呼ぶたび、その口もとには優しげな笑みが浮かぶ。

「タリタ・タビー、わたしのちっちゃな猫ちゃん」と、ローリはわらわを呼ぶ。「ここに来てごらんなさい、ダニがとれたか見てあげる」そう言いながら、あの娘がわが毛皮に指を走らせるたび、わらわは喜びに身を震わせる。

しかし、これは神としての生ではない。

ローリもかつてのようではない。これまでもずっと語りかけてきたはるかなる声、かつてブバスティスの神殿の奥深く、至聖所に在りしわらわが聞いたのと同じその声に、耳を傾けることもめっきり減った。ローリの瞳は峡谷から《コヴンの木》めざして上る小道に注がれ、その耳は《慈悲の鐘》の音を待ちのぞむようになっていたから。

ローリの目が、耳が誰に向けられているのか、わらわにはよくわかっていた。だからこそ、赤きあごひげの男に破滅をもたらさずにはおくまいと、ますます心を固めずにはいられない。

とはいえ、いまでは破滅を呼ぶことも、それほどたやすきわざではない。かつてエジプトの太陽の下では、わが聖なる爪で人間の運命の糸を一本残らずかき集め、荒々しきヌビアの奔馬にかけた手綱をあやつる馭者のごとく、思うさま引き、繰り、どこへなりとも、何をめざしてであろうとも、愚かな人間どもをわが意のままに走らせることができたものを。

ローリが機を織っている間、わらわは炉辺に腹這いになり、前足を胸の下にたくしこんで、あの男の破滅をもくろみつつ、あの娘をじっと見まもっていた。このふたつは切り離すことのできない事柄なのだ。

ローリの手織り機は白き漆喰壁に囲まれた、がらんとした部屋にある。神殿の裏の出窓からは、森と小川が見わたせた。あるとき、森から現れたアカジカが窓から首を差し入れてきたことがある。ローリが機織りの手を止め、そのシカと優しく視線を交わすのを見て、わらわは嫉妬に震えた。わらわ以外のものにローリが愛を注ぎ、尽くすなど、とうてい耐えられることではない。

よく晴れた日の昼間には陽光が室内に差しこみ、寒き冬に備えてショールや外套を織ってもらおうと小作人たちが持ちこんだ毛糸の束に反射して、染料の色を壁に映しだすこともある。

その色がちらちらと壁に踊るなか、燃えるがごとき髪をしたローリは一心不乱の表情を浮かべ、色とりどりの糸を織る、織る、織る。指がめまぐるしく動き、織機に張られた糸を横切るたびに、まだらの織物はほんのわずかずつ長くなっていく。わらわもまた炉辺に腹這いになり、運命の糸を紡いでは、わが敵、赤きあごひげ男の屍衣となる布を織りつづけていた。

運命を形づくるのは、布を織る仕事とよく似ている。その人間の性格、野心、欲、習慣、狭量さ、切なる望み、誠実さ、愛情、憎しみといった長い縦糸を、そこからはけっして逃れることのできぬ素地として、そこに偶然の横糸をからませていく。見ず知らずのもの、友、やましいところのないもの、あるもの、若者、老人といった、他生の縁から借りし糸。たまたま立ち聞きした話、ほんの一瞬早く曲がりすぎた街角、怒りにまかせてぶちまけ、後に悔いる言葉、間に合わなかった手紙、家に忘れ、あるいはどこかに置いてきた持ちもの、何気なく見すごしたささいなこと、相手のかんしゃくといった糸。

しかし、その作業はけっしてたやすくはなかった。わらわが運命を織りはじめて、もう四千年近くになろうか。なのにいま、それを妨げる奇妙な力が働いている。それが何かはわからぬが、どうやらローリの坐る部屋に力の中心があるらしい。あの娘はわが織地の柄を消そうと、逆の色に染めた糸をめぐらしているのだろうか？

ローリは手と指を飛ぶがごとくに動かし、おさを渡しては踏み板を踏んで、規則正しき音を刻みながら縦糸と横糸を交差させていく。その姿に、わらわの目は吸いよせられる。ときにはわらわの使うつもりの糸がローリの染めた毛糸にからまり、その織り柄の一部となってしまうことさえある。

そんな織り機の音が、ふと止まったことがある。ローリは織り機の左右の枠を両手で握りしめ、悲嘆と狼狽の混じった声をあげて天を仰いだ。「だったら、わたしは何なの？　わたしに何が起きたのかしら？　わたしの胸に響くこの歌は？」

胸にどす黒き妬みがこみあげて、わらわは糸を見失い、呪文を忘れた。機織り部屋のローリに近づき、わが身をこすりつける。あの娘は上の空で手を伸ばし、わが頭と背を撫でたけれど、その目ははるかかなたを泳ぎ、わらわがここにいることにも気づいていない。わらわは炉辺に戻り、ローリに背を向けてうずくまった。憤りと憎しみに胸をたぎらせながら。心せよ、嫉妬ぶかき神の怒りに心せよ。

鳥たちが静まった。スコッチ・テリアのピーターは身を震わせ、悲しげに鼻を鳴らす。ウリーとマクマードックは尾をふくらませ、ドーカスは子猫のそばから離れずに、ふらふら出ていこうとする子をぴしゃりと殴りつけた。コクマルガラスは沈んだ面持ちで《コヴンの木》の枝にとまり、羽毛を生気なくしおれさせたまま、小さく丸き目を伏せている。大気には何やら重苦しきものがたちこめ、空をどんよりとした雲が覆っている。きょうは早く夜が訪れそうだ。

わらわは誇りと喜びに胸を高鳴らせ、尾をぴんと立てると、嬉しさに身を震わせながらあたりを歩きまわった。わが力を見るがいい。バスト・ラーにして偉大な猫、天空の支配者……これはまだ手始めにすぎぬ。空気は熱を帯びねっとりとして、重石のごとくずっしりとのしかかり、わらわが解きはなった破滅の予兆に満ち満ちていた。この不吉な闇夜が明ければ、ローリはわらわの、わらわひとりのものになる。

そのとき、雲の垂れこめた黄昏どきの深くなりつつある夕闇に、《慈悲の鐘》がたった一度だけ、高らかに澄んだ音を響かせた。鐘の震えが収まった後も、その響きは峡谷の山道を駆けのぼり、はてしないこだまを連ねていた。

コクマルガラスが耳ざわりな叫び声をあげ、狼狽のあまり翼を打ちあわせてうつろな音をたてると、どこへともなく飛び去った。ピーターはけたたましく吠えたて、やがて哀れっぽく鼻を鳴らして静かになる。やがて訪れた静寂に、納屋から飛び出して鐘のもとへ走るローリのせわしなき足音だけが響いた。

バスト・ラーにして女神たるわらわは、またしても不安が胸に満ちるのを感じた。鐘の音は、わらわの呪いを妨げるもの。こんな糸を織りこんだ憶えはない。とすれば、きっと赤きあごひげの男が――

用心しつつ、角からそっと様子をうかがう。そこには誰もいなかった。あたりを見まわすローリのそばに、他のけものたちとともに近づく。そのとき、ピーターがけたたましく吠えたけりはじめ、小刻みに向きを変えながら、ローリがあわや踏みかけていた何かに突進した。そちらに目をやると、地面に何やらしたためた紙があり、飛ばぬよう小石が載せてある。

ローリは膝をつき、さっき見当ちがいな方向へ走ったのと同じくらいあわてて、その紙を拾いあげた。あまりきれいとはいえぬ紙に、のたくった文字が走っているのが、わらわにも見えた。迫る夕闇のせいもあって読みにくく、ローリはひとことひとこと、ゆっくりと確かめながら読みあげていった。

「おねえさん、お願いします。ジプシーの野営地へ行って、あんなことをやめさせてください。動物たちがみんな、ひどい目にあわされてます。かわいそうな病気の熊まで殴られてました。おねえさんが行ってくれないと、熊が死んじゃいます。お願いです、行ってください。心をこめて、ジョーディ。

追伸。ぼくはカブ・スカウトに入ってます。

もうひとつ追伸。ぼくは前にカエルを連れてきたことがあります」

ずいぶん長く感じられる間、ローリはそこにひざまずいたまま、紙のしわを伸ばしては目をこらし、何度も何度も読みなおしていた。やがて立ちあがり、はるかな谷あいを見おろした目には、確固たる決意がみなぎっていた。

わらわは尾をふくらませ、毛を逆立てた。憤りが火花となって放電する。不安と恐怖に、わらわの身はこわばっていた。こんな運命のために糸を紡ぎ、織っていたわけではないのに。魔法が裏目に出たのか？　呪文をまちがえたのであろうか？　呼んではおらぬ悪魔たちが現れて、まちがった糸を織りこませたのであろうか。それとも、ローリが愛を織っているというのに、わらわが憎しみの横糸を織りこんだのがいけなかったのか？

「いらっしゃい」ローリがわれらに呼びかけた。「みんな、こっちにいらっしゃい。夕食にしましょう。その後で、ちょっと遠くまで出かけなくちゃならなくなったから」

わらわは叫んだ。「行ってはならぬ、ローリ！　そこに待つのは悲惨と破壊、そして死。わらわは破滅を宣告し、運命の糸を織りあげた。ここにとどまるのだ。そなたにできることは何もない」

いにしえの巫女たちならば、きっとわが言葉を理解したはず。わが思い、わが言いつけが骨の髄までしみとおるのをおぼえ、深く頭《こうべ》を垂れて従っただろうに。

「はいはい、ミャーオ、ミャーオ」ローリは答えた。「わたしの可愛いタリタったら、夕食が待ちきれないんでしょう？　早くこっちにいらっしゃい。わたしは行かなきゃいけないところがあるの」

ローリはわれらの食事を調えた。犬どもはいつものとおり豚のごとくむさぼり食らっていたけれど、わらわは食欲をなくしていた。それはウリーやマクマードックも同じこと。ドーカスだけは、子猫に乳をやるために食べなくてはならなかったけれど。

わらわが神とは認めぬまでも、自分にはわからぬローリの心の奥底をわらわなら読めると知っているウリーが尋ねた。「どういうことなんだね、タリタ？　ひげや毛がぴりぴりする。何なんだかはわからんが、どうもいやな予感がするな」

わらわは話してきかせた。猫たちはじっと最後まで耳を傾けていた。ウリーが口を開く。

「いかんな。よくないことが起きそうで、毛がぞわぞわと逆立つよ」

マクマードックが尋ねた。「ローリをどうにか止められないのかい、タリタ？」

「できぬ」

黄土色の猫は鼻で笑った。「あんたもたいした神さまじゃねえな、ええ？」

あまりの憤りに、わらわはいっそ泣き伏したかった。卑しき黄土色の牡猫ごときに、わが栄光を踏みにじられるとは。わらわが黄金とエメラルドの玉座についていた、ブバスティスのクフ王の神殿では、こんな猫は外庭にも立ち入りを許されなかったであろうに。

「いまにわかるであろう。いまに、きっと」必死の思いで、それだけをやっと口にする。マクマードックもウリーも、あざけるかのごとく鼻を鳴らした。ウリーが言う。「ローリが戻るまで、見張りをしないとならんな」

マクマードックが答えた。「そうだな。おれは《コヴンの木》のてっぺんに上るよ。暗くても足がかりはわかるしさ」

ウリーも言った。「なら、わしは屋根の上でかまわん」

「わらわは《巨大な岩》のところまで下りよう。あそこなら、峡谷が見わたせようから」

わが神殿から、ローリが姿を現した。自ら織った黒きマントをはおっている。手提げランプのせいで顔色が悪く、赤き髪も色あせて見えるローリは、まるで謁見式のごとく集うわれらを見わたした。犬どもは哀れっぽく鼻を鳴らしている。ハリネズミも姿を現し、背筋を伸ばして立ちあがると、鼻にしわを寄せた。われら猫たちは威厳ある姿で、尾を身の周りにめぐらして坐っていたけれど、ひげの様子を見ればわれらが不安は明らかだったはず。

「怖がらなくていいのよ」ローリは言った。「何も怖がることなんかないの。ここで待っていてちょうだい。どうしてもやらなきゃいけないことがあるんだけれど、それがすんだら戻ってくるから」それからもう一度、「怖がることなんか何もないのよ」とくりかえすと、山の小道を下っていく。

重く垂れこめた雲のため、あたりはひどく暗い。ランプの明かりが、揺らめく黄色き光を足もとに投げかけていた。わらわは足音を忍ばせてローリの後を追い、小道がぐいと曲がったところで《巨大な岩》に飛びのると、闇の中にうずくまった。そのまま、黄色き明かりが遠ざかり、やがて見えなくなるまで見おくる。はるか眼下に、町の明かりがまたたいていた。そこに身を伏せ、ローリのことだけでなく、わらわが赤きあごひげの男に呼びよせたおぞましき破滅を思って身を震わせる。あの破滅はどうなったのであろうか？　もし、あれが赤きあごひげの男でなく、ローリに降りかかったとしたら、われらはいったい、どうなる？　いったい、どんな結末が待っているのか？

森の中で、フクロウの声がする。風がふわりと巻きおこり、葉ずれの音をたてて木々の間を吹きぬけながら、谷あいのジプシーの野営地で奏でられていた音楽を切れ切れに運んできた。あのジプシーたちの存在は、赤きあごひげの男に死をもたらすため、わらわが織りこんでおいた糸なのに。

風がやむと、音楽もまた聞こえなくなった。神としての力のかぎりを尽くし、ローリが戻ってくるよう念じる。だが、戻ってくる様子はない。

あたりを漆黒の闇が包む。はるか下では、わらわがまだ訪れたことのなき町の灯火が、まるで小さな星々のごとくまたたいている。

ふと、不思議な感覚がわらわを包んだ。わらわはもはやセクメト・バスト・ラーではなく、自分が何ものかも知らぬまま天と地のはざまの闇をあてもなくさまよう実体なき霊魂にすぎなかった。その霊魂の心は、はるか谷あいの町の何か、どこかを、耐えがたきほどに恋しがっている。この迷える霊魂に肉体があったなら、さぞかし嘆き、苦しみ、涙に溺れているにちがいない。

じっとこらしていた瞳に、何かが映った。不思議なひとときは過ぎ去り、わらわはまたバスト・ラーに、女神に戻っていた。

それは最初、町から離れた谷あいの、いままで闇に包まれていた場所に浮きあがった、ほんの小さな光のきらめきにすぎなかった。ちらちらと揺らめき、暖炉でくすぶる石炭からほんの一瞬たちのぼるかのごときオレンジ色の舌がひらめく。ふっと見えなくなったかと思うと、さらに新たにちろちろと舌が伸び、一瞬の後、はるかかなたの空を焦がして燃えあがった。

炎！　炎！　炎だ！

はるか眼下のあのあたりで、何かが燃えている。わらわはみぞおちがぞっと冷たくなるのをおぼえた。これは何を意味するのであろう？　火事など、この日の破滅に織りこんではおらぬはずなのに。父なる太陽、すべてを枯れさせ呑みこみつくす炎の支配者ラーを、わらわはけっして呼んではいない。

炎は大きくなるばかりだった。火事、火事だ、燃えている、燃えている！　わが神の目に、ローリと赤きあごひげの男が映ったような気がした。炎に囲まれるふたりの姿が。こんな破滅を織りなしたつもりはない。誰か他のものが紡いだ糸に、ローリもからめとられていたのであろうか。

オレンジ色の炎が、低く垂れこめた雲をちらちらと焦がす。わらわは闇の中に身を伏せたまま、震えながら涙にくれるしかなかった。

24

マクデューイ氏が三人の少年に約束したこと、つまりジプシーの野営地を訪問するかどうか考えてみるという仕事にとりかかったのは、夜の九時近くなってからのことだった。しかし、実際に考えてみればみるほど、どうにも気が進まない。もともと、他人のやることに首を突っこみたがる性分ではなかったのだ。朝になったらマッコーリー巡査のところへ寄り、しかるべきほのめかしを吹きこんでやりさえすれば、あとは放っておいてもかまうまい。

今夜はもう仕事を終わりにしようと、巻きあげてあったデスクの蓋を下ろす。回転椅子をぐるりと回してデスクに背を向けると、今朝すぐそこの絨毯の上に、背の順に並んで立っていた三人の少年の姿が、脳裏にまざまざとよみがえった。とりわけ、涙で汚れた頰をヒューイ・スターリングにハンカチで拭ってもらっているジョーディ・マクナブの表情と、「あいつら、かわいそうな熊を殴ってたんだ。鼻がすごい血だらけになってさあ、地面に這いつくばって泣いてたんだよ」と懸命に訴えるあの声が。その朝、少年たちの話を聞いて眼前に広がった光景が、またしても心をさいなむ。しかも、今度は別の光景までつけくわえられて。

いまマクデューイ氏の眼前に浮かんでいるのは、「鼻がすごい血だらけになっ」ているジョーディの熊に加え、瀕死の重傷を負ったアナグマが、苦痛に耐えながらもローリに向けている信頼のまなざし、勇気と雄々しさのあふれるその姿だった。

アナグマが安心し、信頼しきってローリの胸に抱かれていたのは、そうしていると癒されたからだろう。そう思うにつけ、またジョーディの熊が脳裏に浮かぶ。ローリなら、どれほど手厚く介抱してやることか。けものの身体に回されたローリの腕の優しさと愛を、マクデューイ氏はあらためて思わずにはいられなかった。

診療所のドアを閉めて鍵をかけ、隣のわが家へ帰ると、まっすぐメアリ・ルーの部屋へ向かう。本を読んできかせているマッケンジー夫人を、娘はどんよりした目でじっと見つめていた。

「ちょっとのぞいたら、嬢ちゃんが起きてたもんでねえ」マッケンジー夫人はマクデューイ氏に説明した。「本でも読んであげたら、眠くなるかもしれないと思ったんですよ」

今度は、ローリの胸に抱かれたメアリ・ルーの姿が浮かぶ。ふくよかな胸に顔を埋め、お互いの赤い髪が交じりあうにまかせて、おそらくは笑みを浮かべているだろう娘の姿。マクデューイ氏の心は、胸から転げ落ちてしまいそうなほど重かった。「そうか。ここにいてやってくれ。ちょっと行かなければならないところがあるんでね」ドアのところで、もう一度家政婦をふりかえる。「ジプシーの野営地へ行ってくる――どうも、あそこでけしからんことが起きているようでね――ぼくが顔を出さないと」

「ええ、ここにおりますともね」マッケンジー夫人は答えた。いま思えば氏に酷なことを言ってしまったと悔いていた夫人は、なんとか慰め、力になってやりたいと願っていたのだ。

緯度の高いこのあたりでは、夏は日が暮れるのが遅いとはいえ、重苦しく垂れこめた雲から生まれた霧が丘陵を包み、峡谷に流れこんでいて、マクデューイ氏はジープのヘッドライトを点けなくてはならなかった。先週、入江を波立たせていた熱風のおかげで、ハイランドにはめずらしく激しい雷雨が、近いうちに訪れるであろうことはまちがいない。だが、たしかにどんよりとした雲が空を覆っているとはいえ、今夜はまだまだ嵐にはなるまいと、マクデューイ氏はにらんでいた。

野営地に着いたころには、あたりはすっかり闇に包まれていた。草地にU字形に停められた荷馬車からは、熱した油とニンニクのむっとする臭いや、いまだ原始的な暮らしにとどまる不潔な人々の鼻を刺す臭いが漂ってくる。木でできた馬車の屋根やカンバス地の幌からは、鉄製の折れ曲がった煙突が突き出していた。

マクデューイ氏はゆっくりと車を進めた。一群の荷馬車の脇、道路から遠いほうの側に、せまい檻に区切られた、やや小さな馬車が二台あるのに気づき、その場所を頭に入れておく。氏の車のヘッドライトに、草を食《は》んでいる馬が数頭照らし出された。痩せて肋骨が浮き出し、脇腹や尻にどうやら傷を手当てしたらしい、黒っぽい膏薬が貼ってある。

あたりには手相見や占い師の小屋、ジプシーの手工芸品やあやしげな焼き菓子、砂糖菓子などを並べている露店がいくつも開いていた。石油ランプが黒い煙をくすぶらせながら、黄色いちらちらする光で売りものを照らし出している。草地にもそうしたランプを並べ、道をつけたその先に、箱や樽に板を渡した即席の座席が何列か設置されていた。観客が十数人ほど、そこに坐っているのが見える。

拳銃を撃つような音が響き、馬の悲鳴が続いた。車を停めたちょうどそのとき、くすぶり燃える黄色いランプに照らされて、マクデューイ氏の目に飛びこんできたのは、ブーツに黒いシャツ、鋲を打った幅広の革ベルトという身なりの背の高い男が腕を振りあげ、後ろ足で立ちあがった馬を殴りつけようとしている光景だった。馬がやがて押さえつけられるのを、氏は暗い気持ちで見まもった。それから、入口のそばに車を寄せ、外に出る。手のひらはじっとりし、目の下も汗で湿っていた。肌がぴりぴりし、口の中に敵意の苦い味が広がる。

アンドリュー・マクデューイ氏は勘やその場の雰囲気に流される人間ではなかったが、杖かムチか、ともかく武器になるものを持ってこなかったことを、このとき初めて悔やんだ。ここに近づき、中に足を踏み入れた瞬間、悪意、冷笑、敵意といったものがひしひしと押しよせてくるのが感じられたのだ。

古ぼけた汚い服に身を包み、脂じみた黒い革の財布を腰にぶらさげた老婆が、入口のぐらぐらする台の後ろに坐っていた。張り紙には「木戸銭　一シリング」とある。マクデューイ氏は台に十シリング札を置いた。老婆は財布に手を突っこむと、一シリングや六ペンス硬貨をつかみ出して台に広げ、せかすように手を振りながらしわがれた声をはりあげた。「ほらほら、急いだ。見世物はもう始まっちまったよ」

マクデューイ氏は台から釣りをとろうとせず、老婆を見おろしてどなりつけた。「そうはいかないな、ばあさん。一シリング足りないじゃないか。そんな古くさい手でだまそうったって――」

老婆はすぐさま金切り声をあげ、悪口雑言をまくしたてはじめた。暗がりから黒髪の大柄な男が、のしのしと威嚇するように歩み出る。ブーツをはき、鋲を打った黒い幅広の革ベルトを締めている、さっきの男だ。手には柄を重くした馬のムチがある。

「何をしやがる？」男がわめいた。「哀れな年寄りから金をむしりとる気か？　おれたちみてえな貧乏人からよ」

マクデューイ氏はぐいとあごひげを突き出し、男の顔にあと数センチというところまで近づけた。「相手が悪かったな、このジプシーが！　こっちは十シリング渡したんだ。自分で釣りを数えてみるんだな」

男はあらためて数えてみることもせず、老婆に身ぶりで合図し、もう一シリングを財布から出させた。釣り銭をポケットに入れ、ロープで仕切られた通路を進んで、敷地の中に足を踏み入れる。ムチを手にした男は、厚かましくにたにたと笑いながら並んで何歩かついてきたが、やがて笑い声をあげると、またふんぞり返って離れていった。

座席からさほど遠くないところに木でできた四角い舞台があり、三人の楽士が坐っていた。男ふたりはヴァイオリンとアコーディオンを弾き、女がタンバリンを叩いたり振ったりしている。ちょうど曲乗りが始まるところで、目印のランプを並べた通路から、馬に乗った若者たちが現れた。しばらく眺めていたマクデューイ氏は、ここでこんな芸を披露する皮肉なまでの図図しさに、あきれて唾を吐き捨てた。ハイランドの農場育ちの少年なら、十歳にもなればこの程度のことはやってのける。

曲乗りを終えた乗り手が最初の位置に戻るのを、氏は見まもった。またしても馬の悲鳴があがる。それを隠そうと、楽士たちはにぎやかに楽器を奏で、女はタンバリンを打ちならして叫び声をあげた。誰もこちらに注意を払ってはいない。マクデューイ氏はそっと座席の後ろを回って光の届かない場所に出ると、さっき道路から見えた檻用の馬車が停められているところへ、記憶をたどりながら足早に草地を横切った。

くらくらするほどの悪臭が鼻をつく。暗がりからごそごそと動く音、うなり声や悲しげに鼻を鳴らす音、さらには女のすすり泣く声まで聞こえてきたが、人の姿は見えない。マクデューイ氏はさらに耳をすまし、それから深く息を吸いこむと、パイプ用のライターを取り出して火を点け、炎を手で覆いながらかざした。

「ローリ！」

「アンドリュー！」

初めて洗礼名で呼ばれたことにも気づかないほど、マクデューイ氏はこんなところでローリに出会ったことに当惑していた。黒っぽいマントをはおり、フードで赤い髪を隠していたうえ、檻の戸を開けてその前にかがみこんでいたために、暗がりではよく見えなかったのだ。その胸には、痩せおとろえて死にかかったサルが抱かれている。サルはローリの指を吸いながら悲しげに涙を流していた。

マクデューイ氏はささやいた。「静かに、ローリ」こんなおぞましい場所のただなかに、どうしてかがみこんでいたのかなど、あらためて尋ねはしない。ローリがここにいる、それだけで充分だった。とりたてて驚くほどのことにさえ思えない。

他の馬車から見えないよう、ライターの炎を注意ぶかく手で覆いながら、檻の間を進む。立っている動物は一匹もいない。あえぎ、苦しげに荒い息をつきながら横たわるもの、みじめに身体を寄せあっているものばかりだ。イタチが一匹、キツネのつがい、リスが一匹、そしてスカンクかテンらしきものが一匹。隣の檻には薄汚れたワシが、みじめに尾羽《おは》打ち枯らした姿で隅っこにうずくまり、おまけに哀れな三匹のサルまでもが、同じところにぎゅうぎゅうと押しこめられている。どの檻も狭苦しく、話にならないほど汚れていた。とある檻の隅には、茶色い野ウサギが長々と横たわっている。その姿や臭いから察するに、もう何日も死んだまま放っておかれているらしい。

マクデューイ氏はライターを消した。やがて暗闇に目が慣れ、はるか遠くにまたたくランプの明かりであたりが見えるようになると、檻の前にかがみこんでいるローリのそばに戻る。ローリの顔は蒼ざめ、目には涙があふれていた。「アンドリュー――どういうことなのかしら？　みんな死にかけて――」

マクデューイ氏はぶっきらぼうに答えた。「餌をもらってないんだ」いつも何かしら忍ばせてあるポケットに手を突っこみ、ニンジンのかけらを取り出すと、ローリの抱いているサルに差し出す。サルはすばやく餌を引ったくり、必死の勢いでむさぼり食べた。さっきまで浮かべていた悲しげな涙が、嬉し涙に変わる。毛むくじゃらの黒い手が三匹分、鉄格子の間から懇願するようにふたりの頭上へ伸びてきた。マクデューイ氏のポケットが、あっという間に空になる。

草地の向こうから、ふいににぎやかな音楽と歓声、拍手の音があがった。「行こう」マクデューイ氏はかがみ、ローリを立たせた。「これ以上ここにいても仕方ない」

「でも、この子はどうしたらいいの？」サルはローリにしがみつき、首に両腕を巻きつけていた。

「元のところへ戻してやるんだ」腕を優しくほどいて檻に戻すと、サルはがたがたと激しく震えはじめた。「ぼくがしかるべき手を打てば、こんなことはもうなくなる」

ふたりは身を寄せあい、まがまがしい闇の中を進んでいった。空気はねっとりと重く、残忍さと汚らわしさに満ち満ちている。かたわらにいる女性の存在が、マクデューイ氏にはありがたかった。その髪や肌からたちのぼる香りを、解毒剤のように深く吸いこむ。

ふたりはさっきの観客席まで戻り、誰にも見られないように反対側の暗がりへ回りこんだ。楽士たちは舞台から下りていたが、すぐそばに残っている。そのとき、赤い紐ボタンのついた軍服のコートに、へこみをつけたフランスの軍帽といういでたちの、でっぷりした男を先頭に、四人の男たちが檻をランプの明かりの下に運んできた。大きさはせいぜい犬小屋程度で、扉にかんぬきがかけてある。さっきの厚かましい笑みを浮かべた黒いベルトの男が現れ、楽器がにぎやかに和音を奏でるのを待って、世界一の調教師ダーヴァス・ウルチンと、軍服の男を紹介した。檻の扉が開き、鎖につながれた小さな黒い熊が引きずり出される。

ローリがため息をついた。「あの熊だわ。手紙に書いてあった、かわいそうなちっちゃい熊

――」

マクデューイ氏は驚いてふりかえった。「手紙って、誰の？」

「置手紙だったの。ジョーディと名乗ってたわ。前にカエルを連れてきたって」

「ああ、なるほど！」マクデューイ氏はつぶやいた。「あのいたずらぼうずか」なぜローリがここにいたのか、その理由がようやく腑におちる。

「あの熊をどうするつもりなのかしら？」ローリがささやいた。

「まずはおとなしく見ていよう」

酔っぱらっているらしい、でっぷりと太った調教師は、熊の左半身がまばらな観客に見えないよう角度に気をつけていたが、マクデューイ氏の獣医としての鋭い目は、尻にぱっくりと大きな傷が開いていること、舞台に引っぱりあげられたとき、熊が左の後ろ足を痛そうに引きずっていることをすばやく見てとった。

また、感じやすい鼻面にかさぶたができていることにも気づく。まだほとんど治っていない、前回の虐待の傷だ。手術や血、苦しむ動物を見なれているマクデューイ氏でさえ、あのかわいそうな子熊の鼻面からあと一滴でも血が流れようものなら、これ以上見てはいられないと思わずにはいられなかった。

ローリは身ぶるいしてささやいた。「アンドリュー――アンドリュー――」さらにぴったりと身を寄せ、その腕にしがみつく。

楽士たちがチャルダーシュを奏ではじめると、酔っぱらった調教師はぐいと鎖を引き、熊を後ろ足で立たせた。革ベルトの男もかたわらに立ち、手にしたムチで熊をつついたり、目の前でひらめかせたりしている。

調教師は「それ」だの「跳べ」だの声をかけ、鎖をぐいぐい引っぱりながら、自分も踊ってみせた。だが、四本の足でも歩くのがやっとだった熊には、後ろ足だけで踊れようもなく、立とうとしてはくりかえし四つんばいにくずおれる。ランプの明かりに照らされて、熊の瞳が悲しげに、おびえたようにきらめいた。身体を丸めた瞬間、唇がめくれ、ぼろぼろに欠けた歯があらわになる。あれでは、子どもにも噛みつけそうにない。

身ぶるいしながら、マクデューイ氏はじっと見まもっていた。終幕が近づきつつある予感がしたが、それがどんな展開なのか、どんな結果になるのか、そこまでは見とおすことができない。わかるのはただ、熊の苦しみが心に伝わってくるのは、自分自身の目だけでなく、ローリの目、さらにはあの幼い少年の涙を通してこの光景を見ているからだということだけだった。熊はひどく痩せおとろえ、尻のあたりはピエロの服のように毛皮がだぶだぶにたるんでいる。マクデューイ氏にとって、こんなにも悲しい光景はいままでに憶えが――

そのとき、すさまじい暴力が炸裂した！

またしても四つんばいに倒れこんだ熊をぐいと立たせると、ジプシーはおもりを仕込んだムチの柄で、熊の鼻面を殴りつけたのだ。ちらちらとくすぶり揺らめく薄暗いランプの明かりの中、何か黒く見えるものが鼻からほとばしる。

ローリのすすり泣く声が、マクデューイ氏の耳に届いた。ローリの腕をどうやって振りほどき、舞台に駆けあがったのかわからない。ただ、ジプシーの大男の顔を殴りつけてやった瞬間、すばらしいエネルギーと満足感が胸に湧きあがったことだけは憶えている。こめかみに当たっていたら、相手は死んでいたかもしれない。代わりに鼻にまともに食らった大男は、舞台の後ろにもんどりうって転がりおちた。

倒れた男の手から重いムチを取りあげると、太った調教師の尻を引っぱたきながらどなりつける。「踊れ、このでぶ野郎！　踊ってみろ！」

観客席がどよめいた。「いいぞ！　よくやった！　当然の報いだ！」という叫び声、「ここにいちゃあ、まずいことになるぞ！」という、もっと臆病な連中の声。野営地の向こう端からわめき声があがり、五、六人の男が馬を走らせてきたころには、観客もまばらになりはじめていた。ベルトを締めた大男は、いまだに頭がもうろうとしているらしく、地面に横たわったままつぶれた鼻を撫でている。酔っぱらった調教師はどこかに姿をくらましてしまった。熊はおかしな格好で這いつくばったまま、けがをした鼻を舐めようとしている。

マクデューイ氏は舞台に立ったまま、近づいてきたジプシーたちを迎えた。「責任者は誰だ？　そいつを警察に突き出して、訴えてやるぞ」

地面に倒れた仲間を見た驚きと、舞台に立ちはだかる赤いあごひげの男の冷たい怒りに、ジプシーたちはとまどい、飛びかかるのを思いとどまった。ひとりが答える。「キング・ターグなら、あっちの自分の馬車にいるよ。用があるなら自分で行きな」

まだ残っていた数人の観客に、マクデューイ氏は叫んだ。「さあ、帰るんだ。今夜の見世物は終わりだ」ローリは舞台の上に坐りこみ、膝に熊の頭を乗せて、ハンカチで血を止めようとしている。氏はそのかたわらに歩みより、顔を寄せてささやいた。「家に帰りなさい。もう終わったんだ。だが、ひょっとしたら――ちょっと面倒なことになるかもしれんからね。頼むよ、きみには帰っていてほしいんだ」

ローリは立ちあがったが、帰るそぶりは見せなかった。マクデューイ氏は尋ねた。「そのタークってやつはどこにいる？　いますぐ話がしたいんだが」

さっきの代表らしき男が、馬車のほうへあごをしゃくった。「あっちだ――それだけの度胸があるんなら、行ってみな」

マクデューイ氏は、おもりを仕込んだ柄が先にくるようにムチを持ちかえた。「どけ！」と叫び、大股に歩き出す。男たちは言われてわずかに道を開けたが、その隙間はあまりにせまく、肩がぶつかりあい、悪意がつんと鼻をついた。ローリも氏の後に続く。ふたりが通りぬけてしまうと、せまい道はまたふさがり、ジプシーたちはどやどやと後ろをついてきた。

怒りと憤激のあまり、マクデューイ氏は恐怖を忘れていた。男たちにいきり立つあまり、片手でも全員を殴りたおせそうな気がする。そのキング・タークとやらが身長三、四メートルもある巨人だったら、さっきのベルト男のように殴りたおしてやればさぞかし気分がいいだろうと、そんなことさえ夢想していた。

だが、タークは巨人ではなかった。それどころか、褐色の肌と豚のような小さな目の、しなびた小男にすぎない。ごく普通のズボンに襟のないシャツ、ボタンを外したチョッキに山高帽子。ただひとつ目立つ点といえば、左の耳たぶにぶらさがる大きな金のイヤリングくらいのものだ。その小男は、後ろに仲間の男女を従えてこちらに近づいてきた。さらにその後ろには、みすぼらしい身なりの子どもたちがぞろぞろと続いている。

マクデューイ氏は尋ねた。「あんたがタークかね、この一団の責任者の?」

奇妙にかすれて弱々しい声で、山高帽子の小男は答えた。「ああ、わしがタークだ。いったい何の用だね? どうしてうちの若いもんを殴りたおしたり、調教師のウルチンをムチで引っぱたいたりした? うちの子どもらを邪眼でにらみつける赤毛の魔女なんぞを連れて、いったい何を探してる?」

周りを囲むジプシーたちが、じわじわと輪をせばめてくる。愚かなことをしてしまったと、マクデューイ氏は瞬時に悟った。日曜の午後にそこらを歩いているアーガイル地方の農場主とたいして変わらない、この山高帽子の男の悪気なさそうな見かけにすっかりだまされていた。いまや、自分とかたわらに立つローリは、法と理性が司る自分たちの世界を後にして、一瞬のうちに六、七世紀をさかのぼり、迷信の支配する危険なジプシーどもの中世の王国へ、許しなく踏みこんだ侵入者となってしまったのだ。

だが、もう引きかえすすべはない。マクデューイ氏は挑むようにあごひげを突き出した。「ターグ、警察までいっしょに来てもらおう。あんたを訴えてやる、あれほどの虐待を――」

ジプシーの親方が殺人を促すつもりだったのかどうか、それはわからない。その瞬間、何やら外国語のわめき声があがったのは、人だかりの外からだった。そして、もう一度。群衆は振りむき、道を開けた。黒いベルトにブーツ姿の、鼻をぶちのめされた男だ。血まみれの顔で、手に鎖を握りしめている。マクデューイ氏の頭を殴りつけようと、男は鎖を振りまわしながら飛びかかってきた。

ふたりを救ったのは、周りの群衆の存在だった。男のねらいは外れ、手前の仲間の肩に当たってしまったのだ。やられた男が、地面にくずおれる。それが引き金となって、じりじりと高まりつつあった緊張の糸が切れた。人々は棍棒やナイフを取り出し、次の瞬間、マクデューイ氏は自分とローリの生命のために必死で戦っていた。

牡牛のようにうなり、片腕をローリに回して、もう片方の手でムチを振りまわしながら、なかば道を切りひらきかける。だが、そこでローリと引き離されてしまい、氏自身も頭を殴られてよろめいた。馬車を背に立ちあがると、ムチの柄は折れてしまっていたので、殴りかかってきた相手から鉄の棒を奪いとり、今度はそれを振りまわす。とはいえ、もうそれほど長くは持ちこたえられないことを、マクデューイ氏は悟っていた。殺意にとりつかれた群衆が、まるで獲物を追いつめる犬のように、側面からじわじわと間を詰めつつあったからだ。カンバス地の幌屋根に上った少年たちが、上からも棒で殴りつけてくる。車輪の間から、足めがけてナイフを突き出すものもいた。

大立ち回りに息があがり、胸が焼けるように熱い。力が尽き、視界がかすみはじめるのを感じたとき、わめき声やうなり声、戦いに息を切らしたあえぎ声のかなたから、新たに不気味で荒々しい叫びがあがった。

「ああ、マクデューイ！　ああ、マクデューイ！」

それは、ローリの声だった。いつのまにか巧みに乱闘をすり抜けていたローリは、手近な馬車から石油ランプを引ったくり、それを手にこちらに戻ってきたのだ。マクデューイ氏に襲いかかろうとしていた群衆は、驚いて一瞬足を止めた。

裂けて肩から落ちかかったマントが、ランプの炎に浮かびあがる。暗赤色の髪が乱れて広がり、光背のようにローリの顔を縁どっていた。だが、マクデューイ氏の記憶に一生消えることなく刻みこまれたのは、その表情と瞳のきらめきだった。優しさはどこかに消えうせていた。唇をゆがめ、瞳を燃えあがらせて、まるで包囲された愛しい族長のもとへ駆けつける古代のケルトの女王のように、戦いに酔いしれるその姿。

「ああ、マクデューイ！　ああ、マクデューイ！」ローリはランプを振りまわし、火のついた石油をあたりにはねとばしながら道を切りひらいて、いまや地面に倒れこもうとしている、力つきた男のもとへ駆けよった。腕を腰に回してマクデューイ氏の身体を支えると、襲ってこようとする群衆を牽制する。だが、やがて態勢を立てなおした群衆がまた近づいてくるのを見て、ローリはもう一度「ああ、マクデューイ！」と雄叫びをあげると、「あなたのためよ」とつけくわえ、幌馬車に石油ランプを投げつけた。

たちまちオレンジ色の炎が広がって、木枠に布を張った幌を舐めつくす——乾いた幌はすぐに炎に包みこまれ、火口のように燃えあがる炎のかけらを周りにまき散らした。やがて隣の馬車に火が移り、そしてその隣へ——

戦いは終わった。火事にうろたえ、群衆は獲物のことを忘れてしまったのだ。悲鳴や毒づく声があがり、人々はてんでに火を消したり、燃える幌馬車から家財道具を運び出したり、川からバケツリレーで水を運んだりしはじめた。

誰にも見とがめられずに、マクデューイ氏とローリは馬車の停められている場所を離れた。檻のそばまで来たところで、ついに疲れきった氏は膝を落として地面に坐りこみ、ローリもそのかたわらにひざまずいた。

「アンドリュー、だいじょうぶ？」そう叫んだローリもそこらじゅうすすで汚れ、頬には打ち身の傷がある。

「ああ。ちょっと疲れただけだ」頭のてっぺんをひどく殴られたらしく、蜂が飛びまわっているような耳なりがする。腕や脚、胴体にも打ち身やみみず腫れができていたが、さほど深い傷はない。「ありがとう、ローリ。きみがいなかったら、とうてい助からなかっただろうな」

ローリは、マクデューイ氏の髪にこびりついて固まっている血など、気づいてさえいなかった。ただひたすら、氏の瞳をじっとのぞきこんでいたのだ。さっきの荒々しさは、いまだローリの瞳から失われてはいない。「アンドリュー！」そう叫び、そしてもう一度。「アンドリュー！」ローリは氏の傷だらけになった顔を両手ではさみ、唇を重ねた。やがて立ちあがると身をひるがえし、若いシカのような足どりで峡谷めざして走り去る。

マクデューイ氏はその後ろ姿に呼びかけた。「ローリ！　ローリ！　戻ってきてくれ！」

だが、ローリは行ってしまった。地面に四つんばいになり、ふらつく頭をしゃんとさせようと振っているマクデューイ氏を残して。背後では、オレンジ色の輝きや炎のはぜる音がしだいに収まりつつある。ジプシーたちは、どうにか火を消しとめられそうだ。自分が死んだのか、生きているのか、それとも夢を見ているのか、マクデューイ氏にはわからなかった。とはいえ、やがて呼吸がおちつき、頭がいくらかはっきりしてくると、意味もない笑いがこみあげてくる。

「そろそろ帰るとしよう」氏は声に出してつぶやいた。

だが、その前にしなくてはならないことがある。炎におびえ、檻の中の動物たちは吠え、鼻を鳴らし、震え、騒ぎたてていた。檻のかんぬきを順ぐりに外し、扉を開いて、動物たちを外に出してやる。たとえ死んでしまうにしても、せめて自由の身で死なせてやりたい。それがすむと、氏はよろよろと自分のジープに向かった。

草地の端、そもそもの悲劇の発端となった舞台の上に、何か黒っぽいものがうずくまっていた。さっきの子熊の死骸だ。毛皮を平べったくつくねたような死骸を見おろしながら、あんなにも気づかっていた熊がついに倒れたまま立ちあがれなくなり、これ以上血を流すこともなくなったと聞いたら、ジョーディはどれほど悲しむだろうと、マクデューイ氏は思いをめぐらした。だが、この熊の哀れな境遇に胸を痛めてジョーディが流した涙は、けっして無駄にはならなかったのだ。ローリも走り去る途中にここを通りかかり、足を止めて涙を流しただろうか。いっそ、自分も泣き出してしまいたいような気分になる。ややあって氏はきびすを返し、ジープに乗りこんだ。

いまだくすぶる三台の馬車の残骸に、バケツの水をかけつづけるジプシーたちの脇を車で通りすぎながら、少なくとも熊のかたきは討ってやったと、心の中でつぶやく。一キロ半ほど下り、川のほとりに車を停めると、マクデューイ氏は顔や傷口を洗い、固まった髪の血をすすいだ。調べてみると、頭の傷もたいしたことはなさそうだ。疲れた足どりでジープによじのぼり、町めざして発進する。

反り橋にさしかかろうとしたとき、逆方向から走ってきた車が、ヘッドライトを点滅させて合図してよこした。屋根の上にもライトがあるところを見ると、どうやら警察の車らしい。脇に寄せて車を停めると、向こうも反対側に停め、マッコーリー巡査が懐中電灯を振りながらこちらに近づいてきた。「ああ、よかった。先生でしたか！」

「火事は収まったようだ。だが、キング・タークという男と、汚らしいでぶの熊使いについて、きみに通報しておかないと――なにしろ、すさまじい動物虐待でね――」

「ほう、なるほど。いいころあいですよ。だが、ここまで来たのは別の用事でしてね。先生を迎えにいくよう言われまして」

「ああ、その――」マクデューイ氏は息を継いだ。さっきまでとはちがう恐怖が心臓につかみかかり、鼓動を止めようとでもするようにぎゅっと締めつける。

巡査は足もとに目を落とした。「急いでお帰りください。ストロージー先生が――その、先生をできるだけ早く探して連れてくるようにと」

「その――」またしても息を継ぎ、それから、この恐ろしい一夜の出来事にさえも必要としなかったほどの勇気を振りしぼって尋ねる。「娘はまだ生きているのかね？」

今度は、巡査も目を上げて答えた。「もちろんですとも！　ただ、ストロージー先生がおっしゃるには、一刻も早く先生を——」

「先導してくれ——」マクデューイ氏は懇願した。「先導を——頼む、できるだけ急いでくれ」

警察の車はうなりをあげて発進し、サイレンを鳴らしながら走りはじめた。マクデューイ氏は残された力のすべてを振りしぼり、前を走る車の赤いふたつの目をじっとにらみながら、自分を待ちうける悲しみに向かって車を飛ばしつづけた。

25

ああ！　わらわは何をしでかしてしまったのであろう？　しょせん、神ならぬ身が神を騙《かた》っていただけのことにすぎぬのか？　いにしえの神々はすべて死に絶え、もはや魔法もこの世から姿を消したのであろうか？　セクメト・バスト・ラーはただの夢にすぎぬということか？とすると、わらわは一介の迷い猫、タリタにすぎぬのであろうか？　たったひとりで暮らし、病み苦しむ無力で小さいけものたちのために尽くす、赤毛の織女に拾われただけの存在なのか？

だとしたら、タリタとは誰なのか？　わらわはどこから来たのであろう？　どんな世界で生きればよいのか？

わらわのもたらさんとした破滅は失敗に終わった。その夜、ローリは谷あいの炎が収まった後、かなり経ってから戻ってきて、わらわが見張っていた岩のかたわらを通りすぎた。あたりに目を配るでもなく、ただまっしぐらに。手提げランプの明かりに照らされて、あの娘の衣服が破れ、血のしみや焼け焦げができているのも、顔が涙で濡れているのも見てとれた。

ローリが通りすぎるのを待って、そっと岩から走りおり、足音を忍ばせて後をつける。空き地にたどりつくと、他のけものたちはみな魔法をかけられたかのごときありさまだった。ピーターは吠えもせず、伏せをしたまま哀れな声で鼻を鳴らすばかり。ウリーとマクマードックはもう見張り場所から地面に下りてきていたけれど、意地悪な老婆のごとくぴりぴりと神経をとがらせて、暗がりから姿を現したわらわに向かい、誰なのか見分けがつくまで威嚇の声をあげつづけていた。

ウリーが尋ねた。「何があったんだね？　ローリはけがしたのか？　血がついていたじゃないかね！」

いつもわらわが神であることを否定しつづけているくせに、一抹の疑いを捨てきれずにいるマクマードックは、こんなふうに嚙みついてきた。「ひょっとして、これはあんたのしわざかい？　ここんとこ、どうもそぶりがおかしいとは思ってたんだが。あんたがいわゆるエジプトじこみの魔術とやらをしかけてたんなら、おれがただじゃおかんからな」

返答してやる気にもなれず、わらわは家に入った。

ローリは炉辺の長椅子にかけていた。どこもかしこもすすにまみれ、髪は乱れ、衣服には血がしみついたまま、打ち身の傷のある顔ですすり泣いている。両手に顔を埋め、声も漏らさず、いつはてるともなく。なろうことなら慰めたいと、わらわは願った。かたわらに後ろ足で立ちあがり、顔を覆っている手に前足でちょんちょんと触れる。

すると、ローリは顔を上げ、わらわを引きよせて胸に抱きしめた。かつてどんな女であれ、これほどまでに泣いたものがあろうか？　しゃくりあげたり、泣き声を漏らしたりするわけではなく、ただ温かき涙をとめどなく流しつづけている。

ふと、ローリはわらわをきつく胸に抱きしめ、濡れた頬をわらわの頬に寄せてこう語りかけた。「タリタ！　タリタ！　わたしはどうしたらいいの？　これから、わたしはどうなるのかしら？」

ああ、セクメト・バスト・ラー、天の七つ星、そして天狼星を司る貴婦人、豊穣の女神イシス、処女神アルテミス。わらわに宿るこうした神々にローリが祈りを捧げさえすれば、わらわは天空の星々をその涙とともに降らせ、父なる神ラーに頼みこんで濡れた頬を乾かしてやったであろうに——天地のありったけの恵みを、この娘に注いでやったはず——

ややあって、ローリはわらわを放して立ちあがると、破れ、汚れた衣服を脱いで洗った。その間も、目からはとめどなく涙を流しながら。それから、ふと奇妙なことをする。マントルピースからランプを手にとり、鏡の前に立つと、そこに映る自らの姿を当惑したまなざしで長いこと見つめていたのだ。まるで、これまで目にしたことがなかったとでもいうかのごとく。

頬の傷を何度も何度も、まるで何かをなつかしむがごとく指で触れる。それから、いまだ涙を流しつづける瞳を、その奥底まで長いことのぞきこんでいた。さらには、自分のものなのかどうか危ぶむかのごときしぐさで、髪と唇にそっと指で触れる。唇を開くと、鏡の中の自分に向かって、わらわに語りかけたときと同じ口調で尋ねた。「いまのわたしは誰？　ローリはどうしてしまったの？　わたしはどうするべきなのかしら。どうするべきなの？」やがて、床につく支度を始めたローリを見て、わらわも炉辺に戻った。

ところが、その夜にかぎっては、寝室にしている屋根裏への階段をなかば上ったところで、ローリはわらわを呼んだ。「タリタ――タリタ――わたしから離れないで。いらっしゃい、猫ちゃん、今夜はそばにいてほしいの――」

これまで、屋根裏へ上るのを許されたことはない。わらわは階段の下で立ちどまり、ローリが本気かどうか確かめるために呼びかけた。

「ええ、いいのよ、猫ちゃん。ここへいらっしゃい。わたし、ひとりでいたくないの」

わらわは幸せのあまり低き声を漏らし、階段を駆けのぼると、ローリの腕の中に飛びこんで喉を鳴らした。ローリはわらわの脇腹に頰をすりよせた。

ベッドに椅子、そしてたんすが飾り気なき漆喰壁の部屋に並んでいて、枕もとにはランプがある。ローリはしばらくわらわを膝に乗せたまま、瞳をじっとのぞきこんでいた。もはや涙を流してはいない。「ねえ、タリタ、教えて。あなたは一度死んだんでしょ。死ってどんなもの？　安らかだった？」

ローリが何を言っているのか、わらわにはわからなかった。これまでも千回となく、二千回となく、わらわは死を迎えてきたし、これからも何千回となくそうするであろう。そのたびにわらわの魂は帆船に乗り、天と地を結ぶ闇の川を幾度でも渡りつづけるであろうから。

ローリが腕をほどくと、わらわはベッドの足もとに丸くなった。「そばにいてくれてありがとう、猫ちゃん。おやすみなさい」ローリはそう声をかけ、ランプを吹き消した。

闇に包まれた部屋のどこかから、たとえようもなくかぐわしき香りが漂い、やがて消えていった。何の香りであろう？　わらわはなぜ、この香りに憶えがあるのか？　どの時代、どんな姿をしていたときのことであろうか？　この香りにいったい何を思い出して、わらわは喉を鳴らしているのであろう？　神殿で焚かれていた香か、それともいつの世か、森に狩りに出たおりに嗅いだ薬草の香りか？

頭をもたげ、鼻をうごめかせて匂いを嗅ぐ。またしてもあの香りが――かすかに漂い、そしてまた消えた。わらわの胸に、こんなにもふつふつとたぎる夢と憧れを解きはなって。闇の中、ぐっすりと眠るローリの安らかな寝息を聞きながら、わらわは自らの失われし魂がふいにすぐ近くまで戻ってきたような気がしていた。まるで、前足を伸ばせばすぐにつかみとれ、もう二度と失うことなく胸に抱いていられるかのごとく。

ようやく眠りに落ちんとしたとき、またしても闇の中からその甘き香りが漂ってきた。これはローリのベッドの足もとですごす夜ならではの、よき夢なのかもしれない。その夢の中へ急ぐべく、わらわはあわてて眠りについた。

とはいえ、夢に落ちていく直前のこと、ローリの屋根裏に出入りを許されたからには、一日でも早く、この胸躍るすばらしき香りの源をつきとめねばと心を決めたのも憶えている。

26

明かりがこうこうと灯るわが家へ向けて、マクデューイ氏は小道を急いだ。玄関のドアは開けはなたれ、その陰からマッケンジー夫人が外の様子をうかがっている。氏が帰ってきたのを見て、マッケンジー夫人はまくしたてた。「あれ、ありがたい、先生がお帰りになった。わたしがストロージー先生をお呼びしたんですよ。本を読んだげた後、ふとんを直したげようと思って、嬢ちゃんの様子を見にいったら、なんだか具合が悪そうでねえ――目がすっかり落ちくぼんじまって――」

マクデューイ氏はいらだたしげにうなずいた。「わかった、わかった。よくやってくれたよ」

メアリ・ルーの部屋へ急ぐと、ベッドのかたわらにはストロージー医師がいて、難しい顔で心配そうに娘を見おろしている。こんなにも切迫し、うろたえているときに奇妙な話ではあったが、その老医師の顔に浮かんだ思いやりの表情が、マクデューイ氏の目にはなんとも美しく映った。

氏が入ってきたのに気づき、医師は顔を上げた。「ああ、よかった。うまく会えたようだな」

「娘は死ぬんでしょうか？」マクデューイ氏は尋ねた。

悲しげな目をした開業医は、しばし考えこんだ。「どうやら生きる意志をなくしてしまったようでね。病と闘おうとしておらんのだ。この状況が変わらんかぎり――」

その言葉をさえぎってたたみかける。「あとどれくらいですか?」いっそ最悪の見とおしを聞き、来るべき破局のすべてを知り、もっとも恐ろしい部分をこの目で見てしまいたい。

ストロージー医師は肩をすくめた。「それはなんとも――」実際には、医師なりの予測がなかったわけではない。明日か、よく保《も》ったとしてあと二、三日。だが、まだ生命のあるかぎり、希望をくじいてしまうわけにはいかなかった。「生命力の強い子だったが、その炎もずいぶんかぼそくなってしまったようだ。病気になってからというもの、じわじわと消えゆくばかりでな」

マクデューイ氏はうなずき、ベッドに歩みよって娘を見おろした。蒼ざめた肌、どんよりした目、呼吸とともに、あまりにもわずかしか上下しない胸もとの上掛け。

「おい!」ふいにいらだちにも似た何かがこみあげてきて、ストロージー医師は叫んだ。「きみがなんとかしてやらんといかんのだぞ! この子の興味をかきたて、生きる望みを持たせてやるのだ。きみはこの子の父親だろう。この子の気持ちはよくわかっておるはずだ。きみがこの子を愛しておるように、この子だってきみのことを愛しておらんはずがなかろう。しゃんとするのだ! まだ、どっちに転ぶかわからんのだぞ。きみにはきっと見つけられるはずだ、この子の気力を呼びもどす方法をな」

マクデューイ氏は暗い目で医師を見やった。その苦々しげな答えを聞いた医師は、恐怖と悲嘆、心労のせいで、ついにこの父親は正気を失ってしまったのだろうかと、ふと不安にならずにはいられなかった。「そうでしょうよ。そりゃ、死んだ猫を生きかえらせて、腕に抱かせてやりさえすれば、この子もまた笑うようになり、生きる力をとりもどすでしょうがね」

「きみが何を考えとるのか、わしにはわからん」

「医学なんて――」言いかけたマクデューイ氏を、医師はかぶりを振って制した。そのとき初めて、コートは破れ、袖は裂け、顔は傷だらけという氏のひどい格好に気づいたのだ。「やれやれ、こんな時間まで、酒場でとっくみあいでもしておったのかね？　医学でどうにもならんときは、道はひとつしか残されておらん――神に祈ることだ」

マクデューイ氏は医師に向きなおり、怒りと憤りに顔を紫に染めると、ぶあつい胸いっぱいに息を吸いこんだ。「先生までが！　先生までがね！」病人の耳をはばかることさえせずにわめく。「病人の苦しみや、人生の不公平や、悲惨な状況を往診のたびに目にしていながら、よくもまあ、そんなことを許しておく神を信じられたもんだ！　先生の信じる神は、娘の生命をぼくから取りあげて、いったいどうするつもりなんですか――ぼくにとっては、この子がすべてだというのに！」

演説がとぎれ、静寂が広がる。だが、まだマクデューイ氏は言いたいことを言いつくしてはいなかった。「慈悲だの、正義だの、そういったものを組みこんだ遠大なる計画だのというものが存在するのなら、ぼくは這いつくばってでも神に娘の命乞いをしますがね」ストロージー医師をにらみつけながら、そう言いはなつ。

誰ともわかりあえない孤独の中で、ふとその夜聞いたばかりの叫びが脳裏によみがえった。

力つき、ついに死を迎えるのかと覚悟したときに響いたあの叫び。「ああ、マクデューイ！ああ、マクデューイ！」絶望の深淵に沈みかけていたマクデューイ氏に、初めて身体を起こす気力が湧いてくる。「そうだ、待ってください。ちょっと思いついたことが。娘が明日まで生きのびられさえすれば、ひょっとして希望が――」

ストロージー医師はため息をつき、かばんを手にとった。「ああ、最後まで希望はあるさ。明日の朝、また寄るよ」そして、部屋を出ていく。

マクデューイ氏は部屋の真ん中に立ちつくしたまま、ひとりもの思いに沈んでいた。そう、ローリがいる――ローリが――正気でないのでは、などという疑いはもはや消え去った――愛する男のかたわらに立って戦う、生えぬきのスコットランド女、ローリ――ローリなら、メアリ・ルーを死の淵から引きもどしてくれるかもしれない。そして、おそらくはこの自分をも。マクデューイ氏は、しだいに気持ちが明るくなってくるのを感じていた。ローリの名を口にするだけで、魂が震えるような高揚感が走る。朝になったら、ローリに会いにいこう――

翌日また訪れたストロージー医師は、メアリ・ルーを診察し、容態は昨夜からさほど変わっていないと告げて帰った。マクデューイ氏は診察室でウィリー・バノックにあれこれと仕事を言いつけ、マッケンジー夫人に指示を残して留守を頼むと、ジープに乗りこんで出発した。

昨夜は寝ていない。一晩じゅうメアリ・ルーのかたわらに坐り、寝顔を見つめ、手を握り、身じろぎするたびに髪を撫でてやり、自分の愛情を娘に伝えようと努力していたのだ。そうしていると、自分が愛を蓄えた電池となり、娘に生命力を充電してやっているような気分になる。

一睡もしないうちに夜が明け、娘は生きて新しい日を迎えた。いまこそ、ローリに助けを求めにいくべきときだ。

峡谷の入口へ向かう途中、昨夜の戦いの跡が目に飛びこんでくる。驚きのあまりマクデューイ氏はしばし車を停め、その光景に見入った。踏みにじられた草と馬車のわだち、木材や帆布の燃えさしや灰がいくらか散らばっているほかは、まるでジプシーなど最初から存在しなかったかのように、何ひとつ残ってはいない。夜の間にテントをたたみ、荷物をまとめて、焼け焦げた荷馬車とともに立ち去ったのだ。熊の死骸も残ってはいなかったし、マクデューイ氏が逃がしてやった動物たちのその後を示すものもなかった。きっと、みな丘陵をめざしたにちがいない。サルたちがあの石造りの家にたどりつき、《慈悲の鐘》の紐を引く光景が頭に浮かんで、氏は思わず口もとをほころばせた。鐘に応えて姿を現したローリは、はるか遠い生息地に戻るすべもない迷子たちを、温かく中に招き入れるのだろう。

それどころではない状況を思い出し、マクデューイ氏は先を急いだ。峡谷の入口に車を停め、いまや歩きなれた山道を、ローリの家に向かって足早に上る。

あまりに急いだため、ようやく《コヴンの木》にたどりついたときには動悸が激しくなりすぎて、まずは呼吸を整えなくてはならなかった。一息つきながら、ローリが出てきたらどう言おうかと考える。「力を貸してくれ、ローリ。いっしょに来てほしいんだ。娘が死にかけている。あの子を救えるのはきみだけなんだ」

だが、実際にここまで来てみると、紐を引いて鐘の音をあたりにこだまさせるのが、なぜかためらわれてならない。空き地はいつになくひっそりとしていて、いつもの動物たちの姿もなく、まるで静寂がずっしりとのしかかってくるようにさえ感じられる。いったん鐘を鳴らしたら、もう引きかえすすべはなく、行きつくところまで行くしかないのだ。

いまだ苦しそうにぶあつい胸を上下させながら、マクデューイ氏はその石造りの家をじっと眺めていた。緑のドアは閉まっている。空き地と《コヴンの木》に面した窓にブラインドが下りているのも、いつものことだ。実際には何ひとつ普段と変わらないのに、その朝にかぎっては、なぜか家が自分から寝顔をそむけ、唇を冷たく引きむすんでいるように見えてならない。このせっぱつまった状況と昨夜の寝不足のせいで、そんなふうに感じられるだけなのか、それとも、自分はもうここに温かく迎えられることはないのだろうか？

ふいに《慈悲の鐘》の美しく涼やかな音がかすかに響き、マクデューイ氏はぎょっとした。はっとして見あげると、どうやら肩に紐が触れ、鐘の舌が縁に当たったらしい。これをきっかけに、決心が固まる。マクデューイ氏は紐を握り、鐘を鳴らした。その音は峡谷にこだまし、百羽もの鳥が一陣の風となって家の周りを飛びまわる。ローリが施療所にしている納屋からけたたましく吠えたてる声が聞こえたが、一匹として犬は姿を見せなかった。やがてこだまは消え、鳥たちは舞いおりた。犬の声も聞こえなくなる。だが、ローリは姿を見せなかった。

ふたたび鐘を鳴らし、大声で呼びかける。「ローリ――ローリ――ぼくだ、アンドリュー・マクデューイだ」

犬たちはまた吠えたてたが、今度は鳥たちは飛びたとうとしない……

一瞬、マクデューイ氏はどうしたらいいのかわからなくなった。昨夜、ローリは自分をかばおうとしてひどいけがか火傷《やけど》を負い、そのために出てこられないのだろうか。だとしたら、ドアに体当たりしてでも中に押し入るべきだろう。だが、眠りに落ちたままこちらに表情を見せない、自分を拒んでいるかのような家のたたずまいが氏をためらわせていた。そのとき、ローリが自分の顔を両手ではさみ、キスをしたときのことが脳裏によみがえる。柔らかく、情熱のこもったあの唇、自分から逃げるように走り去っていったときのあの足音。

きょうにかぎってこの地に重苦しくまとわりついているかのように思える、この恐ろしい静寂を追いはらおうと、マクデューイ氏は荒々しく紐を引き、大きな声で呼びかけた。「ローリ！　ローリ！　聞こえないのか？　ぼくだよ、アンドリューだ」胸の奥から、しだいに怒りがこみあげてくる。

こんなにローリを愛しているにもかかわらず、伝えたいことがうまく言葉にできない、それが何より腹立たしかった。告白も、約束も、懇願も、甘いささやきも、これほど胸にあふれているのに。

「ローリ！」声をかぎりに叫ぶ。「出てきてくれ！　きみを愛しているんだ！」

この告白の叫びにも、風や木立、小川のせせらぎの音しか返ってこない。マクデューイ氏はさらにいきり立ち、木からむしりとらんばかりの勢いで鐘の紐を引いた。怒りと絶望のあまり、娘のことさえ頭から消えてしまう。「きみに焦がれ、恋の病に苦しんでいるというのに、見向きもしてくれないつもりか？」

すっかりとりみだしたマクデューイ氏が、力まかせにとめどなく鳴らしつづける鐘の音に、空き地はぴりぴりと震えていた。鳥たちはおびえて飛びまわり、犬に加えてその他の動物たちまで、裏で甲高い声をはりあげて吠えたけり、鳴きわめいている。けたたましいまでの鐘の音に覆いかぶさるように、さらに氏のわめき声が響いた。「ローリ！　愛していると言ったのが聞こえなかったのか？　ぼくはここにいる。ぼくを受け入れてはくれないのか？　結婚の申しこみに、耳を貸そうともしてくれないつもりか？」

後の人々の噂によると、氏の騒々しい求婚は、はるかインヴァレノックのはずれにまで響きわたったという。

家の中では、寝室の窓辺にひざまずいたローリが、下ろしたブラインドの隙間から外をのぞき、いらだって自分の名を呼びつづける恋に血迷った大男を見おろしながら、金縛りにあったかのようにその場に凍りついていた。

心の中で、こう叫ぶ。「ああ、わたしの大切な人、愛するあなた、どうして待ってくれないの？　そんな、まだ早すぎる、早すぎるわ――」

マクデューイ氏の荒々しい怒りに、ローリはとまどい、おびえていた。長いこと暮らしていた安らかな世界、夢と幻想と優しいけものたちの愛で満たされたすばらしい世界から、最初のうちはあんなにも優しく自分を引っぱり出してくれた人だったのに。ローリはこの世界の存在をごく幼いうちに知り、自らそこに住むことを選んできた。男として、医者として、そしてある意味では神として、マクデューイ氏が荒々しくこのとりでに踏みこんでくるまでは。自分もまたマクデューイ氏を、それまで生きていた世界から引っぱり出したのだということに、ローリはまったく気づいていなかった——

マクデューイ氏のおかげで、ローリは大きく変わった。だが、その孤独で献身的な暮らしのこだまも、依然として耳の奥で響いている。ローリには時間が必要だった——そして、優しさが。

窓の外では、マクデューイ氏のどなり声とけたたましく打ち鳴らされる鐘の音が、いまだよろい戸を震わせていた。「おい、昨夜はきみもそんなにお高くとまってはいなかったじゃないか。『マクデューイ！』と叫んでキスして、ぼくのものになってくれたはずだ。だのに、もうぼくはいらないってわけか？」

戦いの記憶、そしてその余韻に酔った勢いでしてしまったキスのことを思い出して、ローリはますますうろたえた。こんな奇妙な求婚を続ける男をこれ以上見ていることさえつらくなり、両手で顔を覆うと、恥ずかしさに身を震わせて熱い涙にくれる。

「たとえきみがどう思おうと——ぼくの妻になってくれ、ローリ！」

あのがっしりした、頭から血を流している顔をどれほど情熱をこめて引きよせ、自分から唇を重ねたかを思い出して、ローリは身を縮こまらせた。

マクデューイ氏はひときわ高く鐘を打ち鳴らした。「これが最後だ。もう二度と頼まない」

昨夜ふたりが収めた勝利は、子熊が死んでしまったことを思えば意味がなかったのかもしれないが、それでもあの狂おしいまでの誇らしさを思い出すと、身ぶるいせずにはいられない。

炎の中からこれまでとはちがう自分が姿を現したようにさえ思える、あのめまぐるしい一夜の出来事を、ローリは生々しく思いかえしていた。

ふと気がつくと、《慈悲の鐘》を連打する荒々しい音はやみ、マクデューイ氏の誰はばかることない大声も、もはや峡谷にこだましてはいなかった。両手に埋めていた顔を上げ、ブラインドの隙間からそっとのぞいてみる。氏の姿は消えていた。今度は別の不安に心をかき乱されて、ローリは階段を駆けおり、ドアの鍵を開けて《コヴンの木》の下へ走り出た。「アンドリュー！　ああ、アンドリュー――わたしのアンドリュー」

ローリは長いこと《コヴンの木》の下で待っていた。きっと戻ってきてくれるはず、そう信じて。だが、その願いはむなしく裏切られた。

そのころ、打ちひしがれてとりみだしたマクデューイ氏は、耳も聞こえず、目もなかばくらんだまま、よろよろと山道を下っていた。自分はどこへ向かっているのか、道はどこを通っているのか、そんなことも考えずに突き進むうち、空き地の下の森に迷いこむ。木の根につまずき、岩の上に転び、毒づき、肩ほどの高さのワラビをかきわけ、イバラのとげにひっかかれながら、氏は牡牛のようにがむしゃらに斜面を下りていった。

あれほど胸を高鳴らせた希望もついえ、いまや何も残ってはいない。自分をあざむき、愛するものをことごとく奪い去っていった運命の首根っこをつかんでやろうとするかのように、すさまじい勢いで藪をかきわけて進んでいけばいくほど、いらだちも憤怒もいっそうつのるばかりだった。

そうして森を下っていくうち、ふいにブナやオーク、樹皮がまだらのカバの木などに囲まれた、小さな空き地に迷い出る。地面は落葉や苔、小さく丸まったシダの芽、赤くおいしそうな実のなった茂みなどに覆われていた。中央には小さな墓がある。盛り土の上には芝の新芽が這い、周囲には細い葉や丸い葉のさまざまな雑草がすくすくと育っていた。木でできた墓標は、風に煽られたせいかいくらか傾いており、そこに記された文字は日光や雨にさらされて色あせていた。

こんな人里離れた森の奥に墓を見つけた驚きに、マクデューイ氏はふと足を止め、しばしわれに返って周囲を見まわした。

幼い子どもが眠っているのではと思わせる、小さな墓。かつてあんなに陽気で楽しげだったメアリ・ルーが、この深閑とした森の隠棲の地に比べて美しくも安らかでもない、陰気で混みあった教会の墓地に葬られるのかと思うと、胸に苦いものがこみあげた。

娘はまだ生きているとはいえ、もう助けるすべはないのだと思うと、それを否応なく思い出させるこの光景が、いっそう胸に鋭く突き刺さる。生命の火のほとんど消えかけた燃えさしのようなふたつの瞳には、まだかろうじてかすかなきらめきが残っている。昨夜、娘の弱々しい呼吸がいまにも止まるのではないかとおののきながら、じっとその寝顔を見つめていたときのことを、マクデューイ氏はふりかえった。娘のいない昼、そして夜がはてしなく続く年月は、もう目の前に迫っているのだ。

この空き地の墓に呪縛でもかけられてしまったかのように、氏はその場から動けずにいた。

これまで娘の生命が危ういという事実が明らかになればなるほど、マクデューイ氏は恐怖や不安といった感情のとりこになり、そこから逃れられずにいたが、この光景を見た瞬間、言葉にならない悲しみが胸にとめどなく湧きあがってきたのだ。

やがて、ようやく墓に歩みより、その前にひざまずく。ひょっとして、その墓標にはこう記されてはいないかと、心のどこかで怖れながら。「アンドリュー・マクデューイの愛娘、メアリ・ルーここに眠る。享年七――」

燃えさかる炎のような髪のがっしりした頭を傾け、雨に洗われて薄れた文字に目を近づけて、墓標に記された銘を読む。やがて最後まで解読しおえたとき、ここに葬られたのがどこの誰だったのか、マクデューイ氏はようやく知ることになった。「トマシ　ナここに眠る。一九五二年一月一八日に生を享け、一九五七年七月二六日に非道にも殺めら　たり。亡き友よ、安らに」

たまたま迷い出たこの場所の真の恐ろしさは、じわじわと時間をかけてマクデューイ氏の胸に忍びよってきた。墓の前にひざまずいて、全世界に挑みかかるようないつものしぐさで赤いあごひげを突き出し、頭をかしげて告発の文字を読むこの尊大な大男は、自分が否定するように懸命に首を左右に振っていることさえ、最初は気づかなかったのだ。

非道にも殺められた！　非道にも殺められた！　非道にも殺められた！

ちがう！　それは嘘だ！　あのときは時間がなかっただけだ。あの猫はすでに死にかけていた。あのとき眠らせなくても、結局は死を迎えたに決まっている。みぞおちに硬く冷たい石を詰めこみ、身体の内側から凍らせるようなこの墓碑銘を書いたのは、いったい誰なのだろうか？　あえてあのときの自分の診断に有罪の評決を下し、誰にでも読めるよう、ここに書きしるしたのは？

そのとき、ヒューイ・スターリングの整った顔立ち、澄んだ青い瞳、そのおちついたまなざしが、また、肩を並べたふたりの仲間の姿までもが、アンドリュー・マクデューイ氏の脳裏によみがえった。耳に、三人の幼い声がはっきりと響く。「獣医アンドリュー・マクデューイ、被告席へ。われわれ子どもにより、被告はこれより裁かれる。評決はわれわれの視点から下され、刑はわれわれの目に浮かぶ軽蔑となろう」

診察室に立つ、あの三人の裁判官の姿があらためて目に浮かぶ。首のひょろっと長い、細面のジェイミー・ブレイド、率直な表情を浮かべたヒューイ・スターリング、そして髪を短く刈りあげ、涙に汚れた顔をしたジョーディ・マクナブ。あのとき、三人は無力なものに対する非人道的な残酷さをとがめ、胸に熱く愛の火花を散らしながら、ジプシーの罪を糾弾していたのだ。「あいつら、かわいそうな熊を殴ってたんだ」「ぞっとするほど残酷なんですよ！」「馬も、おもりを仕込んだムチで引っぱたかれてた！」

三人の後ろには、静かに立ちつくすメアリ・ルーの幻がいた。「あの人が、あたしの猫を殺したのよ！」メアリの声を最後に聞いたのは、こちらを見てにっこりし、瞳を輝かせる娘の顔を最後に見たのは、いったいいつのことだっただろうか？　厳しいながらも公正な三人の裁判官が下したのは、《殺害》に対する有罪判決だった。そして、ジェイミー・ブレイドの奏でるバグパイプの調べとともに、三人はその被害者をここに埋葬し、間に合わせの喪服に身を包んだメアリ・ルーもその場に立ちあって、自らの生き生きした幼い心を、愛する死者とともに葬ったのだ。

「非道にも殺められたり」と裁判官たちは墓標につけくわえた。そして、メアリ・ルーは無言の軽蔑がこもったまなざしを向けることによって、父親に罰を下していたのだ。

そこまで考えたとき、ふと全身の血が凍るようなおぞましい予感が胸に忍びよる。あの裁判官たちは、娘の墓標にも《非道にも殺められたり》と記すつもりなのだろうか？「やめてくれ！　やめてくれ！」といううめき声が思わず口をつき、マクデューイ氏は手のひらで荒々しく自分の額を何度も叩き、そんな恐ろしい思いを追いはらおうとした。だが、もう遅かった……尊大で傲慢だった氏の心の堰《せき》には、すでにひび割れが走っており、人間としての罪や過失が、そこからすさまじい流れとなって噴き出しはじめていたのだから。

これまでマクデューイ氏は、石のように非情な心臓、かたくなな意志、そして人並みはずれた身勝手さを自らの武器としていた。ローリに求婚したときでさえ、娘のことは忘れてしまい、さっさと自分の前に出てこいと、まるで気がふれたようにわめきたてただけではなかったか。この恐ろしい墓は、中に眠るものとその墓碑銘により、自分の真の姿を一瞬のうちにマクデューイ氏の眼前に描き出し、憐れみも、同情も、人間らしい共感もなしに力ずくで生きていくのがいかに大それたことか、はっきりと氏に思い知らせてくれた。これまでマクデューイ氏は、人間も動物も愛したことなどなかった。ひたすら自分だけを愛しながら生きてきたのだ。つまりは父親として、夫として、恋人として、医者として、そしてそもそも人間として、すべてにおいて失格だったということではないか。この墓の真似ごとは、そんなマクデューイ氏に対し、娘が死ぬのはおまえのせいだと、真実を容赦なく突きつけたのだった。

そんなわけで、インヴァレノックの獣医アンドリュー・マクデューイ氏は、墓の前に力なく膝を折った。かつてあんなにも誇り高く、自信に満ちていた男が、いまはみじめに身体を震わせる抜け殻でしかない。大人の男としての体面という殻を破って流れ出した涙は、さえぎるものもなく頰を伝い、ついにはその唇から、けっして口にしないはずの言葉を引き出したのだ。

「神よ、ぼくの罪を許してください！　このぼくをどうかお救いください！　お願いです、神よ！」

やがて、よろよろと立ちあがったマクデューイ氏は、この空き地から、墓から、墓標から、一目散に逃げ去った。この一幕を見まもっていた、耳のとがった小柄な赤茶色の猫には気づかないまま。その猫は、空き地の端から墓のすぐ上まで枝を伸ばす巨大なブナの木に上り、男のすぐ頭上の枝にうずくまっていたのだ。前足を胸の下に折りこみ、つんと気取った細面を満足げにほころばせた猫は、いかにも興味ぶかそうに、眼下にくりひろげられる奇妙で唐突な光景を、最初から最後まですべて見とどけていた。

27

わらわは女神パシュト、聖なるものにして崇められしもの、神として数えられしものなり！

造物主アメン・ラーに栄えあれ！

わらわこそはまごうことなきセクメト・バスト・ラー、天空の女王にして、その前には人もけものもただ震えおののくのみ。太陽はわが父にして、星々はわが玩具。四肢を伸ばせば宇宙の端にも届く。わがうなり声は雷鳴にして、わが瞳の輝きは稲妻なり。わがひげを震わせれば大地が揺るぎ、わが尾は天と地を結ぶ梯子となる。

わらわは神なり！

いま一度、わらわを崇めるものが現れた。わらわを神と認め、わらわに祈りを捧げるものが。わらわの真の姿を知り、この仮の姿に宿るわが聖なる魂に気づくものが、この世にひとりでも存在するなら、わらわはその神通力をとりもどすであろうと、かつて申したことがある。叡智にあふれ、すべてを見とおし、すべてを知り、どこまでも恐ろしく、どこまでも慈愛ふかき、いにしえの姿に戻るであろうと。

そのとおり、わらわを崇めるものが現れ、わらわはいま一度神となった。愚かなる民よ、われらすべての猫の前に頭《こうべ》を垂れよ。けっしてわれらを虐待し、殺めることなかれ。玉座に戻りしバストの復讐は峻烈なれば。

それは、谷あいに火事があり、ローリに変化が起きたあくる日のこと。わらわは本当は何ものなのか、自らの前世を見失い、心惑うばかりであったとき。

わらわは森の中の小さな空き地にいた。静けさに包まれて考えにふけりたいとき、わらわがいつも行く場所に。そこには、かつてトマシーナという名で知られた同族のひとりの墓がある。巨大なブナが墓の上に枝を伸ばしており、わらわはそこに上っては、前足を伸ばして腹這いになることにしていた。

静けさを破り、わらわのもの思いを妨げたのは、わが敵、赤きあごひげの男であった。わめき、毒づきながら森の中を突き進んでくると、この空き地でふと足を止め、錯乱した牡牛のごとくあたりをじろじろと見まわす。

やがて、トマシーナという名で知られるわれらが仲間の墓に歩みよると、男の様子は一変した。われらが一族のひとりのために、男は涙を流したのだ。うめき、目玉をぎょろつかせ、燃えあがるひげを、髪をかきむしりながら、自責の苦い涙を滂沱と流し、墓の前にひざまずく。

やがて、男は天を仰ぎ、わらわを拝んだ。自らの罪を告白し、わらわの許しを求めたのだ。わらわに祈りを捧げ、救いを乞う。わらわはその祈りを受け入れた。

かつてのわが仇敵であろうと、天罰を下さんとした相手であろうと、きょうまで憎んできた男であろうと、そんなことはかまわない。

わらわはもう、あの男を憎んではおらぬのだから。

わらわの真の姿を知るものに対しては、わらわは慈悲ぶかく、心広き神。「神よ、このぼくをどうかお救いください！　お願いです、神よ！」男は、わらわにそう叫んだのだ。

イシスとオシリス、ホルス、ハトホル、そしてわが父なる太陽の名にかけて、いまこそ夜の女王にしてナイルのほとりなるブバスティスの猫の女神、セクメト・バスト・ラーの力と慈悲をお目にかけよう！

28

ようやくアーガイル・レーンのわが家へ帰ってきたアンドリュー・マクデューイ氏は、玄関の前に穿鑿《せんさく》好きな人々が集まっているのに気づいた。マッコーリー巡査や、ヒューイ、ジェイミー、ジョーディの三人の少年の姿もある。氏は最悪の事態を覚悟した。時刻はちょうど真昼だった。

だが、巡査はチェックのバンドのついた制帽に触れて挨拶すると、こう切り出した。「昨夜の事件のことですが――」

「ああ――」

「面倒なことにはならないようなので、それだけお知らせしておこうと思って。ジプシーどもはそっくりどこかへ引きはらっちまいましてね」少しためらってからつけくわえる。「お手数をおかけしました。こちらでもっと監視しとくべきだったんですが――」

「いやいや、わかるよ――」

巡査は話題を変えた。「お嬢さんのことは――」

すっかり希望を捨て、無感覚にさえなっている自分に気づいて、マクデューイ氏は驚いた。

「ああ――」

巡査の顔に、どぎまぎしたような表情が浮かぶ。「早くよくなるように、お祈りしますよ」

「ありがとう。ぜひ頼むよ」

かたわらの三人の少年たちも、何か言いたそうにしている。マクデューイ氏は、自分の裁判官たちと向かいあった。口を開いたのはヒューイ・スターリングだった。「中に入ってもいいですか？」

「いや、いまはまずいだろうな――」

ジョーディ・マクナブが尋ねた。「メアリ・ルー、死んじゃうの？」

ヒューイ・スターリングはうろたえ、ジョーディを乱暴に揺すぶった。「なんてこと言うんだよ、このちび！」

マクデューイ氏はその腕を抑えた。「いいんだ」言葉を切り、つけくわえる。「ああ。そうなるかもしれないと心配しているんだよ」少年たちにまっすぐ向かいあい、氏はそう告げた。

ジェイミー・ブレイドが嘆いた。「おれたち、ほんとに寂しくなるな。メアリ・ルーのために、おれが哀悼曲を吹きますよ」

マクデューイ氏は感嘆した。こんなにも幼い少年たちが、人を裁き、刑を宣告しておきながら、もっとも聡明な裁判官のように、相手に敵意を抱かずにいられるとは。

口をつぐんでいられないジョーディが、またしても尋ねた。「あの熊はどうなった？」

この少年にとっては、メアリ・ルーが死ぬことより熊の運命のほうが大切なのだとわかっても、マクデューイ氏は怒りはしなかった。ただ、熊が死んだことは知らせずにおくべきだろう。

重々しく口を開く。「熊はどこかへ行ったよ、ジョーディ。もう二度と痛い思いをしたり、つらい目にあったりすることはないんだ」ヒューイ・スターリングの目に浮かんだ安堵と感謝の色が、マクデューイ氏の心づかいへのお返しだった。

ヒューイが言った。「先生！　昨夜の活躍のこと、全部聞きました。先生って」――自分たちの感嘆を言いあらわせる言葉を探して頭をひねり、やがて続ける――「本当にすごいや。ありがとうございました」

マクデューイ氏は上の空で答えた。「そうか、そうか――」それから、玄関口に集まった人人に「帰ってくれ。何かあったら知らせるよ」と告げ、家に入る。

中にはストロージー医師、ペディ牧師、マッケンジー夫人、そしてウィリー・バノックが顔をそろえていた。ストロージー医師のたるんだ頬のひだは、いっそう深く悲しげに垂れさがっている。だが、枕もとに坐り、患者から目を上げた医師の口調には、どこかとがめるような響きがあった。「いったいどこに行っていたんだね？」

マクデューイ氏はそっけなく答えた。「助けを求めに」

丸顔に眼鏡をかけ、その後ろの瞳に心配げな色を浮かべていたペディ牧師は、それを聞いてそっと吐息をついた。友人が誰に助けを求めたのか、わかったような気がしたのだ。「それで、助けてもらえたのかい？」

「いや」マクデューイ氏はベッドに歩みより、娘を腕に抱えあげた。その頭を、赤いごわごわしたあごひげに押しつけるようにして。あまりに手ごたえのない軽さに、胸が痛む。娘をしっかりと心臓に押しつけながら、氏はかつての挑戦的な態度の名残をかいま見せ、室内の人々に向かって言いはなった。「娘をこのまま死なせるものか」

ストロージー医師は怒ったように尋ねた。「神には祈ったのだろうな?」

マクデューイ氏は静かに答えた。「ええ。祈りましたよ」

ペディ牧師は思わず吐息を漏らした。そんな友人の目を、マクデューイ氏は真っ向から見つめた。「へつらったつもりはないがね」

ストロージー医師の表情から怒りが消えていく。マクデューイ氏は優しい手つきで娘をまたベッドに寝かせ、医師を戸口まで見おくった。別れぎわに、医師はこう言った。「わしにできそうなことがあったら呼んでくれ――何時だろうとかまわん――できるだけのことをしてみようじゃないか」

奇妙なことながら、この老医師を元気づけ、慰めてやりたいと願っている自分に気づき、いままでに憶えのないこの思いやりの気持ちは、いったいどこから湧きあがってくるのだろうとマクデューイ氏は省みた。病と健康、生と死に関わる職業のものが得るのは、悲嘆と苦悶のくりかえしにすぎないのだろうか。老医師の顔に深く刻まれたしわは、永久の別れなどつらすぎると家族や友人たちが怖れる、深く愛されていた患者の死を宣告しなくてはならない、そのつらい体験を幾度となくくりかえしてきたからなのだ。

医師が希望を否定せずにいてくれたことが、マクデューイ氏にはありがたかった。だが、おそらく今夜の峠は越えられないと医師が判断していることも、その様子を見れば読みとれる。

医師を送り出すと、マクデューイ氏は娘の部屋に戻った。「まだしばらくはだいじょうぶだ」マッケンジー夫人とウィリー・バノックに告げる。「何かあったら呼ぶよ」ふたりは部屋を出ていった。ペディ牧師は一瞬ためらい、やはり帰ろうとしたそのとき、氏がうなずいて声をかけた。「きみはいてくれ、アンガス——もしよかったら——」

「峡谷へ行ってたんだろう?」

「ああ。もしかしたらと思ったんだ——ローリが来てくれたら——ローリがこの子を胸に抱いてくれさえしたらとね——」

「わかるよ。で、来てもらえなかったのか?」

「ぼくは《慈悲の鐘》を鳴らしたんだが、ローリは出てこなかった。ぼくだとわかっていたはずなんだが。それで——ついとりみだして、帰ってきてしまったんだ。ローリは来ない。すべては終わったんだ」

ペディ牧師はきっぱりとかぶりを振った。「そんなことはないさ」そして、もう一度くりかえす。「そんなことはないさ。まだ間に合うよ。そうだ——」牧師は友人をじっと見つめた。

「きみは祈ったと言ったね、アンドリュー」

「ああ」

「救いは得られたかい?」

「わからないな」

「もう一度やってみないか?　わたしもいっしょに祈るよ」

マクデューイ氏が友人に投げたまなざしには、挑戦的で自信まんまんの無神論者という、かつての姿の名残をいくらかとどめてはいたが、それよりも、自己満足だけでは生きていけないとようやく気づいたばかりの男が感じる、気恥ずかしさと当惑のほうが強かった。年季の入ったかたくなな不信心の殻は、すでにひび割れが走っているとはいえ、完全に脱ぎ捨てられてはいなかったのだ。

ペディ牧師は人並み外れて鋭いひらめきと洞察力の持ち主で、だからこそこの職についたといってもいい。いまや真っ赤に染まった友人の顔から、その内心の思いを読みとり、まだ唇から漏れていない言葉を聞きとる――「ぼくは誰に対しても膝を折るつもりはないんだ、アンガス」――そして、その言葉が発せられる前にと、あわてて口を開いた。さもないと、自分の信じる教会の教義に従って不毛な議論に応じざるをえなくなり、この痛々しい試練に耐えた友人を失うことにもなりかねなかったから。

牧師の心からの言葉には、神の憐れみと人間らしい思いやりがあふれていた。「へりくだる必要はないんだよ、アンドリュー。立っていようと、ひざまずこうと、きみの祈りはきっと神さまに届く。指なんか組まなくてもいい。神さまは身ぶりや格好を見て、お恵みや愛情をくださるわけではないんだ」

友人に対する感謝と愛情がふいに湧きあがり、マクデューイ氏は胸が温かくなるのをおぼえた。ペディ牧師にとって神がどんな存在なのか、この地上でどう神に仕えようと考えているのか、いまようやくわかったような気がする。氏自身はといえば、あの空き地の墓を見つけてしまってからというもの、ずっと罪の意識が頭から離れずにいた。かつてペディ牧師から指摘されながらも、けっして認めようとはしなかったが、いつのころからかその意識はずっと心の奥底に隠れていたのだ。だが、しみついた習慣はなかなか打ち破れるものではない。「ぼくには難しすぎるよ、アンガス。どう祈ればいいかわからん。どう言えばいい？」

奇妙なものだ。こんなにも背が低くでっぷりした牧師が、どうしてふいに部屋を埋めつくすほど大きな存在に見えはじめたのだろうか。牧師の答えを聞きながら、マクデューイ氏は不思議でならなかった。「どう言うかって？　黙っていていいんだよ。ただ、感じればいい。胸に広がる思いを感じとり、それをそのまま神さまに伝えるんだ。わたしも同じようにするよ」ペディ牧師は持ち前の機転をきかせ、友人に背を向けて窓辺に歩みよると、人影のない街路と、西に低く垂れこめた重苦しい雲を見やった。

マクデューイ氏はベッドに歩みより、いつのまにか眠りに落ちていたらしい娘の蒼ざめて透きとおった顔を見おろした。心の中でつぶやく。（お願いです——娘を助けていただけませんか？　ぼくはどんな罰を受けようとかまわない、それだけのことをしたのだから。でも、娘には娘なりの人生を歩ませてやってください——）

ふたりはお互いに向きなおった。マクデューイ氏が口を開く。「だが、もう運命が決まっているとしたらどうなる？　ストロージー先生が言うには——」

「そんな宣告も、受け入れる覚悟はしておくべきだろうね。でも、神さまに変えられない運命などないんだよ。たとえ、どれほど決定的に見えようと——」

「正直に言ってくれ、アンガス。きみは本当に奇跡の可能性を信じているのか?」

「ああ」ペディ牧師はきっぱりと答えた。

「きみのおかげで希望が持てたよ」

「ストロージー先生も同じことを考えて、きみが祈ったかどうかを尋ねたんだ。きみはいままで、けっして祈らなかったからね」

ペディ牧師が帰った後は、マクデューイ氏もいくらかおちつき、いつもの仕事にとりかかることができた。だが、日が暮れ、やがて訪れる夜明けの前のひとときが怖い。肉体とその魂を結ぶ絆がもっとも弱まり、疲れはてた心臓が力つきて止まりがちな、あのひとときが。

昼から夕方にかけて、雲はいよいよ重く垂れこめるばかりで、いまにも雷が鳴り出しそうな気配だった。嵐の前のぴりぴりとした不穏な静けさが、町と入江を包んでいる。六時に診療所を閉めたマクデューイ氏は、短い小道を自宅へ向かった。赤茶色の猫を腕にぶらさげた、赤い髪にエプロンドレスの小さな妖精が、玄関の前に立って自分を迎えてくれたのは、もう何年も昔のことのように思える。そのとき、黒い雲に覆われた西の空から、初めてかすかな雷鳴が聞こえた。

その音を聞いた瞬間、マクデューイ氏の胸には新たな不安が広がった。髪がちりちりと逆立ち、吐き気がこみあげる。自然の力さえもが総動員されて敵に回り、稲妻や雷鳴とともに娘の魂を来世とやらに連れ去ろうとしているのだろうか。

戸口に出迎えてくれたマッケンジー夫人は、幾夜もの寝ずの番ですっかりやつれ、この数週間でめっきり老けてしまったように見える。いまのマクデューイ氏の目には、これまでとはちがう夫人の姿が映っていた。ずっとこの家で働きながら、女らしい愛情と慰めをメアリ・ルーに与えようとしてくれていたのに、自分は嫉妬からそれを許さなかったのだ。「少しは休まないといけないよ、マッケンジーさん。しばらく横になるといい。娘はぼくが見ているから」

「とんでもない、先生こそお休みにならないと」夫人は声をはりあげた。「いったい、いつから寝てらっしゃらないんです?」

「ぼくはいい」

「ともかく、お夕食だけでもお持ちしますよ」夫人はふいにマクデューイ氏の腕をつかみ、その目をのぞきこんで悲痛な声をあげた。「神さまはけっして、嬢ちゃんをわたしらから取りあげたりはなさいませんとも――神さまご自身と同じくらい、何の汚れもない子じゃあないですかね」そして顔をそむけると、キッチンへ駆けこむ。

マクデューイ氏は書斎に入り、廊下ごしにメアリ・ルーの部屋を見まもりながら、きょう一日に出会ったさまざまな神について思いをめぐらしていた――ストロージー医師にとっては、医学の力がついに及ばないときの、最後の頼みの綱。いつも鼻歌で讃美歌を口ずさむマッケンジー夫人にとっては、警察官、サンタクロース、遺失物係、そして赦免状の発行人を合わせたような存在。そして、ペディ牧師にとっては、思いやりのある友であり、雇い主でもある。

自分の胸に前触れもなく飛びこんできた神については、マクデューイ氏はまだよくわからなかったし、いまのところはつきつめて考えるつもりもなかったが、おそらくはローリにとっての神、そしてペディ牧師にとっての神がいくらか混じっているにちがいない。背が低くでっぷりとした牧師のほがらかな顔と、心からこちらを気づかっている目を思い出すと、氏の胸にはさっきと同じ温かい愛情が広がった。だが、ローリのことを考え、きょう自分がしでかした愚かなふるまいを思い出すと、危うくこらえきれないほどの、どうしようもない悲しみがこみあげてくる。

マッケンジー夫人が夕食を運んできた。「お食事がすんだら、ひと眠りなすってくださいな。その間は、わたしが嬢ちゃんを見てますから」

雷鳴のかすかなつぶやきは、近づいたと思うと遠のいた。まるで、ずっと鬱積していた夏の怒りをインヴァレノックにぶつけるにあたり、まずは手慣らしに近くの峡谷を訪ねてまわっているかのようだ。

「あなたのほうこそ、いまのうちに休んでおいてほしいんだ。嵐が来たら、もう誰も寝てはいられないからね――みんなでそばについていてやらないと」

マッケンジー夫人がキッチンに引っこむ音がした。その奥が、夫人の自室なのだ。マクデューイ氏は少しだけ夕食をとると、夕闇の深まる書斎に坐ったまま、じっとパイプをくゆらせていた。北方の夏の残光を、迫りくる嵐が覆い隠してしまっても、室内の明かりを点けようとはしないまま。

静寂は、しだいに重苦しさを増すばかりだった。カモメの羽音も、鳴き声もしない。数百メートル先の教会の時計塔が九時を打つ音が、まるで隣にいるかのように響く。どこか近所の家で、雑音の混じるラジオを聞いている。入江の水面は、鏡のように動かなかった。

マクデューイ氏は、娘の部屋に入った。メアリ・ルーの食欲を少しでもそそろうという、マッケンジー夫人の先ほどの試みは、残念ながら失敗していた。娘の手に自分の手を重ねる。「父さんを置いていかないでくれ、メアリ・ルー」落ちくぼんだ目に、わずかなきらめきが戻ったかのような気がして、氏は必死で呼びかけた。「ああ、メアリ、メアリ！ 父さんの大事なメアリ！」だが、その瞳のきらめきさえ、もはや長く持ちこたえることはできないらしく、娘の目はまたしてもどんよりと曇ってしまった。

またしても恐ろしい静寂がのしかかり、マクデューイ氏は薄闇の中に立ちつくしたまま、小さな冷たい手を自分の手で包みこんでいた。そのとき、ふいに静寂を破って呼鈴が鳴りひびいた。廊下に出て、明かりを点ける。「ぼくが出るよ、マッケンジーさん」と声をかけたのは、おそらくペディ牧師がまた立ちよってくれたのだろうと思ったからだ。だが、その予想は外れた。ドアを開けてみると、そこにはローリが立っていたのだ。

重く垂れこめた雲から漏れる奇妙な薄明かりのせいで、最初はてっきり近所の女性が訪ねてきたものと、マクデューイ氏は思いこんだ。だが、次の瞬間、昨夜着ていたのと同じマント、肩にはみ出した赤銅色の髪、輝く瞳、そしてあの独特な優しさをたたえた口もとが、続けざまに目に飛びこんできたのだ。

「ローリ！」

いつもは蒼ざめたその顔が、きょうは紅潮している——峡谷から長い道のりを歩いてきたからにちがいない。「これでも、できるだけ急いできたの、アンドリュー。動物たちに餌をやって、仕切りに入れてこなくちゃならなかったから」

「ローリ！」マクデューイ氏はかすれた声でくりかえした。「入ってくれ――ああ、入ってくれ、ローリ、急いで、夢のように消えてしまう前に――」

ローリはその言葉をおかしいと思った様子もなく、氏が戸締まりをしている間に、先に立って中に入った。後に続いたマクデューイ氏に、ふりかえって声をかける。「ああ、アンドリュー――そんなに重い病気のお嬢さんがいるって、どうして話してくれなかったの？」

いまだ信じられない思いで、マクデューイ氏は目の前のローリをまじまじと見つめていた。

「神がきみを遣わされたのか？」

「いいえ」ローリは真面目な顔で答えた。「ペディ牧師よ。牧師が訪ねてきて、何もかも話してくださったの」

ローリが現れたことの不思議があっさり種明かしされたいま、自分の胸にも、この家にも、奇妙な安らぎが広がっていくのを、マクデューイ氏は感じていた。ふと何もかもがまっとうに、筋道だって見えてきたような気分だ。友人が信奉する宗教の実際的な側面をかいま見たような気がして、思わず口もとがほころぶ。マクデューイ氏のようやく見出した神には、厄介ごとの解決屋だの、困難な状況に陥ってしまったさまよえる魂を救う最後の頼みの綱だのといった役割を押しつけずに、ただ盟友であり慰めであればいいとして、あのせかせかと陽気な男は、まず自分の側からできることにとりかかってくれたのだ。ほんの一瞬、そんな友人の信じる神と心が通いあったような気がして、胸がふわっと温かくなる。

そんなマクデューイ氏を見つめるローリの表情には、あのどこか悲しげな優しさが戻っていた。「今朝は、うちの外でずいぶん騒いでいたでしょう、アンドリュー。いつもあんなにせっかちなの？　もう少し待っていてくれたなら、わたしはきっと出ていったのに――」

面と向かってこれほど率直に切り出されては、マクデューイ氏はどうふるまい、なんと答えるべきなのかとまどうしかなかった。正直なところ、ローリが何を言うつもりなのかもよくわからなかったのだ。そのとき、すぐ先の部屋で娘がかすかに動いた気配がして、他のことはすべて頭から吹きとんでしまう。「さあ、こっちへ、ローリ――」マクデューイ氏は手をとって中に招き入れた。

ローリはマントを脱いだ。古い苔のような色をした柔らかい生地の服のおかげで、髪と瞳の色が引き立ち、生き生きと輝いて見える。ローリはメアリ・ルーのベッドのかたわらにひざまずいたが、最初のうちは話しかけようとも触れようともせず、そこに横たわってどんよりした目をこちらに向けている子どもを、ただじっと見つめていた。何分にもわたってお互いに見つめあうことで、ローリは娘を腕に抱き、話しかけてやっているようにマクデューイ氏には思えた。やがて、ローリはそっと尋ねた。「この子の名前は？」

「メアリだ。メアリ・ルー」

柔らかく優しい声で、ローリはそっと娘に呼びかけた。「メアリ・ルー――ちっちゃな赤毛のメアリ――わたしの声が聞こえる？」

マクデューイ氏は声をかけた。「娘は返事ができないんだ。悲しみに打ちひしがれて――衝撃のあまり、口がきけなくなってしまったんだよ。ぼくがしたことのせいで――」

「ああ、アンドリュー」ローリがこちらに向けたまなざしには、心からの同情があふれていた。やがて、こう尋ねる。「抱いてもいい？」

ローリの胸に安らかに頭をもたせかける娘を見たいという、あまりにも切実な願いに、マクデューイ氏の声はまたしてもかすれた。「ああ、もちろん。抱いてやってくれ。ぜひ、抱いてやってほしいんだ。ローリ、この子を死なせないでくれ」

ベッドにかがみこんだローリが、娘を優しく抱きあげる。そっと首をかしげた、いかにも愛情のこもった優美なしぐさを見て、マクデューイ氏は胸も破れんばかりの喜びを味わっていた。ローリは身体を丸めて床に坐りこみ、メアリ・ルーを胸に抱きよせて、その髪に頬を押しつけている。以前マクデューイ氏が心に描いたとおりの姿だったとはいえ、その光景の愛らしさや美しさ、ローリのささやく可愛らしい呼びかけ、優しく揺するような動き、愛おしむように動く指、どこまでも惜しみなく注がれる愛情は、氏の想像を百倍しても足りないほどだった。苦しげな娘の髪や頬に唇を寄せ、その身体を揺すりながら、ローリはふと、昔ながらの耳につけて離れない子守唄を、透きとおった声で歌って聞かせていた。

眠れよい子よ　静かに眠れ
母御ははるか水車場へ

お守りがいなくて　子は泣くか
眠れよい子よ　静かに眠れ――

二番の途中まで歌いかけたところで、ローリはふいに口をつぐみ、子どもをさらにきつく胸に抱きしめると、動揺した顔で父親をふりむいた。「アンドリュー！」それは、涙ながらの叫びにも聞こえた。「アンドリュー！　もう力が残っていないみたいなの――」

冷たい恐怖が心臓をつかむ。マクデューイ氏の額に、冷たい汗がにじみ出した。最後の闘いは、まだ始まっていなかったようだ。ひょっとしたら、メアリ・ルーはもはやふたりから遠く離れたところへ去ってしまっていたのかもしれない。手を打つのが遅すぎて、もはやローリでさえも、その魂を呼びもどすことはできないのだろうか。

目もくらむ閃光が室内を走ったかと思うと、耳をつんざくほどの雷鳴と突風がそれに続いた。大粒の雨がぽつりぽつりと落ちはじめ、やがて激しい雨音があたりを包む。峡谷の上で、嵐がその最高潮を迎えたのだ。

29

ふふっ！　わらわの呼びし嵐はいかがか？

本当のところを知りたいと申すか？　実は、わらわは嵐を好かぬ。忌み嫌っていさえする。自ら呼んでおきながら、心の臓も止まりそうなほど恐ろしい。背の毛があまさず逆立ち、鼻先から尾まで静電気が走り、まともにものも考えられぬほど。

ふたたび神となりしあかつきには、わが真の力を見せようと、たしか以前に約束したはず。わが力は雨を、雷鳴を、稲妻を解きはなつこと。けれど、これほどまでの嵐を呼ぶつもりはなかった。

自らの力におびえたのは、これが初めてのことではない。神が怖れを知るなど、奇妙なことと申すか？　しかし、われら神々を人間の姿に、あるいは空飛ぶ鳥や野のけものの姿になぞらえて創りあげたのは、そもそもそなたら人間のはず。いったいわれらに何を求める？

わらわは神であった——そして、いまも神である。しかし、正直にうちあけるなら、一介の小さき猫の身には、いささか荷が重すぎることもある。わらわの肩にのしかかる要求の数々ときたら！

宝石に彩られた都ブバスティスの、クフ王の聖なる神殿にいたいにしえの日々、わらわはよく何もかもに倦み疲れ、ほとほといやになってしまったものだ。神殿の庭に群がる民にも、ひれ伏しては貢物を押しつけていく愚かな男女にも、やむことのなき歓声や歌、香の煙、あたりの喧騒にも。

神殿の前庭でかくもおぞましき騒ぎが続き、太鼓や笛、シンバル、シストルムがにぎやかに楽を奏で、わが巫女たちが歌い、舞い、シュロの葉で扇《あお》ぐ間、わらわがよく使いし手を教えようか？　わが至聖所で黄金とエメラルドの玉座に坐ったまま、何もかも忘れて身づくろいに没頭していたのだ。民が来て、奇跡を起こすよう祈ろうと、そんな願いには耳を貸さずに。

あのころのごとく、いま、わが嵐を忘れてしまえたら。ローリは家を出ていった。われらに食事を与え、閉じこめて――当然ながら、わらわは家の中に、他のものたちは納屋に。稲妻は窓にひらめき、雷鳴はわが鋭き耳を聾する。赤きあごひげの男を救わんがため呼びよせた嵐とはいえ、わらわは恐しくてならなかった。神としての力が戻ったことを喜ぶあまり、力の加減を誤ったのであろうか。どんな魔法も例外ではないけれど、神の力に撤回はきかない。ひとたび始めてしまったことは、中途でやめるわけにはゆかぬのだ。わらわが神でなかったら、いっそ屋根裏へ駆けのぼってローリのベッドの下に隠れようものを。しかし、わらわがこれまで何を語ろうと、そなたらがどう思おうと、神はけっしてベッドの下に隠れたりはしない。

ああ！　またしても恐ろしき稲妻が。とりあえず、屋根裏に上るだけ上ってみるとしよう

――

そこで、わらわが何を見つけたと思うか？

あの甘くかぐわしく、神聖にしてなつかしき香り、初めてローリの寝室に入るのを許された夜、わらわを切なくも恋しき夢に誘ったあの香りの源を、わらわはついに見出したのだ。そして、恐ろしき雷雨から身を隠せる場所も——わが尊厳を冒すことのない、神にふさわしき隠れ場所。

それは、ローリのたんすの中だ。夕方、出かける支度をしていたあの娘は、よほど急いでいたらしく、引出しをひとつ開けたままにしていった——わらわがちょうど入れるほどの幅に。

香りの源は、そこにあった。それが何かはわからない。エジプトでは、かくのごとき香りを嗅いだことなどなかったから。小さな袋に詰められた、一種の薬草の香りらしい。わらわはその香りをくりかえし、くりかえし嗅ぎ、その喜びに恍惚としていた。

引出しの中には柔らかき衣服があり、わらわが横たわるのにちょうどよかった。稲妻もここまでは届かず、雷鳴もあたりを揺るがすほど響きはしない。

わらわは賢き神ではないか？

いまは眠ることとしよう、このかぐわしき香りにいざなわれ、あの夢をふたたび見るために。ここは居心地がよい。暖かい。恐怖は去り、しだいに眠気が襲ってくる。鼻を香りの袋に押しつければ、喉が喜びに鳴り、全身を震わせる。わが嵐よ、存分にたけり狂うがよい、どうなろうとセクメト・バスト・ラーの知ったことではない——

30

紫の稲妻がひらめき、天の巨大な真鍮の銅鑼《どら》を鋼鉄のハンマーで打ち鳴らしたかのような、耳をつんざく雷鳴がとどろく。その轟音は丘陵にこだまし、しだいに低く深い響きとなって、ついには町にたどりつくと、家々のドアや窓ガラスを震わせた。

衰弱した子どもの部屋に集まった四人は、おちつきなく身をよじった。これほど激しい嵐は、インヴァレノックきっての年寄りたちの記憶にもない。細長いファイン湾の谷あいにはまりこんだ嵐は、いったん勢いを弱めたかに見えたが、やがて怒りも新たに吹き荒れていた。

マッケンジー夫人はぶかっこうな部屋着を身体に巻きつけ、こしのない灰色の髪を大量のピンやカーラーでとめたまま、おびえて蒼ざめた顔で椅子に浅く腰をかけていた。診療所に付属する部屋に住むウィリー・バノックも、マクデューイ氏に呼ばれて同席している。こんな状況で、しかも嵐まで来ているとなれば、誰だってひとりでいたくはないし、マクデューイ氏にしてみれば、いまはゆかりのある人々すべてをひとつ屋根の下に集めておきたかったのだ。

氏はローリとともに、嵐の始まったときから娘の枕もとを離れていない。ついいましがたのこと、メアリ・ルーは昏睡しているように見えたが、すさまじい雷鳴の金属的な轟音にふと目をさまし、その瞳に恐怖の色を浮かべたのだ。唇もわずかに開き、わなないたものの、やはり声は出てこない。泣きさけぶことのできる子に比べ、それすらままならない子は、おそらく一千倍も苦しい思いをしているにちがいないと、マクデューイ氏は心を痛めた。

またしても稲妻が室内を照らし、雨に洗われた窓ごしに、外の景色を浮かびあがらせた――風に痛々しくたわむ木々、風に波立つ入江の向こうにそびえる、黒々とした山並み。続く雷鳴は耳をつんざかんばかりだった。きっちりと身支度をしたウィリー・バノックは、部屋の隅の椅子に身をこわばらせ、両手にしっかと帽子を握りしめたまま、その悲しげで温和な目をひたと病床の闘いに向けていた。

コーリがささやく。「怖がらなくていいのよ、メアリ・ルー。朝になれば嵐も行ってしまって、何もかも忘れられるから。お日さまも、またいつものように出てくるわ」

だが、死がこの室内にまで忍びよっていることは、誰もが感じとっていた。山から山へこだましたあげくに大地を揺るがす、この連続砲撃のような雷鳴がだめ押しの恐怖となって、メアリ・ルーが壁のほうへ顔をそむけ、その拍子にふっと最後の気力がとぎれてしまいはしないだろうか。マクデューイ氏は腕時計にちらりと目をやった。朝の四時になろうとするところだ。人間がもっとも弱くなり、魂と肉体が離れやすい時間。ローリの約束した太陽が姿を見せるころには、室内に忍びこんだ死も、娘を連れていずこへともなく飛び去っているにちがいない。

マッケンジー夫人が尋ねた。「ウィリーに頼んで、ストロージー先生を迎えにいってもらっちゃどうでしょうかねえ？」

「いや」マクデューイ氏はかぶりを振った。「もう医者にできることは何もない。最後の処方は──『神に祈れ』だったよ」

マッケンジー夫人の唇が動くのを、ウィリー・バノックが頭を垂れて何ごとかつぶやくのを見ながらも、マクデューイ氏はそうしなかった。ただ、ローリに対する愛情が、感動が、共感が、あふれ出すほどの勢いでこみあげてくるのをじっと嚙みしめる。死の天使の声に気づき、その言葉に耳を傾けたローリは、いまや病み苦しむ娘につきっきりとなり、額の汗をハンカチで拭ったり、頰や髪を優しく撫でたり、透きとおるような肌に青い静脈が浮き出した手をそっと握りしめて愛情を送りこんだりと、幼い少女の涸れかけた生命の泉に、自分の力を注ぎこもうと懸命に立ち働いていた。

マクデューイ氏がいっしょに祈ろうとしなかったのは、かつてのかたくなな考えかたに戻ったためではない。むしろ、氏がこれまで抱いたことのない謙虚な気持ちからだった。かつて、ペディ牧師はこう言った。「神とは、信じこむものというより、むしろ確信するものだ」その確信にいたる道のりは人それぞれ異なり、その中身も、他の誰かとまったく同じなどということはありえないのだと、さらに尋ねれば補足してくれたかもしれない。

マクデューイ氏にとっては、この苦痛と悲惨さに満ちた世界にあって、自分のため、自分ひとりの悲劇のために神の注意を惹こうとすることは、これまでにさえ経験のない傲慢な所業に思えた。神を否定しようと、ののしろうと、信頼しようとかまわないが、だらだらとしつこく助けをせがんだり、負け犬の泣き言をきりもなく並べたりしてはならないというのが、氏なりの考えかただった。自分の罪の重さは、肩にずっしりとのしかかっている。だが、それでも、マッケンジー夫人やウィリー・バノックの祈りには心が慰められた。そのつぶやきは素朴で、純粋で、汚れたところがなかったから。多神教のあまたの神々であろうと、唯一絶対の神であろうと、どんな姿でどこに坐し、人々の心にどう映っていようと、こういう人々を愛さない神はいないだろう。

マッケンジー夫人のつぶやく声が高くなり、神に訴える言葉が聞こえてくる。「ああ、神さま。みもとには、もうたくさん幼子をお集めになられたでしょうに。この子だけはわたしらのところに残してくださいまし。ああ、神さま、この寂しい年寄りの願いを、どうかお聞きとどけくださいまし」いかにもまっとうな言い分に思われて、マクデューイ氏は思わずうなずいていた。

窓の外に目をやっていたときに、またしても稲妻が走り、氏の目はなかばくらんでしまった。嵐のせいで、電気も電話もとうに使えない。この小さな部屋には、二台の灯油ランプと数本のロウソクが灯されている。マクデューイ氏は手探りでベッドのそばに戻り、ローリのかたわらにひざまずいた。ローリとお互いに肩が触れあう、そのしっかりとした感触が、人間の絆の大切さを教えてくれる。服を隔てた触れあいではあっても、ふたりの間に通う慰めはたとえようもなくすばらしかった。言うべきことがあるとしても、それはまた別の機会があるだろうし、いっそ言わないままで終わってもいい。こうして触れあった身体から、マクデューイ氏は自分が抱えていた孤独への答えを――そして、ローリからの返事を受けとったのだ。その身体に腕を回そうとさえ、氏はあえてしなかった。ローリが誰だろうと、どういう人間だろうと、何も変わりはしない。この触れあいがふたりをひとつにしてくれた。どれほどお互いを必要としているか、この感触から、ふたりは理解しあえたのだ。

ベッドの中で、ふいにメアリ・ルーが動き、身体を引きつらせた。ローリとマクデューイ氏は、ちらりと目を見交わした。ローリの顔には、変わりない優しさと思いやりがあふれていたが、いまやそこに何か別のものが浮かんでいることに気づき、氏はどきりとした。その優しげな口もとから、いつもの穏やかさは消えていた。代わりに、氏の名前をときの声とし、燃えさかる武器を振りまわしてかたわらで戦っていた、スコットランド女の不屈の闘志が表れていたのだ。

死の天使の呼び出しから守ろうとするかのように、ローリは身体を引きつらせる子をもう一度胸に抱きあげようとしている。マクデューイ氏は唇からほとばしる叫びを抑えられなかった。

「ああ、神よ！　お願いです――」最後の闘いが、いま始まろうとしていた。

31

目がさめて、あたしは自分に言いきかせました。「トマシーナ、早くここを出ないと、マッケンジーさんに見つかっちゃうわよ」

マッケンジー夫人はいつだって、あたしがメアリ・ルーのたんすの引出しに入り、そのまま眠りこんでいるのを見ると腹を立てるの。夫人へのいやがらせと、ラヴェンダーの香りを嗅ぐために、あたしはいつもそうしていたけれど。ほんと、ラヴェンダーの香りって大好き。

そのときは、ちょうどあたしの鼻先に匂い袋が置いてあって、眠っている間じゅう、すてきな香りを嗅いでいられたの。幸せでした。でも、幸せって、意地汚く深追いしてもいいことはないのよね。

そのときぴかりとひらめくものがあって、低いごろごろという音が続きました。毛が逆立って、どうにも不安でいやな気分。これが何なのかは知っています。前にも憶えがあったから。雷雨っていうのよね。あたしは考えました。（メアリ・ルーのベッドに入ったほうがいいわ。きっと雷におびえて、あたしを抱っこしたいと思っているはず。あたしもそのほうがおちつくし――）

あたしは引出しから飛び出して、ベッドに飛びのりました。そのとき、長く尾を引く稲妻が部屋を照らし出したの。目を見はったわ！　尻尾も毛もぴんと突っ立つし！　ぞっとして、背中も弓なりに曲がったくらい！　メアリ・ルーが、ベッドにいない！　そもそも、そこはメアリ・ルーのベッドじゃなかったのよ。メアリ・ルーの部屋でもなかった！　そこは、あたしがいままでに入ったことのない部屋でした。あたしは、どこかの知らない家にいたの。

生まれて初めて、あたしはうろたえてわれを忘れました。高貴な家系の出で、いつだって冷静沈着なことで知られたあたし、このトマシーナともあろうものが。

ここはどこ？　どうしてこんなところにいるの？　何があったの？

あたしは何かにとりつかれたみたいに部屋を駆けまわり、ベッドから床へ、椅子へ、たんすへ飛びうつりました。そのとき、また稲妻がひらめいて、階段が見えたの。あたしは五段飛ばしに駆けおりたけれど、そこもまた知らない部屋で、見たこともないものばかりが並んでいました。暖炉、テーブル、どうやら誰か猫が使っているらしい炉辺のかご、いくつかの椅子。キッチンもあったけれど――あたしの知らないキッチンよ――お皿が引っくりかえって、知らない匂いがしていたの。びっくりしてもうひとつの部屋に飛びこむと、そこには怪物のような大きな機械があって、いかにもあたしに襲いかかろうと手ぐすね引いて待ちかまえているように見えました。

走りまわればまわるほど、あたしはおびえ、すくみあがるばかり。そこは小さな家で――うちの半分もないくらい――あたしはその中に閉じこめられていたの。あっちのドアに、こっちの窓に、必死になって飛びついてみても、どれもしっかり閉まっていて、かんぬきや鍵がかけてありました。動かせそうな取っ手もないし、むりやりくぐり抜けられそうな、ゆるんだ羽目板もないし。床や壁は、石とがっしりしたオーク材。ネズミ一匹として、逃げ出せそうな穴は見あたりませんでした。

あたしは部屋の真ん中に立ちすくみ、心臓をどきどきさせながら、おちついて考えようと、何があったのか思い出そうとしたの。こんなふうに自分に言いきかせて。「お願いだからしっかりして、トマシーナ、おちつかなくちゃ。きっと、まだ夢を見ているだけなのかも。夢の中って、よくいろいろなものに追いかけられたり、こんなふうに閉じこめられたりするでしょ」確かめるために、あたしはちょっと身づくろいをしてみました。でも、やっぱり夢じゃなかったの。夢の中だったら、けっして身づくろいはできないものだから。

そこへ、これまでにないくらい恐ろしい、目もくらむようなジグザグの稲妻が走り、ほとんど同時に耳が裂けそうな雷鳴がとどろいて、木の裂けるような音と地響きが続きました。そして、どこか近くで、動物たちが鳴いたり、吠えたり、叫んだり、わめいたりする声。

あたしはもう我慢できませんでした。だから、煙突に飛びこんで這いのぼりはじめたの。

ほんと、ひどい目にあったわよ！　湿ったすすだらけで目は見えないし、喉は詰まるし、途中でひっかかって動けなくなるし。伝いおちる雨のせいで、煙突の内側はぬるぬるして滑りやすく、しっかりつかまれるところがなかったの。せまいところに煉瓦がひとつ突き出していて、肩がそこに引っかかり、あたしは宙吊りになったままばたばたともがきました。でも、だんだん力が抜けていくのがわかったわ。あたしのような高貴な猫が、こんなおぞましい場所で死ぬなんて。死にたくない。あたしは家に帰りたいの。

家へ！　家へ！　家へ！　暗闇の中で宙吊りになったあたしの胸には、家とメアリ・ルーへの思いがあふれるばかりでした。アーガイル・レーンのあの家の、なつかしい片隅がつぎつぎと頭に浮かんだものよ。寝室、キッチン、あたしのお皿の置き場所、お気に入りの椅子、メアリ・ルーのベッドの毛布とキルトの色。何よりくっきりと浮かんできたのは、しし鼻に赤毛、エプロンドレスを着て腕にあたしをぶらさげた、ごく普通の器量の女の子の姿でした。

そうしたら、どうでしょう、暗くてぬるぬるしてすすだらけの、このおぞましい煙突の中にいながら、あたしの鼻にはメアリ・ルーの匂いがよみがえってきたの。まるで、あの娘がここにいて、あたしを抱きよせたみたいに。どこもかしこも、あの娘の匂いばかりでした。アイロンをかけたばかりの木綿やフランネル、絹のリボン、石鹼、バターとジャムを塗ったパン、歯みがき粉、温かい肌と髪。夜のメアリ・ルーは、いつもこんな匂いがしたものよ。

どこへ行くにも、まるでぬいぐるみみたいにぶらさげて連れていかれることが、あたしはどんなにいやだったか。それなのに、いまどこかの知らない煙突の中で、もう窒息して死ぬんだわと思った瞬間、あの娘の匂いがふわっと鼻腔に広がり、胸に愛情がこみあげてきて、もう一度だけでいい、あの腕にぶらさがりたいと願わずにはいられなかったの。そうしたら、心臓がはりさけそうに悲しくなって、あたしは残った力を振りしぼり、最後のあがきを試みたのでした。

またしても稲妻がひらめき、煙突の出口が見えました。すぐそこなのに、手の届かないくらい遠いところ。落雷の地響きが伝わってきて煙突が揺れ、すすや煉瓦、モルタルのかけらが頭の上にぱらぱらと落ちてきたわ。

でも、そのとき、必死にばたつかせていた脚が、一瞬しっかりとした足がかりを踏みあてて、そこを力いっぱい蹴ることができたの。頭上には、ゆるんだ煉瓦の乾いてざらざらした出っぱりが。そこに前足の爪をひっかけ、あたしは必死に身体を引っぱりあげようとしました。蹴って、身体を持ちあげて！ そして、あたしは自由の身に！

自由よ、自由だわ！ あたしは細く恐ろしい煙突を這い出して屋根に下り、風と雨にさらされながら、生命がけで瓦にしがみついていたの。

紫色の稲妻がひらめき、雷が落ちてまっぷたつに裂けた近くの木が見えました。中の一本の枝が、ちょうど階段のように屋根にかかっていたの。あたしはすぐに飛びうつり、次の瞬間には無事に地面に下りたっていました。

最初に考えたのは、吼えたける風や吹きつける雨、そして稲妻と雷鳴から身を隠せる場所を探すこと。中には雨を気にしない猫もいるけれど、あたしはちがうの。二番目には、きちんと身づくろいをすること。煙突をくぐり抜けたからには、さぞかし身体じゅう汚れてしまったはずだし、そもそもあたしは、これまでも、いまも変わらずきれい好きな猫なんですから。

倒れた木の生い茂った枝の下は、ちょうど洞穴のようになっていました。這いこんでみると、中はほとんど乾いていたの。ここがどこかはいまだにわからなかったけれど、そんなことはもう気にならなかった。もう閉じこめられてはいない、それが大切なことなのよ。外に出たいのにどこかに閉じこめられていると、あたしたち猫はどうしようもなくとりみだしてしまうのね。朝になって日が昇れば、どこにいるかはわかるはずだし、後のことはそれから考えればいいでしょう。

あたしは身づくろいを始めました。最初は前足のつま先、そして肉球、それから頭と顔、耳の後ろ。

「家へ帰りなさい、トマシーナ！」

いま、何か聞こえなかった？ 誰かがあたしに話しかけたような気がしたんだけれど。さて、次は脇腹と肩をきれいにして、それから――

「家へ帰りなさい、トマシーナ！」

「えっ、あたし？ こんな天気だし、どっちに行けば家なのかもわからないのに！」

「天気なんて気にしている場合じゃないでしょ、トマシーナ？ どっちにしろ、もうびしょ濡れなのに。煙突の中で嗅いだメアリ・ルーの匂い、もう忘れてしまったの？ 馬鹿な猫ね、早く帰りなさいよ」

「そんな、まさか――忘れてなんていないわ。それに、お皿に入れた温かいミルクも、朝の甘いポリッジも、ネズミの穴の見張りも、夜中に泣き出したメアリ・ルーの頬を舐めたときの、あのしょっぱい涙の味も。なんだか、ずっと迷子になっていたような気がする――もちろん、あたしだって帰りたいわよ。あたし――」

なんと、それはずっとあたしの声だったの。他には誰もいませんでした。あたしの中から、その声は呼びかけてきたのよ。あたしは身づくろいをやめ、耳を傾けました。雷は静かになっていたし。

「帰りなさい！　帰るのよ、トマシーナ！」

「でも、嵐が怖いし」

「帰りなさい！」

あたしは枝の下から這い出しました。雨が顔に容赦なく吹きつけてきます。「まあ、いいわ。身づくろいの代わりに、これで身体をきれいにしなさいってことね」あたしの家系は、みんな哲学的な考えかたをするのよね。まずはひげの触角を立てて、方向がわかるかどうか試してみました。そこにまた稲妻がひらめき、ひげが焦げるかと思ったけれど、おかげで小道が見えたの。また雷鳴がやんだとき、激しい雨の音の向こうから、近くの増水した小川の流れる音が初めて聞こえてきました。小川は川に流れこみ、川は海に注ぐはず。めざすわが家は、入江のほとり。あたしは小走りに出発しました。

あんなに時間のかかる、あんなに遠い、あんなに歩きにくい道のりだなんて、あんなに雨が冷たく身を刺すなんて、あんなに風が意地悪で、あんなに嵐が恐ろしいだなんて、知っていたら出かけなかったのに。知っていたら、きっと途中で諦めていたのに。

足は疲れて痛むし、身体は骨まで凍えるし、雷のせいで五感は麻痺するし、あたしは心底怖くて、何度も諦めかけました。もうやめようと心に決めて、濡れて痛む身体を休める避難所を見つけたことは数えきれないくらいあったけれど、そのたびにあの声が耳に響き、あたしを追いたてたの。「家へ帰るのよ、トマシーナ」

小走りになったり、駆け出したり、よろよろと身体を引きずったり。ようやく道路に出て、川にかかった橋を渡り、ついに住宅地のはずれまでたどりついたころには、あたしはもうへとへとに疲れきって、もう一歩も歩くことができなくなっていました。ほんのちょっとだけ、生垣の下にもぐりこんで身体を横たえたときには、もう夢かうつつか、生きているのか死んでいるのかさえわからなかったの。

それでもやっぱり、あまりの疲れに少しはうとうとしてしまったんでしょうね。だって、夢を見たんだもの。ほんのしばらく、あたしはトマシーナではなく、別の誰かになっていました。あたしは、どうやら黄金でできているらしい玉座に坐っているの。玉座には、猫の目をかたどったエメラルドがはめこんでありました。首にはやっぱりエメラルドをはめこんだ黄金の首輪が巻いてあって、身体の下に敷いているのは羽毛を詰めこんだ、混じり気なしの麻のクッション。

黄金の玉座の両脇には、それぞれ黄金の火鉢が置いてあって、そこからたちのぼる香を焚いた煙が、あたしの鼻腔を気持ちよくくすぐるの。そこへまばゆい光が差しこんで、真鍮の銅鑼がにぎやかに鳴りひびいたかと思うと、玉座の置かれた聖なる広間の、はるか向かいの青銅の扉が両側に開いたのよ。そこから、白くゆったりとした衣をまとった美しい娘たちが大勢入ってきて、手にしたシュロの葉を振りながら、澄んだ声で歌いはじめました。奇妙な楽器を手にした娘たちはそれを打ちふり、きらきらと震えるような音をたてて、それを聞いているうちに、あたしの心は喜びでいっぱいになったの。

娘たちは玉座のすぐ前まで進んでくると、あたしに深々とひれ伏したまま動かなくなりました。そのとき、青銅の扉から、ひとりの男が大股に姿を現したの。茶色の上着をはおり、燃えるような色の髪とあごひげをした、厳しく冷酷そうな目をした男が。

でも、玉座の前に進み出て、あたしの前にひざまずいたとき、その厳しさと冷酷さは、男のまなざしからすっと消えていったのよ。男は玉座の前に、ルビーの目をはめこんだ黄金のネズミを捧げました。それから、周りの娘たちと同じようにひれ伏すと、うめくようにこう祈ったの。「比類なき神よ！　七つ星の偉大なる女王よ！　太陽と月の愛娘、邪悪な大蛇アポピスを滅ぼすもの、星々を食らう神よ――ああ、神聖にして高徳なるバスト、われに御力を貸したまえ――われに御力を――」

またしても銅鑼が打ち鳴らされたと思ったら、それは雷鳴でした。夢はもうどこかに消えて、あたしは元のトマシーナのまま、ぐっしょり濡れて、へとへとに疲れて、生垣の下でみじめに震えていたの。空にはあいかわらず紫色の稲妻が飛び交い、激しく降りしきる雨は溝に轟音とともに流れこんで、その間もあたしの耳にはあの声が、休む間もくれずに呼びかけていました。

「帰りなさい、トマシーナ。メアリ・ルーのところへ帰るの――家へ――家へ！」

32

ローリがささやいた。「代わりましょうか？」

闘いは敗色濃厚だった。生きようと志すか、死に甘んじるかの闘いだ。ローリの涙が、メアリ・ルーの額や頬に浮かんだ汗の粒と混じりあう。

マクデューイ氏は手を伸ばし、やつれて苦しげな娘の顔を拭いてやった。「いや、きみが抱いていてくれたほうがいい。ぼくにできるのは、せいぜいこれくらいだ」

マッケンジー夫人は両手に顔を埋め、声もなくすすり泣きはじめた。ウィリー・バノックは垂れた頭を両手で抱え、窓のほうを向いている。

嵐はさらに激しさを増し、閃光と轟音によって効果をいっそう盛りあげながら、最後の毒気を思う存分吐き出していた。雷鳴の合間には、滝のような雨と、風に煽られて打ちよせる入江の波の音だけが響く、さらに恐ろしい静寂がある。そんな静けさをついて、教会の時計塔が四時を打った。ローリはメアリ・ルーを腕に抱いたまま、マクデューイ氏と絶望のこもったまなざしを交わした。

稲妻がすぐ近くの入江に落ち、同時に耳をつんざく雷鳴が響いた。横なぐりの激しい風に、雨が窓ガラスに叩きつけられる。花崗岩に覆われた丘陵に響くこだまは、最後に大地を揺るがす振動となり、この部屋に集まる人々には、破滅の訪れる知らせにも聞こえた。

メアリ・ルーが目を見ひらいた。長いこと、じっとローリの目をのぞきこむ。まるで、こんなにも女らしい愛と優しさを自分に注ぎこんでくれる人は初めて見たとでもいうように。やがて、その消耗した小さな顔——近くに置かれた人形の顔と、たいして変わらないほどの大きさだ——は、いまや燃えつきようとしている目で父親を探した。蒼ざめた頬に、一瞬その場かぎりの血の気が差し、表情がよみがえって、いまだけはまるで回復したかのように可愛らしく見える。

そのとき、吼えたける風、打ちよせる波、吹きつける雨、そして丘陵にこだまする雷鳴の余韻にもかかわらず、誰もが猫の鳴き声を聞いた。

はっとして、全員が顔を上げた。ローリも、マクデューイ氏も、涙に濡れたマッケンジー夫人も、みじめに泣きはらした顔に、ひょろりと力ない口ひげを垂らしたウィリー・バノックも。またしても、長く引き伸ばされた、悲しみを訴えかけるようなミャーオという声。幼い女の子を死への道連れにしようとするかのような、背筋の凍る鳴き声だった。

部屋の中で誰かが声を上げた。「トマシーナ!」ずっと使っていなかった声帯から漏れた、ほとんど声にならない叫び。

マクデューイ氏は、衝撃と苦しみに心臓がよじれるのをおぼえた。「いまのは誰だ?」

その問いに答えたのは、ウィリー・バノックだった。いまや口ひげもしゃんと生気をとりもどし、いつもは穏やかで優しい目が飛び出さんばかりに見ひらかれている。「嬢ちゃんですよ！　まちがいねえ、いまのは嬢ちゃんだ！」

紫がかった稲妻がゆっくりとまたたき、その閃光が室内のランプやロウソクの明かりをただの赤い点にかすませて、窓の外をくっきりと浮かびあがらせた。そこにはみじめに濡れそぼち、疲れきった様子の赤茶色の猫が窓のかまちに上り、中に入れてくれとせがんでいる姿があった。

メアリ・ルーの二度めの呼びかけと、マッケンジー夫人の悲鳴が同時にあがった。

「トマシーナ！　トマシーナ！」いまやまた真っ暗になり、何も見えない窓を指さして、幼い少女は必死に叫んだ。

「神さま、どうかわたしらをお守りくださいまし！」マッケンジー夫人が叫んだ。「メアリ・ルーのトマシーナが、お墓から戻ってくるだなんて！」

マクデューイ氏は腰を浮かし、なかば理性を失った目をむいて叫んだ。「そんな、そんな！こっちの頭がどうかしちまったのか？　トマシーナの幽霊が、メアリ・ルーを迎えにくるなんて――」

またしても窓の外に閃光がひらめき、その猫の顔と身体を浮かびあがらせた。暖かく乾いた室内にいる人々の愚かさに、すっかり腹を立てているらしい。最初にわれに返ったのは、健全な常識家であるウィリー・バノックだった。「ありゃあ幽霊なんかじゃねえ！　ほんもののトマシーナですよ。早く嬢ちゃんのところに入れてやんなさらないと――」

マクデューイ氏は、この奇跡にしがみついた。「マッケンジーさん――」猫をおびえさせ、逃がしてしまわないように、かすれた声でささやきかける。「マッケンジーさん、あの猫もあなたにならﾞ馴れているはずだ。窓を開けてやってくれ。そっと——くれぐれもそっと頼む」

年老いた家政婦は震えながら立ちあがり、部屋着の打ち合わせをしっかりと片手で押さえたまま、薄暗いランプとちらつくロウソクの明かりの中、いまはまた真っ暗で何も見えない窓に歩みよった。

室内の空気は、耐えがたいほどはりつめている。その中で、ローリの耳にだけは、飛び去っていく死の天使のそっけなく乾いた翼の音が響いていた。

マッケンジー夫人は言われたとおりそろそろと、気をつけながら窓を上に引きあけた。入ってきたのは、横なぐりに吹きこむ雨だけだった。

「おいで、猫ちゃん」マッケンジー夫人はかすれた声で呼びかけた。「おいで、トマシーナ！ポリッジを持ってきてやるよ！」

ローリの歌うような声が、そこに重なる。「タリタ！　いらっしゃい、わたしのちっちゃなタリタ。ほら、ここへいらっしゃい！」

柔らかい音とともに、汚れて濡れそぼった猫は床に飛びおり、室内の人々を見まわして口を開くと、声のない「ミャーオ」で挨拶した。それから身体を震わせて、そこらじゅうに泥水のしずくをはねとばす。前足、それから後ろ足を一本ずつ持ちあげて震わせ、水を切るしぐさは、まるで踊りのステップのようだ。機転のきくウィリー・バノックは、すかさず後ろに回り、さっさと窓を閉めてしまった。それから、全員がまじまじと、いくら見ても見たりないというように、その猫を眺める。だが、どう見てもまちがいない。トマシーナが戻ってきたのだ。

ありえないことが起きた。触れようとしたら消えてしまうのではないか、指がむなしく空を切るだけではないか、みなを惑わす幻か幽霊にすぎないのではないかと怖れながら、マクデューイ氏はおそるおそる猫に近づいた……だが、そっと抱きあげてみると、猫が発した威嚇するようなうなり声は、まさに現実に他ならなかった。確かな重みのある、びしょ濡れの、腹を立てている猫。一瞬、マクデューイ氏はまるで聖杯ででもあるかのように猫を高く捧げもった。「神よ！　神よ！」心からの叫びが口をつく。「感謝します！」

それから、ローリの膝に抱かれたメアリ・ルーのところへ猫を連れていき、その腕の中に下ろしてやる。娘は死に背を向け、猫を抱きしめてキスを浴びせた。トマシーナが喉を鳴らしはじめる。メアリ・ルーは弱々しくかすれた、戻ってきたばかりの声にならない声で叫んだ。「父さん——父さん！　トマシーナを生きかえらせてくれたのね！　ほんもののトマシーナが、すっかり元気になってる！」これから、まだまだ慎重に時間をかけて回復させなくてはならないとはいえ、この瞬間、メアリ・ルーは以前の世界に戻ってきたのだ。目の前の大柄で優しい、なつかしい匂いのする男が、神として守ってくれる世界に。

マクデューイ氏は混乱しながらも安堵し、感謝しながらその光景を見おろしていた。「どういうことなのか、きみにはわかるかい？」ローリに尋ねる。

ローリの口もとには、かつての夢見がちな、優しく憂いを帯びた表情が戻り、その目には叡智があふれていた。「ええ」とだけ明快に答えて立ちあがり、メアリ・ルーを抱えあげると、その幼い胸にしっかりと抱きしめた猫ごと、いっしょにベッドに寝かせてやる。やがて、メアリ・ルーが腕をゆるめると、猫はさっそく身づくろいを始めた。ひび割れて血がにじんでいる足の裏から、割れてはがれかけた爪まで、きれいにしておかなくてはいけないところはたくさんある。だが、その合間にも、以前のように時おりざらざらした舌でメアリ・ルーの頬や首を舐めたり、あいかわらずの敵意をこめて、赤い髪とあごひげの大柄な男をにらみつける余裕はあった。こちらを見おろす男の頬は、どういうわけか濡れている。

嵐もついに衰えて、低い雷鳴とともに遠くへ去った。メアリ・ルーは、されるがままの猫をまた胸もとに抱きしめる。どちらも、すぐに眠りに落ちていった。

ウィリー・バノックとマッケンジー夫人も、それぞれの寝室に帰っていった。雨はすでにやみ、風も凪《な》いでいる……そのとき、玄関をノックする音が聞こえた。マクデューイ氏がドアを開けてみると、そこにはアンガス・ペディ牧師が、昨日の服装のまま、夜明けのフクロウのような顔をして立っていた。牧師もまた、家族といっしょに一晩じゅう起きていたのだ。「明かりが見えたんで来てみたよ、アンドリュー」

マクデューイ氏はそこに立ったまま、目の前の友人をじっと見つめた。その表情からは、どこか穏やかな安らぎが感じられる。金縁眼鏡の奥の目には、もはや懸念や不安の色はなかった。

「ああ、きみも知っていたのか」

このすばらしい知らせを告げる喜びを、友人に味わわせてやりたいと願っていたペディ牧師ではあったが、自分とマクデューイ氏の祈りに神が応えられたという、すばらしい確信が夜のうちに訪れたという事実を否定するわけにはいかなかった。

「ああ――そうなんだ、知っていたよ。メアリ・ルーが峠を越え、助かったことはね――」

「口もきけるようになったんだ」

ペディ牧師はうなずいた。マクデューイ氏は、さらにゆっくりとした口調で続けた。「トマシーナも、あの子のもとに戻ってきたよ」そして、友人の反応を見まもったが、ペディ牧師はただうなずいてこう言っただけだった。「そう、そんなことまでね。なるほど――」

いっしょに中に入り、足音を忍ばせて子ども部屋へ向かう。眠っているメアリ・ルーと猫を、ベッドのかたわらでローリが見まもっていた。ペディ牧師は丸い顔に陽気な笑みを浮かべ、胸の奥から湧きあがる幸福な調べに耳を傾けた。「ああ、嬉しい光景だね――」

マクデューイ氏はふと、いぶかしく感じていたことを思い出し、三人で廊下を横切り、書斎へ向かう途中で切り出した。「ローリ――」

「ええ、アンドリュー――」

「マッケンジーさんが窓を開けてトマシーナを呼んだとき、きみもいっしょに呼びかけただろう、ちがう名前で。いったい、なんと呼んだんだ?」

「タリタよ」

「タリタ?」マクデューイ氏はきょとんとした。

そこで、ペディ牧師がこらえきれずにくすくす笑い出した。友人にまじまじと見つめられ、牧師は説明した。「マルコ伝五章三十五節から読んでみればわかるよ」

ローリはにっこりしたが、マクデューイ氏は依然として、狐につままれたような顔をしていた。

「じゃ、憶えているかぎり引用してみよう、重要なところだけでも――」そして、視線を上に向けると、控えめな口調で始めた。「かく語りたもうほどに、会堂司の家より人々来たりて言う。『汝の娘ははや死にたり、いかでなお師を煩わすべき』イエスはその告ぐる言葉をかたえより聞きて、会堂司に言いたもう。『懼《おそ》るな、ただ信ぜよ』彼ら会堂司の家へ来る。イエス入りて言いたもう。『なんぞ騒ぎかつ泣くか、幼子は死にたるにあらず、寝たるなり』」

ローリはあいかわらず謎めいた穏やかな笑みを浮かべていたが、マクデューイ氏は、いまやふたりを鋭い目で見つめていた。

ペディ牧師は続けた。「――幼子の手を執りて『タリタ、クミ』と言いたもう。『少女よ、われ汝に言う、起きよ』との意なり。ただちに少女立ちて歩む。彼らいたく驚き――」

マクデューイ氏はしわがれた声で口をはさんだ。「ぼくにはわからんな」だが、そう言いながらも何かがぼんやりと浮かびつつあった。

ローリが口を開いた。「あの猫は死んではいなかったの。眠っていただけよ。わたしね、子どもたちがお葬式ごっこをしているのを、森の中から見ていたの。それで、子どもたちが帰ってから、お墓を掘りかえしてみたのよ。何かよくないいたずらだといけないと思って――」

「ふぅぅむ」マクデューイ氏は長いため息を漏らした。

ローリは遠い目をして、その日の記憶をたどっていた。「あんまり可愛らしい姿だったからかわいそうになって、わたしはつい涙をこぼしたの。絹張りの箱の中に丸くなっているところは、いかにも自然に眠っているようだったのよ。そうしたら――あの子、急にくしゃみをしたの」

男ふたりは、じっと話に聞きいっていた。

「だから、箱から出してやって、家に連れて帰ったのよ。生きたまま埋葬するだなんて、ずいぶんひどいいたずらだわ、と思って。それで、名前をつけたの――タリタって」

マクデューイ氏はもう一度ため息をつき、やがて厳粛な口調でこう言った。「ありがとう、ローリ」頭の中に、あの日の出来事がめまぐるしくよみがえる。猫をクロロホルムで殺すようウィリー・バノックに命じたのは、あんな状況でばたばたしているときだった。犬の様子をもう一度見てやらなければならなくなって、ウィリーは猫がまだ死なないうちに手を離してしまったのだろう。やがて、いいかげんな麻酔が自然に切れる。よくあることだ。そんなふうに思うと、どこか奇妙な悲しみがかすかに残った。

何かとがめられるのではないかと、ローリはしばらくふたりの顔を見ていた。非難の色がないのを見てとると、やがて口を開く。「おふたりとも、軽い朝食はいかが？　キッチンでポリッジとお茶でも用意してきますね――」

マクデューイ氏はむっつりとパイプにたばこを詰め、火を点けると、無言のままくゆらせながら、じっと考えこみつづけていた。ペディ牧師は友人が口を開くのを待っていたが、その様子を見て自分から切り出した。「まだ何か気になることがあるのかい、アンドリュー？」

「ああ」認めておいて、さらにしばらく考えこむ。「そうなると、結局のところ、きみが言っていたような奇跡は起きていなかったわけだが――」

ペディ牧師の丸顔が、愛嬌のある陽気な笑みに輝いた。「なるほど、きみは最初、これは奇跡だ、ひょっとして本当なのかもしれないと思ったけれど、いまはわたしのために残念がってくれているわけだね。ありがとう、きみの親切に感謝するよ。そう、奇跡じゃなかったんだ。だが、一連の出来事をふりかえり、じっくり考えてみると――そもそもの最初から、このうえなくすばらしい神さまのご意志が見えてこないかい？」

マクデューイ氏ははっとして息を呑んだ。この友人にはまたしても驚かされてしまったが、おかげで心が軽くなり、喜びがこみあげてきたこともたしかだ。長いつきあいの中でも、これほどの喜びを与えてもらったことはない。純粋な思いやりの気持ちから出た飾り気のない言葉によって、ペディ牧師は氏の迷いを払い、牧師自身の神だけではなく、氏がこれからずっと幸せに共存していけそうな神に対しても目を開かせてくれたのだ。

ゆっくりとパイプをくゆらせ、あたりに煙幕を張りめぐらしながら、自分の心にあった思いを探り、その行方を追い、その源をたどり、細かい点のひとつひとつを確かめる。やがて、マクデューイ氏は穏やかな口調でこう答えた。「ああ、アンガス。きみは正しいよ。たしかに、すばらしいご意志だったな」

ローリがやかんや鍋、フライパンを使い、せっせと働いている音がキッチンから聞こえてくる。ここで暮らすためにやってきたのだと、聞く人に伝わってくるような音だった。

33

ね、あたしの言ったとおりだったでしょ？

こんな話、これまでに聞いたことがある？

家に帰れたいまとなっては、自分でも信じられないくらいだけれど、これは本当の話なんです。あたし、このトマシーナは、病気になり、治してくれるはずの医者に殺され、友だちの手で葬られ、知らない女の人に掘り出してもらい、知らない人や知らない動物たちに囲まれて、別の名で奇妙な暮らしをし、ある夜たまたまラヴェンダーの匂い袋がたくさん入ったたんすの引出しで眠りこんだおかげで、目がさめると自分が誰なのかを思い出し、はるばる家に帰ってきたというわけ。

とはいえ、マクデューイ先生の診察室で台の上に寝かされ、ウィリー・バノックにクロロホルムの布を鼻に押しつけられてからのことは、いったい何があったのか、どこで何をしていたのか、あたしは何も憶えていないの。

ある日、メアリ・ルーと、あたしをお墓から掘り出してくれ、いまではあの娘の母親となっているローリ、そしてマクデューイ先生は、あたしがかつて別の名前で暮らしていたという、峡谷の家に連れていってくれました。何ひとつ、誰ひとり、あたしには憶えがなかったけれど。

片方の耳が裂け、顔には色恋沙汰を戦いぬいた×じるしの傷がある黄色い牡猫が――実のところ、こういうたぐいの猫ならよく知っているけれど――あたしのところに来て言いました。「やあ、女神さん！　調子はどうだい？」あたしはその目に唾を吐いてやりました。なれなれしい牡猫を許しておくわけにはいかないの。それから、スコッチ・テリアが吠えたてながら走ってきて、あたしの顔にくさい息を吐きかけながら叫んだものよ。「ああ、タリタじゃないか！　いったいどこに行ってたんだよ？」その犬も、同じ目にあわせてやったけれど。帰る時間になったときは嬉しかったわ。あまりたいした場所だとは思えなかったから。

あたしが帰ってきてまもなく、マクデューイ先生はローリと呼ばれる女の人と結婚しました。ふたりが知り合いだなんてことさえ知らなかったから、本当にびっくりしたわ。この界隈でさんざん《いかれたローリ》だの、魔女だの気がふれているのと噂されていた人だけれど、噂なんてしょせんこんなものだということは、この例を見ればよくわかるはず。おかしなところなんて、何ひとつありはしないのに。あたしから見たら、ローリはとりたてて美人というわけでもない、ごく普通の女の人ですが、気立てがよく、あたしの権利もちゃんと認めてくれる、いっしょに暮らしやすい相手でした。

何よりもありがたかったのは、メアリ・ルーに母親ができたことと、あの娘の病気がすっかりよくなり、あたりを歩きまわれるようになってまもなく、肌身離さずあたしを連れまわすのをやめてくれたこと。あら、話すのを忘れていたかしら？　あたしが留守をしていた間、メアリ・ルーはずっと病気だったの。いまはもう、あたしをそこらじゅう連れて歩いたりはしないから、あたしのほうもちょっとのんびりして、家の中での仕事にじっくり時間をかけることができるようになりました。とはいえ、夜はやっぱりベッドの足のほうに飛びのって、丸くなって眠るけれど。古い習慣って、なかなか直せないものなのよ。

そうそう――もうひとつ、なかなかおもしろい変化があったことをみなさんにお話ししなくちゃね。あたしが家に帰ってきてからというもの、マクデューイ先生は急にあたしのことが好きになったらしく、何かというともてはやしたり、つきまとってご機嫌をとったりするようになりました。ふふっ、想像できる？　あたしのひび割れた足の裏や裂けた爪も、まるで貴婦人の飼い猫みたいに、ていねいに治療してくれたわよ。

あたしのほうは、そんな仲直りを受け入れるつもりはさらさらないから、そっけなく尻尾を向けてやりました。先生のことは前から好きじゃなかったし、その気持ちはいまでも全然変わっていないの。あいかわらず、おなじみのパイプたばこと薬品のいやな匂いがぷんぷんするし、自分の思うとおりにことが運ばないと、あごひげを突き出してどなる癖も昔のまま。とはいえ、あたしにだけは大甘なの。先生があたしを膝に乗せたがっているのに気づくと、あたしはさっさと下りてしまいます。呼ばれても、絶対にそばへ行ってなんかあげません。抱きあげて、撫でられたりされようものなら、耳を後ろに倒して身体をこわばらせるか、いっそ腕に爪を立ててやることもあるくらい。腹が立つのは、先生のほうはまったく気にする様子もなく、こりずに何度でもあたしに手を出そうとすること。まったく、誰かを怒らせてやろうとしても、全然うまくいかないときほど、頭にくることはないわよね。

まあ、何もかも思いどおりというわけにはいかないし、こうしてまたおちついた生活が送れるようになった以上、いつまでも愚痴をこぼしてはいられないけれど。あたしはいまの生活に満足しているし、この家に戻ってきてからというもの、マッケンジー夫人にも、とても大切にしてもらっています。メアリ・ルーのたんすの引出しで、あのラヴェンダーの香りに包まれて寝ていても、いやな顔ひとつしないのよ。朝から晩までメアリ・ルーの腕にぶらさがっていなくてすむのも、本当にありがたいしね。とはいえ、あの娘があたしに無関心になりすぎるのもいやだから、ちょっと思い出させてあげるために、しょっちゅう肩の上に飛びのって、首の周りに巻きついてやるの。とくに、いっしょに外にお出かけして、道行く人々があたしに注目し、指さして噂の種にしてくれるようなときは。

そもそもの最初から、自分が飛びぬけてすばらしい猫だということを、あたしはちゃんと知っていました。でも、それだけじゃない、ひょっとしたら飛びぬけて賢い猫でもあるんじゃないかしらと、最近よく思うことがあります。きっと、そのとおりだわ。いろいろなことがあったけれど、とりあえずいまのあたしに言えるのは、目下のところ、この家はあたしの思うとおりに動いているということだけです。

解説

河合隼雄

「たましい」というのは、この世に存在するのだろうか。科学・技術のここまで発達した現代において、今更「たましい」でもあるまいと思う人も多いだろう。科学的合理的な考えによって導き出されたことは、確かに信頼できる。それに頼って、われわれは極めて快適で便利な生活を送っている。

このために日本人はすべて幸福になっただろうか。むしろ逆に、私のような心理療法家のところに悩みの相談に来る人はどんどんと増えている。現代の日本で、家族のことで何らかの悩みをかかえていない人はほとんどいない、と言っていいほどではなかろうか。子どものことで相談に来る人で、「この子をよくしてくれる施設はどこかにありませんか。お金はいくらでも出します」という人がある。お金は沢山持っている。それで何でも手に入ると思っているのだが、ものごとはそう簡単に解決しない。

本書のなかの重要人物、アンドリュー・マクデューイは娘の問題をかかえて弱り果てている。彼は科学的合理主義の権化のような人物である。しかし、彼も娘のこととなると必死だ。娘に対する愛情で一杯だ。ただ、愛情さえあればうまくゆくとは限らないところに難しさがある。娘のことを考え、快適で便利な生活を守り、と思っている間に、彼は娘のたましいを殺してしまったのではなかろうか。そして、それは娘の実際的な死にまでつながるほどのものとなった。

私のところに相談に来る人で、「愛情一杯」に子どもに接しながら、子どもの「たましい」を深く傷つけている人は多い。そのことに気づかぬ親は、「うちの子はおかしいのでは」とか「気が変なのでは」と言ったりする。子どもは何も変ではない。子どものたましいの加害者でありながら平気でいる親こそ、考え直さねばならないのだが。

とは言うものの、このような親にまず「たましい」の存在を認めてもらうこと自体が難しい。見ることも触れることもできない、重さもない。それをどうして示すのだ。「たましい」の存在は「ものがたる」ことによって示すことができる。そして、本書の著者、ポール・ギャリコはそのように「ものがたる」ことの名人であり、本書は彼の数多くの傑作のなかの傑作ではないかと思う。「たましい」を直接に示すことはできない。そこで、たましいの顕現についてものがたることが必要になるのだが、たましいの顕現として出現するもののなかでも「猫」は相当に出番の多いものである。

事実、本書にも述べられているように、猫は古代エジプトにおいては重要な神であり、多くの人々の尊崇を受けていた。トマシーナが死んでどうなるかと思っているとき、「わが名はバスト・ラー、ブバスティスの猫の女神」というのが突如として出現してくる。これなど、猫がたましいの顕現として見られることを如実に示していて、さすがにギャリコはうまいなと感嘆する。

本書では無神論者マクデューイと牧師のペディの対比が明白で、彼らの対話はなかなか興味深い。この対話のみならず、本書には、「神」という語が何度も出てくる。ペディはキリスト教の牧師である。にもかかわらず、本書で論じられる神は――エジプトの神猫の出現にも示されているとおり――一神教にも多神教にも通じるような存在として提示されている。したがって、特定の宗教に限定されるのではなく、ここに述べられる「神」は、たましいのこととして読むとわかりやすい、と私は思っている。

「たましい」などと言っても、はなから相手にしそうもないマクデューイも、ひょっとして、「お嬢さんのメアリ・ルーは、あなたのたましいでしょう」と言えば、うなずいたかも知れない。ところが、「女の子と猫とはいろんな意味で似ていなくもない」ので、そこに、一匹の猫トマシーナを登場させることによって、たましいという存在の深みを、彼は身をもって体験するし、その物語を読んだ読者は、やっぱりたましいというのはあるのだ、その存在を知るためには、命をかけた苦しみを味わうかも知れないが、その後の歓びは測り知れないものがある、とわかるのだ。

それにしても、そのようなことを可能にする物語として、全体の構成、その間に縦横に張りめぐらせた伏線のからみ、苦しみのなかのユーモア、そして、読者をハラハラドキドキさせながら大団円へと引張ってゆく力、いずれを取ってみても、ポール・ギャリコは、ものがたりの名手だと言わざるを得ない。そして、この夢のような物語が、現代の日本の家庭の現実問題とも深く関係するものであることも、見逃さないようにして欲しいと思う。

（拙著『猫だましい』〔新潮文庫〕では、既に『トマシーナ』の筋を追って解説しているので、ここでは本質的な点のみを強調することにした。）

検　印
廃　止

訳者紹介　英米文学翻訳家。訳書にギャリコ「幽霊が多すぎる」「マチルダ」「われらが英雄スクラッフィ」，ディッキー「ミルク・イン・コーヒー」，デイヴィス「チート」などがある。

トマシーナ

2004年5月21日　初版
2022年10月21日　9版

著　者　ポール・ギャリコ

訳　者　山《やま》　田《だ》　蘭《らん》

発行所　(株)　東京創元社
代表者　渋谷健太郎

162-0814/東京都新宿区新小川町1-5
電　話　03·3268·8231-営業部
　　　　03·3268·8204-編集部
URL　http://www.tsogen.co.jp
振　替　00160-9-1565
フォレスト・本間製本

乱丁・落丁本は，ご面倒ですが小社までご送付ください。送料小社負担にてお取替えいたします。

©山田蘭　2004　Printed in Japan

ISBN978-4-488-56001-0　C0197

東京創元社が贈る総合文芸誌！

紙魚の手帖

SHIMINO TECHO

国内外のミステリ、SF、ファンタジイ、ホラー、一般文芸と、
オールジャンルの注目作を随時掲載！
その他、書評やコラムなど充実した内容でお届けいたします。
詳細は東京創元社ホームページ
（http://www.tsogen.co.jp/）をご覧ください。

隔月刊／偶数月12日頃刊行

A5判並製（書籍扱い）